CURSO DE ESPAÑOL COMO LENGUA EXTRANJERA

NUEVO ESPAÑOL EN MARCHA

LIBRO DEL ALUMNO

Francisca Castro Viúdez

Ignacio Rodero Díez

Carmen Sardinero Francos

Español Lengua Extranjera

SGEL

¿Cómo es *Nuevo Español en marcha*?

NUEVO ESPAÑOL EN MARCHA es un curso de español en cuatro niveles que abarca los contenidos correspondientes a los niveles A1, A2, B1 y B2 del *Marco común europeo de referencia*. También existe una edición con los niveles A1 y A2 en un solo volumen: *Nuevo Español en marcha Básico*. Al final de este tercer tomo los estudiantes podrán comprender textos en lengua estándar de temas conocidos por todos. También serán capaces de describir experiencias, acontecimientos, deseos y aspiraciones en términos sencillos. En la sección *Comunicación y cultura*, los estudiantes afianzarán sus destrezas lingüísticas y, al final, podrán desenvolverse en las diversas situaciones con las que se puedan encontrar, desde un viaje a un país de habla hispana, hasta hacer reclamaciones o escribir distintos tipos de documentos.

1 Portada

Incluye los contenidos que se van a trabajar en la unidad.

5 Anexos

- Gramática, vocabulario y ejercicios prácticos.
- Verbos regulares e irregulares.
- Transcripciones.

4 Autoevaluación

Actividades destinadas a recapitular y consolidar los objetivos de la unidad. Se incluye un test con el que el alumno podrá evaluar su progreso según los descriptores del *Portfolio europeo de las lenguas*.

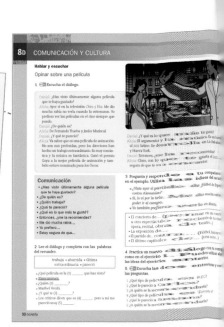

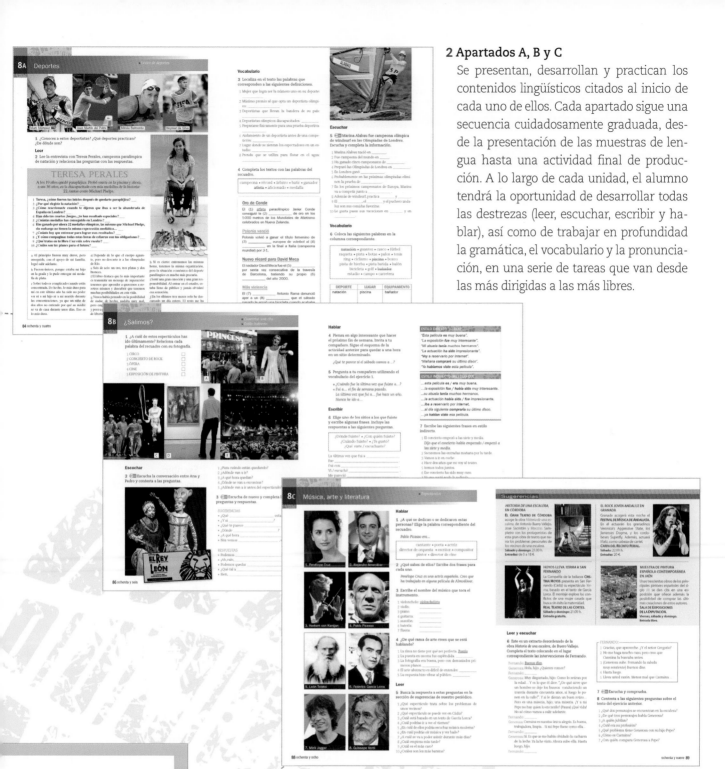

2 Apartados A, B y C

Se presentan, desarrollan y practican los contenidos lingüísticos citados al inicio de cada uno de ellos. Cada apartado sigue una secuencia cuidadosamente graduada, desde la presentación de las muestras de lengua hasta una actividad final de producción. A lo largo de cada unidad, el alumno tendrá la oportunidad de desarrollar todas las destrezas (leer, escuchar, escribir y hablar), así como de trabajar en profundidad la gramática, el vocabulario y la pronunciación, en una serie de tareas que van desde las más dirigidas a las más libres.

3 Apartado D - Comunicación y cultura

Incluye:

- Una página de **Hablar y escuchar**.
  El alumno escuchará y reproducirá diálogos de la vida diaria.
- Una página de **Leer**. A través de la lectura el estudiante adquirirá conocimientos de cultura del mundo hispano.
- Una pagina de **Escribir**. El alumno aprenderá a escribir correos electrónicos, cartas de reclamación, currículos vítae, postales, etc.

Contenidos

Gente

·· Rutinas y tiempo libre
·· Hablar de experiencias en el pasado
·· Hablar sobre el futuro
·· **Cultura:** El voseo

Rocío, 20 años, dependienta. | Fernando, 67 años, jubilado. | Carmen, 40 años, ama de casa. | Carlos, 12 años, estudiante.

1 Piensa en algunos de tus hábitos y háblales de ellos a tus compañeros.

■ *Yo me levanto temprano, me conecto a internet, escucho música, practico yoga y trabajo mucho.*
● *Pues yo veo películas en el ordenador, monto en bicicleta y estudio idiomas.*

Escuchar

2 Mira las fotos y lee la lista de actividades. ¿Quién crees que realiza cada una de ellas? Escribe el nombre.

1 Leer novelas <u>Rocío</u>
2 Salir con los amigos _____
3 Tocar el piano _____
4 Escuchar música _____
5 Montar en bici _____
6 Jugar al fútbol _____
7 Ver la tele _____
8 Estudiar ruso _____
9 Ir a la playa _____
10 Hacer la compra _____
11 Oír la radio _____
12 Hacer la comida _____

3 🔊 Escucha y comprueba tus respuestas.

4 🔊 Escucha otra vez y señala V o F.

1 A Carlos le gusta ir a la playa. ☑
2 Carlos toca el piano los domingos. ☐
3 Fernando lee las noticias todos los días. ☐
4 Rocío lee una novela a la semana. ☐
5 Carmen trabaja en la Escuela de Idiomas. ☐

Hablar

5 Pasea por la clase y encuentra a alguien que cumpla alguna de estas condiciones. Escribe el nombre. Luego pregúntale cuánto tiempo hace que realiza esa actividad o tiene ese estado.

■ *¿Estás casado?*
● *Sí.*
■ *¿Cuánto tiempo hace que te casaste? /¿Desde cuándo estás casado?*
● *Dos años.*

	Nombre	Tiempo
1 Está casado/a		
2 Usa lentillas		
3 Trabaja		
4 Hace surf		
5 Escribe (poesías, un diario)		
6 Toca un instrumento musical		
7 Tiene una mascota		
8 Va a la discoteca		
9 Tiene carné de conducir		

6 Ahora escribe la información que has recogido y léesela a tu compañero.

Paolo está casado. Se casó hace dos años.
Paolo está casado desde hace dos años.

Comunicación

Informar sobre el tiempo que hace que se realiza una actividad

- *María trabaja en el Banco Central **desde hace tres años**.*
- *María trabaja en el Banco Central **desde 2009**.*
- *María trabaja en el Banco Central **desde que** terminó sus estudios.*
- ***Hace tres años que** María trabaja en el Banco Central.*
- ***Hace tres años que** María empezó a trabajar en el Banco Central.*

Preguntar y responder sobre el tiempo que hace que se realiza una actividad

- ■ *¿**Cuánto tiempo hace que** te casaste?*
- ● *Diez años.*
- ■ *¿**Cuánto tiempo hace que** estudias español?*
- ● *Un año y medio.*
- ■ *¿**Desde cuándo** estudias español?*
- ● *Desde hace dos años.*
- ▼ *Yo, desde abril del año pasado.*

7 Relaciona.

1 ¿Cuánto tiempo hace que vives en esta ciudad? ☐
2 ¿Desde cuándo te gusta el jazz? ☐
3 ¿Desde cuándo trabajas en esta empresa? ☐
4 ¿Cuánto tiempo hace que no vas al cine? ☐
5 ¿Cuánto tiempo hace que viste a Elena la última vez? ☐

a Desde que escuché un concierto en la universidad.
b Unos tres meses. Vi una película de Ricardo Darín.
c Diez años. Antes vivía en Sevilla.
d Un año, más o menos. La vi en la boda de Antonio.
e Desde que terminé mis estudios de Administración.

8 Escribe las preguntas y respuestas adecuadas siguiendo el modelo. Luego, comprueba con tu compañero.

1 Salir con este chico / medio año.
   ■ ¿Cuánto tiempo hace que sales con ese chico?
   ● (Hace) medio año.
   ■ ¿Desde cuándo sales con ese chico?
   ● Desde hace medio año.
2 Jugar al tenis / dos años.
3 Empezar la película / diez minutos.
4 Esperar el autobús / casi veinte minutos.
5 Tener carné de conducir / enero.
6 Conocer a Pilar / 2012.
7 Tener este móvil / hace un mes.

Escribir

9 Completa la carta de presentación de este estudiante de español.

Me llamo Marcelo Chaves y soy brasileño. <u>Nací</u> (1) en São Paulo, pero _____ (2) en Río de Janeiro desde que _____ (3) cinco años. Mi padre _____ (4) médico, y mi madre, ama de casa. _____ (5) dos hermanos, Emilio y Rosana. _____ (6) periodista. _____ (7) Periodismo en la universidad y actualmente _____ (8) en el periódico *El Globo de Río* desde hace dos años. En mi tiempo libre me gusta _____ (9) al fútbol, ir a la playa y salir con mis amigos.
También me gusta mucho _____ (10), especialmente libros de viajes.
Ahora _____ (11) español porque lo necesito para mi trabajo, para comunicarme con mis colegas hispanoamericanos. En el futuro me gustaría _____ (12) a algún país hispanoamericano como corresponsal. De momento, el verano próximo _____ (13) a España de vacaciones.

10 Escribe una carta de presentación sobre ti mismo como la anterior. Intercámbiala con un compañero.

1 Primero, piensa y escribe unas diez cosas que hiciste el domingo pasado. Luego, pregunta y responde a tu compañero, sin mirar la lista.

- ■ *¿Qué hiciste el domingo pasado?*
- ● *Me levanté a las 10, desayuné con un amigo, compré el periódico, lo leí, comí con Carlos. Por la tarde fui a ensayar con mi grupo de música.*

2 Relaciona.

a Pretérito perfecto   c Pretérito indefinido
b Pretérito imperfecto   d Presente

1 Hace 100 años las mujeres tenían muy pocos derechos sociales. [b]
2 Eduardo ha viajado por todo el mundo. ☐
3 Últimamente no he visto mucho a Luis porque he estado muy ocupada. ☐
4 Antes íbamos de vacaciones a Alicante, a un *camping*. ☐
5 En la otra empresa, cuando salíamos a comer tomábamos el sol en el parque. ☐
6 Este verano hemos estado de vacaciones en Galicia. ☐
7 Mis abuelos eran de Asturias. ☐
8 Eduardo fue a Brasil en 2011. ☐
9 Jorge, son las once y media de la noche, ¿por qué llegas tan tarde? ☐

PRETÉRITO INDEFINIDO / PRETÉRITO PERFECTO / PRETÉRITO IMPERFECTO

- ● El **pretérito indefinido** se utiliza para expresar acciones o estados acabados en un momento determinado del pasado.

- ● El **pretérito perfecto** sirve para hablar de acciones acabadas o muy próximas al presente. También se usa para expresar acciones acabadas sin especificar el momento en que ocurrieron.

  *Rosa **viajó** el año pasado a Brasil.*
  *Rosa **ha viajado** mucho.*

  *Cervantes **escribió** El Quijote.*
  *Rosa Montero **ha escrito** una veintena de libros.*

  ***Ganó** en 1987 el premio Ondas.*
  ***Ha ganado** muchos premios.*

- ● Con el **pretérito imperfecto** hablamos de hábitos en el pasado y describimos las circunstancias de una acción en el pasado.
  *En 1980 la gente no **tenía** teléfono móvil.*

3 Completa las frases con el verbo en la forma más adecuada.

1 Hoy no (ir) _he ido_ a trabajar porque (tener) _____ que ir al hospital a hacerme una radiografía.
2 Antes a Laura no le (gustar) _____ ninguna verdura, ahora le _____ algunas, como las espinacas y las judías verdes.
3 El domingo pasado mis amigos y yo (ir) _____ a la playa y nos lo (pasar) _____ muy bien.
4 ■ ¿Qué (hacer) _____ este fin de semana?
   ● Nada especial. El sábado (limpiar) _____ la casa y el domingo (ver) _____ una película en la tele.
5 Javier Marías (escribir) _____ muchos libros y (ganar) _____ varios premios.
6 La escritora Rosa Montero (ganar) _____ el premio Primavera de novela en 1997 por *La hija del caníbal*.
7 La casa de mis tíos (ser) _____ muy grande y (tener) _____ piscina.
8 Anoche (tomar, yo) _____ dos cafés y por eso esta mañana (levantar, yo) _____ muy cansado. (Dormir, yo) _____ fatal.
9 Enrique (conocer) _____ a Laura, su mujer, cuando los dos (estudiar) _____ en la universidad.
10 Cuando (vivir, yo) _____ en Lima, (ser) _____ feliz, porque toda mi familia es de allí.

Leer

4 Mira la foto. ¿Conoces a esta cantante?

Julieta
Venegas
Percevault

Nació en Tijuana (México) en 1970. A los ocho años comenzó a estudiar piano clásico. Cuando aún era estudiante, empezó a tocar en el grupo Chantaje, por invitación de un amigo, y a componer canciones.

Tras formar parte de otros grupos, en 1996 se convirtió simplemente en Julieta Venegas. Al año siguiente editó *Aquí*, su primer disco como solista. En él, además de cantar y escribir los temas, tocaba el acordeón, el piano, la guitarra y el vibráfono.

A lo largo de su carrera musical ha compuesto música para obras teatrales y ha participado en la banda sonora de películas como *Amores perros*, de Alejandro González Iñárritu.

En 2006 publicó el álbum *Limón y sal*, con temas que tuvieron un gran éxito: "Limón y sal", "Me voy"... En los últimos años se ha situado como una de las cantantes más destacadas del pop rock en América Latina y ha ganado, entre otros premios, cinco Grammys Latinos.

También ha participado en diversos proyectos humanitarios y actualmente es embajadora de Unicef en México. Recientemente ha sacado un nuevo álbum.

5 Completa las preguntas y responde según el texto.

1 ¿Dónde nació Julieta Venegas?
En Tijuana, México.
2 ¿Cuántos años _____ cuando _____
a estudiar piano?
3 ¿Cuándo _____ en Julieta Venegas sin más?
4 ¿En qué año _____ su primer disco sola?
5 ¿_____ música para el teatro o el cine?
6 ¿Qué premios _____?
7 ¿_____ en algún proyecto humanitario?

6 Subraya los verbos que aparecen en el texto en pretérito indefinido y el marcador temporal que les corresponde. Luego, comprueba con tu compañero.

Nació... en 1970

7 Subraya el verbo adecuado.

1 Rosalía *vivió* / *ha vivido* en Lima hasta 2007.
2 Mis hermanos nunca *salieron* / *han salido* al extranjero.
3 ■ ¿*Tuviste* / *Has tenido* alguna vez algún accidente grave?
  ● Sí, en 2008 mi coche *chocó* / *ha chocado* con un camión. *Estuve* / *He estado* diez meses en el hospital.
4 ■ Hablas muy bien español, ¿dónde lo *aprendiste* / *has aprendido*?
  ● *Empecé* / *He empezado* hace diez años en la escuela y cuando *terminé* / *he terminado* mis estudios, *vine* / *he venido* a Mallorca a trabajar.
5 Federico en su juventud *vivió* / *ha vivido* en muchos sitios: Roma, Copenhague, Varsovia...
6 ■ ¿Qué tal el fin de semana?
  ● Bien, el sábado *fui* / *he ido* a ver un partido de fútbol y el domingo *invité* / *he invitado* a comer a Pablo en un restaurante.

Escribir y hablar

8 En grupos de cuatro. Escribid toda la información biográfica que sabéis sobre estos personajes famosos. Luego ponedla en común. ¿Qué grupo está más informado?

Teresa de Calcuta   Marilyn Monroe   Amy Winehouse

Charles Chaplin   Martin Luther King   Steve Jobs

Leer

1 ¿Te imaginas la vida sin petróleo?

■ *Es difícil, pero posible.*
● *Yo no puedo vivir sin el plástico.*

2 Lee el artículo.

Vivir sin petróleo

Dicen los geólogos que el petróleo es un tesoro. Según el catedrático Mariano Marzo, "es la fuente de energía más energética, la más competitiva y la más versátil. Y si tenemos en cuenta su precio, es relativamente barato". Pero este tesoro no durará eternamente y cada vez será más caro. Entonces, ¿cómo vamos a sustituirlo? Las energías renovables como la solar o la del viento producen energía, pero no pueden usarse en la industria petroquímica para artículos de uso cotidiano como bolsas de plástico, calzado, electrodomésticos o detergentes.

Según el profesor Joaquín Sempere, de la Universidad de Barcelona, "tendremos que aprender a vivir con menos energía".

Otro experto en el tema, Joaquín Nieto, formula la siguiente hipótesis: "Yo creo que en el futuro este mundo sin petróleo será mejor. Habrá menos coches y todos serán eléctricos. Por tanto, en las ciudades se respirará mejor, el aire será más limpio y habrá menos contaminación acústica y ambiental. La gente usará más la bicicleta para moverse y al mismo tiempo estará más sana a causa del ejercicio".

Por otro lado, viajar será caro, así que se acabarán las vacaciones en países lejanos o los viajes de negocios: habrá más videoconferencias y menos congresos. Y también cambiarán los hábitos de trabajo: se trabajará diez horas durante cuatro días a la semana o se trabajará desde el hogar, para ahorrar desplazamientos.

¡Realmente, nos esperan grandes cambios!

Extraído de La Vanguardia

3 Lee las siguientes predicciones y señala cuáles de ellas aparecen en el artículo.

1 Mucha gente trabajará sin salir de casa. ☐
2 Las casas se calentarán con energía solar. ☐
3 Viajarán al extranjero pocas personas. ☐
4 Los coches funcionarán con electricidad. ☐
5 Los niños no irán a la escuela, estudiarán en casa con el ordenador. ☐
6 Todo el mundo tendrá internet. ☐
7 Habrá poco tráfico en las ciudades. ☐
8 No habrá bolsas ni objetos de plástico. ☐
9 Los libros, los cuadernos de papel y los bolígrafos serán un lujo. ☐

Hablar

4 Con tu compañero, discute si estás de acuerdo o no.

■ *¿Tú crees que la gente trabajará en su casa?*
● *Yo creo que sí.*
■ *Yo creo que no, ¿qué pasará con los jefes?*

Gramática

FUTURO		
Regulares		
trabajar	**ser**	**vivir**
traba**jaré**	se**ré**	vivi**ré**
traba**jarás**	se**rás**	vivi**rás**
traba**jará**	se**rá**	vivi**rá**
traba**jaremos**	se**remos**	vivi**remos**
traba**jaréis**	se**réis**	vivi**réis**
traba**jarán**	se**rán**	vivi**rán**
Irregulares		
haber: habré	**hacer:** haré	**tener:** tendré

Se usa el futuro para:

● Hacer predicciones.
  *Dentro de unos años todos los coches **serán** eléctricos.*
● Hacer promesas.
  *El domingo **iré** a verte.*
● Detrás de *creo que / supongo que.*
  *Yo creo que este año **encontraré** trabajo.*

5 Completa las oraciones con uno de los verbos del recuadro en futuro.

> construir • vender • ganar • bajar • haber
> subir • casar • existir • ir • venir • poder • querer

1 Óscar le dijo a Lucía: "Nos _____ el verano que viene".
2 Cuando salió de casa, mi hija me aseguró: "_____ antes de las doce".
3 El Ministro de Economía ha asegurado que no _____ los impuestos.
4 El próximo año no se _____ nuevas autovías por falta de presupuesto.
5 Yo supongo que en el futuro _____ medicinas para las enfermedades más graves.
6 Martina dice que _____ la casa de la playa antes de tres años.
7 Yo creo que este año _____ la Liga el FC Barcelona.
8 Según el presidente del Gobierno, el paro _____ en los próximos meses.
9 Si no se arregla pronto esta carretera, _____ más accidentes.
10 Si Federico quiere, _____ este año de vacaciones a Galicia.
11 ¿Tú crees que Julia _____ venir de vacaciones con nosotros?
12 Profesora, mañana no _____ venir a clase porque tengo que ir al médico.

Pronunciación y ortografía

Acentuación

1 Subraya la sílaba tónica en las palabras siguientes.

conservador simpático alegre tímido
formal aburrido rizado jardín amable
televisión enfadarse olvidar dormir

2 🔊2 Escucha, comprueba y repite.

3 Escribe la tilde en las frases siguientes. Mira la referencia gramatical, para recordar las reglas.

1 Laura se enfado con Jose porque el queria ver el futbol en la television y ella queria ver una pelicula.
2 Yo creo que Raul es un egoista.
3 Ayer no trabaje mucho porque me dolia el estomago.
4 Necesitan una persona que trabaje bien la madera.
5 Yo creo que deberias ir al medico.
6 El sabado me encontre en el autobus con Victor.
7 A el le molesto la broma de Fatima.
8 Dijo que vendria mas tarde.
9 Los profesores hablaron en arabe durante toda la conversacion.

4 🔊3 Escucha, comprueba y repite.

Vocabulario

6 Mira las imágenes y haz una lista de los elementos que contienen petróleo. Y otra lista de los que no.

con petróleo	sin petróleo

7 Propuesta. ¿Crees que dentro de 50 años seguiremos usando los mismos objetos? Escríbelo.

Yo creo que dentro de 20 años no beberemos en tazas de plástico, serán de barro.

Anillos

Bolígrafo

Bolsa de papel

Bolsa de plástico

Botella

Caja

Gafas de sol

Cuchara

Cerillas

Cesto

CD

Calculadora

Ladrillos

Jersey de lana

Pasta de dientes

Pinzas

Tiesto

Gasolina

Hablar y escuchar

Conocer a alguien

1 Por parejas preguntad y responded a las siguientes preguntas.

1 ¿Cómo te llamas? ¿Cuál es tu nacionalidad?
2 Hablad sobre vuestra familia: ¿Cuántos sois?
3 ¿Has viajado alguna vez a un país de habla hispana? ¿A cuál/cuáles? ¿Qué te pareció/parecieron?
4 ¿Qué planes tienes para este curso?

2 Completa el diálogo entre Alice y Dimitri, dos compañeros que estudian español en Barcelona, con las expresiones del recuadro. Luego practícalo con tu compañero.

> ¿Y tú, de dónde eres? • Encantada de conocerte. De acuerdo. • ¿Ah, sí? • Empecé en el colegio. ¡Qué suerte! • ¿Qué te parece? ¿Cuánto tiempo hace que llegaste a Barcelona?

Dimitri: ¡Hola! Me llamo **Dimitri**.
Alice: ¡Hola! Yo soy **Alice**. (1) _____ ¿De dónde eres?
Dimitri: Soy de **Moscú**.
Alice: (2) _____. Creo que es una ciudad muy interesante, ¿no? Lo peor debe de ser el frío.
Dimitri: Al frío te acostumbras pronto pero es una ciudad muy bonita y con muchas cosas para visitar. (3) _____
Alice: Yo soy de **Devon, al sur de Inglaterra**.
Dimitri: **Allí llueve mucho, ¿no?** Tiene que ser un paisaje precioso.
Alice: Hablas muy bien español. ¿Cuánto tiempo llevas estudiando?
Dimitri: **Desde los 14 años.** (4) _____ ¿Y tú?
Alice: **Yo un poco más tarde, cuando entré en la universidad.** (5) _____
Dimitri: Hace **dos meses**. Quería visitar la ciudad antes de empezar las clases y buscar alojamiento. ¿Y tú?
Alice: Llegué hace **tres días**. Estoy en casa de **una amiga catalana**.
Dimitri: (6) _____ Yo todavía no tengo alojamiento. Estoy en un hotel. Al acabar la clase podríamos tomarnos un café y comentar nuestro primer día. (7) _____
Alice: (8) _____. Nos vemos luego.

3 Cambia las palabras en negrita en el ejercicio 1, cuando lo encuentres necesario, y practica un nuevo diálogo con tu compañero.

4 🔊 **4** Vas a escuchar lo que le pasó a Dimitri cuando volvía a casa después de pasar un día en la playa.

5 🔊 **4** Escucha de nuevo y responde a las preguntas.

1 ¿Qué hacía Dimitri en Salou?
2 ¿Por qué subió Dimitri a ese tren?
3 ¿Qué error cometió Dimitri?
4 ¿Cómo se enteró de su error?
5 ¿Dónde pasó la noche Dimitri?

Leer

El voseo

1 En tu lengua, ¿hay diferencias lingüísticas en cómo tratas a una persona si es más o menos joven? ¿Y en otros casos?

2 ¿Sabes cuándo se usa normalmente *tú* o *usted* en español?

	Tú	Usted
a Al médico		✗
b A una dependienta		
c A tu abuelo		
d A un camarero		
e A tu jefe		
f Al profesor/a		

3 Lee y señala V o F.

1 En Latinoamérica no se usa *vosotros*. [V]
2 Los latinoamericanos son menos formales que los españoles. ☐
3 En Canarias prefieren *ustedes* a *vosotros*. ☐
4 Algunos latinoamericanos hablan de *usted* a sus parientes. ☐
5 El voseo es utilizar *vos* en lugar de *ustedes*. ☐

EL VOSEO

Una diferencia importante entre el español de España y el de América es el uso de los pronombres personales *vosotros / ustedes / tú*.

La forma *vosotros* apenas se utiliza en Latinoamérica, donde prefieren la forma de cortesía *ustedes*. También se utiliza *ustedes* en algunas partes de Andalucía y en Canarias, aunque con alguna diferencia en la forma verbal.

Los latinoamericanos suelen hablarse de *usted* o de *tú*. Utilizan *usted* para dirigirse a personas mayores, desconocidas o en situaciones formales. En general se utiliza más que en España, donde está muy generalizado el *tuteo* (uso de *tú*). No es raro que un hispanoamericano hable de *usted* a sus padres o abuelos, costumbre que en España ha desaparecido.

Por otro lado, en Centroamérica y algunos países de Sudamérica (Argentina, Uruguay y otros) existe la costumbre de utilizar *vos* en lugar de *tú*.

Vos es una forma de tratamiento antigua que en España desapareció en el siglo XVIII, pero que se

conserva actualmente en algunas zonas de América. Se estima que un 30% de hispanohablantes lo usa actualmente. El *voseo* (uso de *vos*) obliga a cambios en la forma del verbo.

España	Argentina
Tú eres	Vos sos
Tú cantas	Vos cantás
Tú tienes	Vos tenés
Tú sabes	Vos sabés

Escribir

El párrafo. Uso de las mayúsculas

1 Ordena los párrafos del siguiente escrito.

1 Mucha gente no puede vivir sin amigos pero, ¿qué es la amistad? 　[1]

2 Para otros, un amigo es el que siempre acude a nuestra llamada. También el que nos conoce en profundidad, más allá de las apariencias. 　☐

3 Para unos, un amigo es la persona con la que nos sentimos cómodos y con la que podemos expresar libremente lo mejor de nosotros mismos. 　☐

4 Una buena amistad puede resistir el paso del tiempo, pero hay que cuidarla y regarla como a una planta, pues de lo contrario se seca y se pierde para siempre. 　☐

5 Pero, sobre todo, un amigo es el que comparte con nosotros los ratos buenos y los malos. 　☐

Comunicación

El párrafo

Formalmente, un párrafo es cada una de las partes de un escrito separadas por un punto y aparte. Desde el punto de vista del contenido, cada párrafo contiene una idea principal. Por tanto, cada vez que queremos cambiar de una idea a otra hay que escribir punto y aparte y cambiar de párrafo.

2 En el correo que sigue, señala (//) dónde acaba cada párrafo.

Reglas de juego

Enviar　Chat　Adjuntar　Agenda　Tipo de letra　Colores　Borrador　　　　Navegador de fotos　Mostrar plantillas

Hola, Mayte:

Te escribo para presentarme. Me llamo Francesca y nací en Sicilia hace 34 años. Acabé los estudios de auxiliar de enfermería a los diecinueve años en mi ciudad. Me casé en 1999 y tengo un hijo de cinco años. Lo que más me gusta hacer en mi tiempo libre es escuchar música, ver la tele y leer. Me gustan sobre todo las novelas policíacas. Estoy aprendiendo español porque vivo aquí con mi familia desde hace un año y porque me gustan los idiomas. También quiero comunicarme con los españoles. En esta clase espero mejorar mi español escrito y hablado, además de conocer a nuevos compañeros, nuevas culturas.

MAYÚSCULAS

Se escribe con **mayúscula**:

- Al principio de un escrito y después de un punto.
- Los nombres propios de personas, ciudades, países, ríos, etcétera:
  Sevilla, Marruecos, Duero.
- Las palabras que aluden a instituciones:
  el Tribunal Supremo.
- La primera palabra del título de un libro, una película, una obra de teatro:
  La guerra de las galaxias.
- Las siglas y algunos acrónimos:
  ONU (Organización de las Naciones Unidas).
  OMS (Organización Mundial de la Salud).

3 Escribe las mayúsculas donde corresponde.

1 el cantante italiano nicola di bari triunfa en el festival de mallorca.
2 el próximo otoño el papa viajará a méxico.
3 las obras del río manzanares terminarán en marzo.
4 el presidente del gobierno ha anunciado una nueva ley antitabaco.
5 millones de europeos visitan cada año la torre eiffel de parís.
6 el lunes próximo es navidad.
7 los juegos olímpicos de 2012 fueron en londres.

Lugares

2

- *Viajar*
- *Referirse al pasado*

A

B

C

D

1 Mira las fotos. ¿Qué forma de transporte te gusta más?

- *A mí me gusta mucho el tren, puedes conocer a gente nueva, andar un poco…*
- *Pues yo prefiero…*

Escuchar

2 Ordena los diálogos.

1 (EN LA ESTACIÓN DE CERCANÍAS DE ATOCHA)
- ☐ Gracias, adiós.
- ☐ ¿Cuánto vale el de ida y vuelta?
- ☐ Hola, quería un billete para Alcalá de Henares para el tren de las 9.30.
- ☐ Pues…, deme uno de ida y vuelta.
- ☐ ¿Ida solo o ida y vuelta?
- ☐ El billete de ida cuesta 2 € y el de ida y vuelta 3,60 €.
- ☐ Aquí tiene su billete, son 3,60 €.

2 (EN EL AEROPUERTO DE BARAJAS)
- ☐ Buenos días, ¿me da el billete y el pasaporte?
- ☐ Pasillo, por favor.
- ☐ Sí, las dos marrones.
- ☐ Aquí tiene.
- ☐ ¿Ventana o pasillo?
- ☐ ¿A qué hora ha dicho que tengo que embarcar?
- ☐ ¿Estas son sus maletas?
- ☐ Muy bien. Mire, esta es su tarjeta de embarque. Tiene que estar en la sala de embarque media hora antes de la salida, a las 6.35. Todavía no se sabe en qué sala. Mírelo en los paneles de información.
- ☐ A las 6.35.
- ☐ Ah, vale, gracias.

3 🔊 5 Escucha y comprueba.

Hablar

4 Practica las conversaciones anteriores con tu compañero. Imagina trayectos de tren o autobús en tu propia ciudad / país.

Gramática

- Con el pretérito pluscuamperfecto expresamos acciones pasadas que son anteriores a otras. *Cuando llegué a la estación, el tren ya **había salido**.*

5 Subraya el verbo más adecuado.

1 Cuando Lucía *llamó / había llamado* por teléfono, Silvia ya *salió / había salido*.
2 Mi hija *vino / había venido* cuando ya nos *habíamos acostado / acostamos*.
3 Ayer Rosa *contó / había contado* que estuvo de vacaciones en Málaga.
4 Cuando vi a Luis, me *alegré / había alegrado* mucho.
5 Miguel no fue ayer a trabajar porque *estaba / había estado* enfermo.
6 Luisa vendió el anillo que le *había regalado / regaló* su novio.

6 Pon el verbo en la forma correcta (pretérito indefinido o pretérito pluscuamperfecto).

1 Juan <u>llamó</u> (llamar) por teléfono a Elena esta mañana, pero ya se <u>había ido</u> (irse).
2 Andrés _____ (perder) el reloj que sus padres le _____ (regalar).
3 La policía _____ (descubrir) dónde _____ (esconder) los diamantes los ladrones.
4 Nadie _____ (venir) a la fiesta porque a Sara se le _____ (olvidar) avisar a sus amigos.
5 Julia _____ (enfadarse) con Antonio porque él _____ (llegar) tarde a la cita.
6 Nieves y Pedro me _____ (enseñar) las fotos del viaje que _____ (hacer) el mes pasado.
7 Cuándo _____ (llegar) Alicia, el examen ya _____ (empezar).
8 _____ (Empezar) a llover cuando Miguel y yo ya _____ (llegar) a casa.
9 Miguel _____ (comprar) un coche con el dinero que _____ (ahorrar).
10 Nos _____ (ir) al cine porque ya _____ (acabar) nuestro trabajo.

7 Combina las dos frases para hacer una frase nueva con el verbo en pretérito pluscuamperfecto.

1 El jefe salir / (yo) llegar a la oficina. *Cuando yo llegué a la oficina, el jefe ya había salido.*
2 Trabajar en un supermercado / Entrar a trabajar aquí (Carlos).
3 Empezar la película / Entrar en el cine (nosotros).
4 Mi marido preparar la cena / Llegar a casa (yo).
5 Su madre morir / Casarse (ella).
6 Estar trabajando en China / Empezar a estudiar chino (Ramón).
7 Tener dos accidentes (él) / Quitarle el carné de conducir (ellos).

8 Completa la conversación con los verbos del recuadro en pretérito pluscuamperfecto.

> vender • encontrar • ir • terminar • ~~morir~~

- ¿Sabes a quién vi ayer?
- No, ¿a quién?
- A Lucía, la mujer de José Luis.
- ¿Y qué te contó?
- Pues me dijo que su padre <u>había muerto</u> (1), que su madre _____ (2) el piso y se _____ (3) a vivir a una residencia.
- ¡Vaya!
- Sí, estaba un poco triste. Bueno, también me contó que su hijo mayor _____ (4) un buen trabajo y que su hija _____ (5) la universidad con buenas notas.

1 ¿Cómo vienes a clase? Explícalo a tus compañeros.

Yo vengo en el autobús 15, me bajo en la avenida de Ríos Rosas y desde allí vengo andando.

2 Tres personas explican cómo van al trabajo cada día. Completa con las palabras del recuadro.

> estación • atasco • regresar • llegar • rápido • Durante (x 2) • tren (x 2) • ir
> hasta (x 2) • va • coche • tardo (x 2) • transbordo

Normalmente voy al trabajo en coche. Es que vivo a quince kilómetros de Madrid y no hay ninguna estación (1) de tren cerca de mi casa. Si no hay problemas, tardo media hora en _____(2), pero si hay algún _____(3) tardo una hora o, a veces, más. No me gusta mucho conducir, pero así puedo _____(4) a casa media hora antes y recoger a mi hija del colegio.

Yo vivo en el sur de Madrid y tengo que _____(5) a la Universidad Autónoma, que está al norte. Primero voy en metro _____(6) la plaza de Castilla. Tengo que hacer un _____(7) en Gran Vía. En la plaza de Castilla tomo el autobús que _____(8) a la Universidad. La verdad es que está un poco lejos, _____(9) más de una hora en llegar. _____(10) el viaje puedo leer y estudiar algo, si no hay muchos pasajeros.

Yo vivo en Madrid y trabajo en Alcalá de Henares. No tengo _____(11), así que voy a trabajar en metro y en tren. Primero voy en metro _____(12) Atocha, es lo más rápido, y luego tomo el _____(13) de cercanías hasta Alcalá de Henares. _____(14) una hora en llegar, más o menos. _____ (15) el viaje tengo tiempo de leer el periódico o una novela, o también puedo dormir, si tengo sueño. El _____(16) es cómodo, _____ (17) y barato.

3 🔊 6 Escucha y comprueba.

4 Escribe un párrafo sobre ti mismo utilizando expresiones de los textos anteriores. Léeselo a tus compañeros.

Vocabulario

5 Haz una lista de palabras y expresiones referentes a los medios de transporte que has aprendido hasta ahora.

- Estación de tren / metro
- Parada de autobús

Leer

6 Antes de leer el texto sobre el transporte en Madrid, piensa si las afirmaciones siguientes son verdaderas (V) o falsas (F).

1 En Madrid no hay metro. ☐
2 Los autobuses de Madrid son baratos. ☐
3 Hay autobuses nocturnos. ☐
4 Los trenes de cercanías funcionan toda la noche. ☐

7 Lee el texto y comprueba.

MOVERSE POR MADRID

Madrid dispone de una extensa y moderna red de transportes públicos que llega a todas partes. Tiene autobuses, metro, taxis y trenes de cercanías.

Los autobuses de la Empresa Municipal de Transportes (EMT) recorren toda la ciudad. La mayoría de las líneas circulan todos los días entre las 6.00 y las 23.00 horas, cada diez o quince minutos. Existe una línea que comunica el aeropuerto de Barajas y el centro de la ciudad.

También hay autobuses nocturnos (llamados búhos) que salen de la plaza de Cibeles.

Los autobuses se toman en las paradas establecidas. En el mismo autobús se puede comprar el billete para un viaje, pero es más económico comprar un Metrobús (billete de 10 viajes en metro o en autobús). Este se compra en las estaciones de metro y en los estancos; no se puede comprar en el mismo autobús. El metro abre a las seis de la mañana y cierra a las dos de la madrugada.

Los trenes de cercanías son otra manera de recorrer la Comunidad de Madrid. Salen o pasan por la estación de Atocha. Son baratos y rápidos, además de útiles para hacer excursiones fuera de Madrid, a la sierra de Guadarrama y a ciudades cercanas, como Aranjuez, Alcalá de Henares o El Escorial.

Los "cercanías" empiezan a circular todos los días entre las 5.00 y las 6.00 horas y terminan a las 24.00. Los precios varían según la distancia.

Si vives en Madrid, la forma más económica de viajar en transporte público es el Abono Transporte. Es un billete mensual que se puede utilizar en el metro, el autobús y en los trenes de cercanías.

8 Responde a las preguntas.

1 ¿Qué tipos de transporte público encontramos en Madrid?
2 ¿Con qué frecuencia pasan los autobuses?
3 ¿Puedes comprar un Metrobús dentro del autobús?
4 ¿Cuándo puedes tomar el primer tren?
5 ¿En qué se diferencia el Metrobús del Abono Transporte?

Pronunciación y ortografía

Entonación exclamativa

1 🔊7 Escucha y repite.

¡Estupendo! ¡No me digas! ¡Enhorabuena! ¡Cuánto tiempo sin verte! ¡Ven aquí! ¡Qué bonito! ¡Eres genial! ¡Estoy harta! ¡Espérame!

2 🔊8 Escucha y escribe los signos necesarios (¿? / ¡!).

1 ¿Está libre?
2 Qué pena
3 Vas a la compra
4 Qué barato
5 Puedo salir
6 He aprobado
7 No es barato
8 Estás tonto
9 Te gusta
10 Es carísimo

Leer

1 ¿Te gustaría pasar las vacaciones en un país extranjero sin tener que pagar hotel ni alquiler? ¿Por qué no intercambias tu casa con otras personas?

2 Maribel y Andrés están buscando en internet una casa en México para intercambiar durante las vacaciones. Lee los siguientes textos.

Ubicación: CUERNAVACA
Pueden dormir: 6 personas. **Dormitorios:** 3
Baños: 2
No se admiten niños.

Pequeña casa muy atractiva en urbanización situada a tres horas en coche de Acapulco, a una hora de la Ciudad de México y a una hora de Taxco. La casa tiene *jacuzzi*, aire acondicionado, garaje, alberca y un jardín bastante grande. En los alrededores se pueden encontrar interesantes atracciones turísticas y culturales. Hay un centro comercial próximo.

PROPIETARIOS:
Profesión: empleado de banca y profesora de Educación Física. **Grupo familiar:** 2 adultos. **Destinos deseados:** Italia, España y Estados Unidos.

Ubicación: ACAPULCO
Pueden dormir: 4 personas. **Dormitorios:** 2
Baños: 1
Solamente no fumadores.

Precioso departamento en la playa. Situado en urbanización con campo de golf junto al mar. La urbanización tiene alberca privada. La casa tiene aire acondicionado, cocina moderna, barbacoa y pequeño jardín. En la zona hay interesantes atracciones turísticas y culturales. Es una zona muy atractiva para los aficionados a la pesca y al golf. Ideal para la práctica de vela y surf.

PROPIETARIOS:
Profesión: abogados. **Grupo familiar:** 2 adultos. **Destinos deseados:** abiertos a distintas posibilidades.

3 ¿Cuál de las dos casas les interesa a Maribel y Andrés teniendo en cuenta las siguientes circunstancias?

1 Viajan con sus dos hijos. [b]
2 Desean hacer turismo por México. ☐
3 Andrés es aficionado a la pesca. ☐
4 Desean tener una piscina para los niños. ☐
5 No fuma ninguno de los dos. ☐

6 Quieren tener la playa cerca. ☐
7 Les gustaría tener jardín. ☐
8 Les divierte la idea de cocinar al aire libre. ☐
9 Los niños quieren hacer un curso de vela. ☐
10 Les gusta jugar al golf. ☐

4 Imagina que quieres hacer un intercambio. Escribe tu ficha con la descripción de tu casa y tus datos personales para ponerla en la página de internet. Utiliza, entre otras, las siguientes palabras.

> aire acondicionado • calefacción • chimenea
> equipo de música • ordenador • televisión
> vídeo • DVD • lavaplatos • lavadora • secadora

5 Maribel y Andrés han elegido la casa de Acapulco. Completa el *e-mail* que envía Maribel proponiendo el intercambio.

> quincena • urbanización • anuncio
> alrededores • intercambio • visitar • hijos
> gastronomía • fotografías • profesores

Mensaje nuevo — ↗ ✕

Destinatarios acapulco@gmail.com

Asunto vacaciones

Hola:
Acabamos de ver su (1)_____ en la página de internet y estamos muy interesados en hacer un (2)_____ con ustedes durante la primera (3)_____ de agosto. Somos una pareja de no fumadores con dos (4)_____ de 9 y 14 años. Mi marido es muy aficionado a la pesca. Trabajamos como (5)_____ de español.
Nuestra casa está en una (6)_____ cerca de Segovia, una de las ciudades medievales más bonitas de España. Desde allí podrán (7)_____ Ávila, Salamanca y Madrid.
También podrán disfrutar de la rica (8)_____ de la zona. Si están interesados, podemos mandarles (9)_____ de la casa y (10)_____.
También podríamos enviarles folletos informativos de la zona.
Por favor, contesten lo antes posible, tanto si están interesados como si no.
Un saludo cordial,
Maribel y Andrés

Enviar A 📎 +   🗑 ▾

6 Escribe ahora un *e-mail* haciendo tu propuesta de intercambio.

Gramática

PREPOSICIONES

A / Al (a + el)
- Se utiliza para indicar lugar, distancia, temperatura, precio, especialmente con el verbo *estar*.
  *La piscina está **al** fondo del jardín.*
  *El aeropuerto está **a** cinco km.*
  *Hoy estamos **a** 29 ºC*
  *Los tomates hoy están **a** 3 € el kilo.*
- Indica punto final en el espacio o en el tiempo.
  *Abren de 9.00 **a** 14.00.*

De
- Indica origen en el espacio o en el tiempo.
  *Estudia **de** octubre a junio.*
- Se utiliza en expresiones con el verbo *ir*.
  *Ir **de** viaje, ir **de** excursión, ir **de** visita...*

Desde
- Indica origen en el espacio o en el tiempo.
  ***Desde** Segovia tienen que tomar la autopista.*

En
- Indica lugar, situación.
  *Dejen las llaves **en** el buzón.*
- Selecciona un medio de transporte.
  *Iremos **en** coche.*

Hasta
- Indica punto final en el tiempo y en el espacio.
  *Tienen que llegar **hasta** la iglesia.*

Por
- Indica causa, razón, lugar y medio.
  *Juan camina **por** el parque todas las mañanas.*

Para
- Indica finalidad y utilidad.
  *Ana lee novelas **para** entretenerse.*

Escuchar

7 🔊 9 Maribel habla por teléfono con Juan Zúñiga, el hombre mexicano que va a venir a Segovia. Escucha y completa.

1 Villacastín está a unos _____
_____.

2 Deben tomar la Nacional VI _____
_____.

3 _____ tienen que desviarse por la carretera que va a Segovia.

4 A cinco kilómetros del pueblo encontrarán la entrada _____.

5 Justo _____ está nuestra casa.

6 Las llaves están _____.

Hablar y escuchar

Hacer sugerencias

1 🔊10 Escucha la conversación.

Sandra: ¿Has leído la revista de *El Viajero* de la semana pasada?

María: No, ¿por qué?

Sandra: Pues venía un artículo muy interesante sobre la ciudad de *Cuenca*.

María: ¿Ah, sí? ¿Y qué dice?

Sandra: *Habla de su catedral, sus museos, su casco antiguo...* Había pensado que, si quieres, nos organizamos el próximo fin de semana para ir a conocerla.

María: Bueno, ¿y cómo vamos?

Sandra: Podemos ir en *coche, pero yo creo que es más cómodo ir en tren.*

María: Yo también prefiero el tren. ¿Y dónde dormiríamos?

Sandra: Podríamos buscar un hotel barato en internet. Lo que sí me gustaría *es comer en un restaurante nuevo que está en las Casas Colgadas, junto al Museo de Arte Abstracto. El cocinero es muy famoso y creo que se come muy bien.*

María: ¡Genial! ¿Por qué no se lo decimos a *Luisa y a Alicia* para que se vengan con nosotras.

Comunicación

- Había pensado que, si quieres, nos vamos a Cuenca el próximo fin de semana.
- Podemos ir en coche o en tren.
- Podríamos buscar un hotel barato.
- Lo que sí me gustaría es comer en un restaurante.
- ¿Por qué no se lo decimos a Luisa y a Alicia?

2 Pregunta y responde a tu compañero como en el ejemplo. Utiliza las situaciones del recuadro.

- ■ *Había pensado que, si quieres, nos vamos a Toledo el próximo fin de semana.*
- ● *Bueno, ¿y cómo vamos?*
- ■ *Podemos ir en tren o en autobús.*
- ● *Yo prefiero el autobús, porque es más cómodo.*

Mallorca / barco o avión.
Santiago de Compostela / coche o avión.
Barcelona / tren o avión.
Valencia / coche o tren.

3 Completa la conversación con las palabras del recuadro.

prefiero • comer • restaurante
comemos • Por qué no

- ■ Podríamos (1) _____ una paella.
- ● ¿Por qué no (2) _____ en una pizzería?
- ▲ Yo (3) _____ ir a un restaurante chino.
- ◆ ¿(4) _____ no le pedimos a Fernando que nos recomiende algún (5) _____ bueno?

4 Cambia las palabras en negrita del ejercicio 1 y practica un nuevo diálogo con tu compañero.

5 🔊11 Escucha la conversación telefónica entre Sandra y Luisa y contesta a las preguntas.

1 ¿Para qué llama Sandra a Luisa?
2 ¿Desde qué ciudad salen?
3 ¿A qué distancia está la estación de tren del centro de Cuenca?
4 ¿En qué medio de transporte van a ir?
5 ¿Por qué no van a tener problemas para encontrar alojamiento?

Leer

Viaje a Colombia

1 ¿Sabes algo de la ciudad colombiana de Cartagena de Indias? Coméntalo con tus compañeros.

2 Lee el texto.

3 En parejas. Prepara diez preguntas sobre Cartagena de Indias para tu compañero. Luego, con el libro cerrado hazle las preguntas y responde a la suyas.

¿Dónde está situada Cartagena de Indias?

CARTAGENA DE INDIAS

La ciudad de Cartagena de Indias está situada en el noroeste de Colombia, es la capital del departamento de Bolívar. Está a orillas del mar Caribe, y su clima es tropical. Tiene unos 900 000 habitantes. En 1984 fue considerada **patrimonio cultural mundial** por la UNESCO.

Historia

La ciudad fue fundada por el español don Pedro de Heredia en 1533, y fue colonia española hasta el 11 de noviembre de 1811, fecha de la firma del Acta de Independencia Absoluta de España.

¿Qué hacer en Cartagena?

Hay muchos sitios donde ir en Cartagena de Indias. Puedes encontrar historia, recreación, descanso, placer y muchas cosas más.

Islas y playas. Está situada en una amplia bahía, rodeada de islas y lagunas.

Vida nocturna. Los lugares preferidos para divertirse por la noche son el centro amurallado, la calle del Arsenal y Bocagrande.

Sitios de interés. La ciudad de Cartagena está llena de monumentos (iglesias, conventos, museos, palacios) que hay que visitar. Fuera de la ciudad se pueden hacer excursiones a las islas del Rosario o al acuario San Martín.

Gastronomía

En la gastronomía de Cartagena se mezclan ingredientes indígenas y españoles. Los platos más conocidos son:

Ajiaco: sopa hecha con pollo y papas.

Tamales: masa de maíz con pollo, cerdo y verduras, envuelta en hojas de plátano.

Patacón: plátano verde frito mezclado con carne o queso.

Arepa: masa hecha de harina de maíz rellena de diversos ingredientes.

Empanadas: masa de harina de trigo rellena de arroz, carne y verduras.

Escribir

Un correo personal

Los correos personales pueden tener estructuras muy variadas, pero en muchos casos siguen este esquema.

a Saludo.
b Motivo principal del correo.
c Información general sobre uno mismo.
d Interés por el otro. Se hacen preguntas sobre su trabajo, salud, familia.
e Despedida.

1 Lee el correo y señala dónde empieza y acaba cada una de las secciones anteriores.

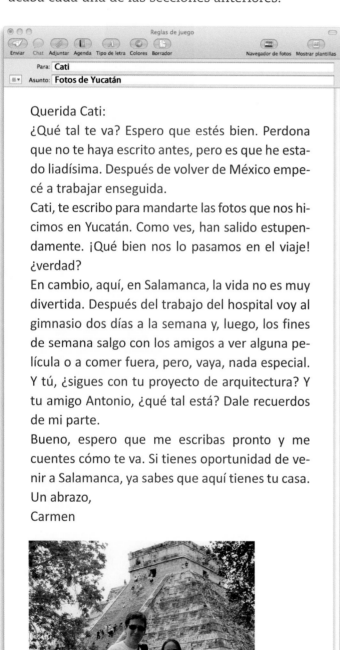

Reglas de juego

Enviar Chat Adjuntar Agenda Tipo de letra Colores Borrador   Navegador de fotos Mostrar plantillas

Para: **Cati**

Asunto: **Fotos de Yucatán**

Querida Cati:

¿Qué tal te va? Espero que estés bien. Perdona que no te haya escrito antes, pero es que he estado liadísima. Después de volver de México empecé a trabajar enseguida.

Cati, te escribo para mandarte las fotos que nos hicimos en Yucatán. Como ves, han salido estupendamente. ¡Qué bien nos lo pasamos en el viaje! ¿verdad?

En cambio, aquí, en Salamanca, la vida no es muy divertida. Después del trabajo del hospital voy al gimnasio dos días a la semana y, luego, los fines de semana salgo con los amigos a ver alguna película o a comer fuera, pero, vaya, nada especial.

Y tú, ¿sigues con tu proyecto de arquitectura? Y tu amigo Antonio, ¿qué tal está? Dale recuerdos de mi parte.

Bueno, espero que me escribas pronto y me cuentes cómo te va. Si tienes oportunidad de venir a Salamanca, ya sabes que aquí tienes tu casa.

Un abrazo,

Carmen

2 Lee otra vez y responde.

¿Qué relación hay entre Cati y Carmen? ¿Cuál es el motivo del correo?

3 A continuación, tienes un correo desordenado. Ordénalo.

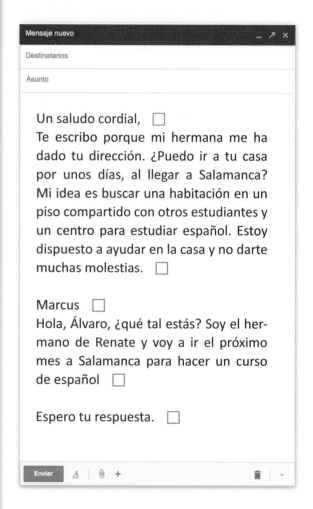

Mensaje nuevo

Destinatarios

Asunto

Un saludo cordial, ☐
Te escribo porque mi hermana me ha dado tu dirección. ¿Puedo ir a tu casa por unos días, al llegar a Salamanca? Mi idea es buscar una habitación en un piso compartido con otros estudiantes y un centro para estudiar español. Estoy dispuesto a ayudar en la casa y no darte muchas molestias. ☐

Marcus ☐
Hola, Álvaro, ¿qué tal estás? Soy el hermano de Renate y voy a ir el próximo mes a Salamanca para hacer un curso de español ☐

Espero tu respuesta. ☐

Enviar A 0 +   🗑 ▾

4 Imagina que el verano pasado conociste a un español en la playa. Escríbele un correo para invitarlo a venir a tu casa. Explícale qué actividades podéis realizar si acepta la invitación.

1 Completa las preguntas.

1 ■ ¿Cómo te llamas de apellido?
● *Martínez Herrero.*
2 ■ ¿Dónde _____?
● En Valladolid, en 1978.
3 ■ ¿Dónde _____ actualmente?
● En Bilbao.
4 ■ ¿_____?
● Sí, mi mujer se llama Eva.
5 ■ ¿_____?
● Sí, una niña de tres años.
6 ■ ¿_____?
● Soy administrativo. Trabajo en una agencia de viajes.
7 ■ ¿_____ en esa agencia?
● _____ hace cuatro años.
8 ■ ¿_____?
● Me gusta ir a la playa y jugar al tenis con mi mujer.
9 ■ ¿_____ en el extranjero?
● Sí, hace dos años fui a Londres.

2 Completa la biografía con los verbos del recuadro en la forma adecuada.

> publicar (x 2) • ingresar • estudiar
> trabajar • obtener • ganar • escribir
> ~~nacer~~ • trasladarse • vivir

ALFREDO BRYCE ECHENIQUE, ESCRITOR PERUANO

Nació (1) en Lima, en 1939. _____ (2) en colegios norteamericanos e ingleses. En 1957 _____ (3) en la Universidad Nacional de San Marcos para estudiar Derecho y Letras. En 1964 _____ (4) a Europa. _____ (5) en Francia, Italia, Grecia y España, donde _____ (6) como profesor en varias universidades.

_____ (7) su primer libro de cuentos en 1968 *(Huerto cerrado)*, que _____ (8) un premio en el concurso Casa de las Américas.

En 1970 _____ (9) *Un mundo para Julius*, que muchos consideran su mejor novela. Desde esa fecha _____ (10) numerosos cuentos, crónicas periodísticas y unas "antimemorias": *Permiso para vivir* (1993) y *Permiso para sentir* (2005). En 2002 _____ (11) el Premio Planeta con *El huerto de mi amada*.

3 Subraya la preposición adecuada.

> Me llamo Rosa, soy ama *en / de* casa y vivo *con / a* mi marido y mi hija *por / en* Granada. Cristina se despierta *a / en* las ocho, yo le doy el biberón y juego *con / a* ella un rato. A las diez damos un paseo *por / a* el parque y *a / de* la vuelta paso *por / en* el supermercado *para / por* hacer la compra. *Desde / De* la una *hasta / a* las cuatro Cristina duerme la siesta y yo aprovecho *para / por* comer, lavar, planchar y descansar. *Por / Para* la tarde vamos otra vez *en / al* parque, si hace buen tiempo, y volvemos *a / en* casa a las siete, cuando mi marido llega *de / a* su trabajo.

4 Sigue el modelo.

1 Leer el periódico / más tarde.
  ¿Has leído ya el periódico? No, lo leeré más tarde.
2 Hacer la comida / dentro de un rato.
3 Mandar el mensaje a Carmen / esta tarde.
4 Llamar por teléfono a tu madre / luego.
5 Fregar los platos / mañana.
6 Planchar las camisas / más tarde.
7 Poner la lavadora / el lunes.

5 Completa con la palabra adecuada.

> ~~crucero~~ • billetes • parada • estación • vía
> cercanías • puerto • tarjeta de embarque

1 Maribel y Andrés han hecho un *crucero* por el Mediterráneo y están encantados.
2 Nuestro tren sale de la _____ 5 dentro de quince minutos.
3 Cuando llegó el autobús, en la _____ había más de cuarenta personas.
4 Cerca de mi casa no hay ninguna _____ de tren de _____.
5 Ángel, ¿dónde has puesto los _____ de avión y los pasaportes?
6 Isabel, mira la _____ para saber de qué puerta sale nuestro avión.
7 Para tomar el barco tenemos que estar en el _____ dos horas antes.

6 Relaciona.

1 Por favor, ¿cómo puedo ir al aeropuerto de Barajas? ☐
2 ¿Cuánto se tarda de aquí al Museo del Prado? ☐
3 ¿Cuánto cuesta el billete de metro? ☐
4 ¿A qué hora sale el próximo tren para Aranjuez? ☐
5 ¿Aquí para el autobús que va a la plaza Mayor? ☐

a Un billete para un viaje cuesta 1,50 €, pero un billete para 10 viajes cuesta 12,20 €.
b No, tiene que ir a la parada que está más allá y tomar el autobús número 12.
c A las diez quince.
d Si vas en metro, unos diez minutos, pero si vas andando, unos veinticinco minutos.
e Puede ir en metro, tomando la línea 8, en tren de Cercanías, en la línea 1, o en los autobuses que salen de la estación de Atocha.

7 En este texto hay 10 errores. Búscalos y corrígelos.

Jorge vive en un barrio de Madrid, cerca a una estación de metro. Antes iba a trabajar todos las días con metro. Pero ahora su empresa se ha trasladado a un polígono industrial fuera de la ciudad y es desesperado. Todos los días tarda una hora y media a llegar al trabajo Así que tiene que levantarse a las 6 por la mañana. Sale de su casa a las seis y media para llegar a la oficina a las ocho. Coge el metro hasta plaza de Castilla y luego tiene que tomar un autobús en su empresa. Si un día hay alguna problema en la carretera, se forma un atasco y entonces llego tarde. Su jefe ya le ha dicho que, si llega tarde más veces, tendrá de buscarse otro trabajo.

8 Lee y completa el texto con las palabras del recuadro. Sobran tres.

centro • a • vuelos • tarda • está • día
que • red • para • es • estaciones

SEVILLA**TRANSPORTES**

Avión

El aeropuerto de Sevilla _____(1) a siete kilómetros del _____(2) de la ciudad. Desde allí hay vuelos diarios a algunas ciudades españolas y _____(3) directos a varias ciudades europeas: Londres, París, Bruselas, Ámsterdam, etc.

Tren

En la moderna estación de Santa Justa se puede tomar el AVE (primer tren español de alta velocidad) que _____(4) dos horas y media en llegar a Madrid. Hace el trayecto Madrid-Sevilla quince veces al _____(5). También se puede viajar en tren a la Costa del Sol.

Autobuses

Sevilla cuenta con una completa _____ (6) de autobuses interurbanos _____(7) llegan a casi todos los rincones de la ciudad. También hay dos _____(8) de autobuses que comunican a la ciudad con otras poblaciones andaluzas y del resto de España.

¿Qué sabes?

☺ ☹ ☹

· Hablar de mis actividades cotidianas. ☐ ☐ ☐
· Contar una biografía. ☐ ☐ ☐
· Utilizar el futuro. ☐ ☐ ☐
· Acentuar palabras y distinguir la entonación exclamativa. ☐ ☐ ☐
· Diferenciar los párrafos de un escrito y utilizar las mayúsculas. ☐ ☐ ☐
· Comprar billetes de tren, metro, autobús. ☐ ☐ ☐
· Hablar de un hecho pasado anterior a otro también pasado. ☐ ☐ ☐
· Explicar cómo me traslado por la ciudad. ☐ ☐ ☐
· Describir mi casa. ☐ ☐ ☐
· Escribir un correo personal. ☐ ☐ ☐

Relaciones personales

3

·· Describir a personas
·· Hablar del carácter
·· Dar consejos
·· **Cultura:** Machu Picchu

■ *Hablar del carácter*

1 Decimos que una persona es simpática cuando "nos cae bien" a primera vista. Y tú, ¿crees que eres una persona simpática? Contesta a las preguntas y lo sabrás. Después, comenta la puntuación con tu compañero.

¿Eres una persona simpática?

1. CUANDO TE PRESENTAN A ALGUIEN EN UNA FIESTA:

○ **a** Conversas con ella.
○ **b** Saludas y escuchas lo que dice.
○ **c** Saludas, le pides disculpas y te vas.

2. SI UNA PERSONA CUENTA UN CHISTE NO MUY GRACIOSO:

○ **a** Te ríes bastante.
○ **b** Sonríes.
○ **c** No te ríes nada.

3. SI VAS EN UN VIAJE ORGANIZADO:

○ **a** Haces amigos desde el primer día.
○ **b** Haces amigos después de algunos días.
○ **c** No te interesa el resto del grupo y vas por tu cuenta.

4. SI TE HACEN UNA BROMA:

○ **a** La aceptas con una sonrisa.
○ **b** Te pones serio, pero no dices nada.
○ **c** Te molesta mucho y lo dices.

5. SI UN VECINO TE PIDE UN FAVOR:

○ **a** Lo ayudas encantado.
○ **b** A veces te molesta, pero finalmente lo haces.
○ **c** Pones una excusa porque no quieres interferencias en tu vida privada.

6. SI TE INVITAN A UNA REUNIÓN DE ANTIGUOS ALUMNOS DE TU ESCUELA PRIMARIA:

○ **a** Vas encantado. De hecho, la convocas tú.
○ **b** Le escribes al organizador y le das una excusa por no ir.
○ **c** No contestas.

RESULTADOS

MAYORÍA DE A: ☺☺☺
Eres una persona encantadora, amable y sociable. Muy simpática.

MAYORÍA DE B: ☺☺
Puedes llegar a "caer muy bien" si vences la timidez.

MAYORÍA DE C: ☺
Parece que no te gusta nada relacionarte con la gente. Piensa que si te esfuerzas en ser más sociable, tu relación con los demás será más agradable.

Gramática

VERBOS REFLEXIVOS Y VERBOS *LE*

- Muchos verbos se utilizan habitualmente con los pronombres reflexivos *me, te, se, nos, os, se*.
  *Luis **se ríe** mucho cuando ve alguna comedia.*
  Otros ejemplos: *encontrarse (bien o mal), llevarse (bien o mal), enfadarse, divertirse, preocuparse.*
  *Mis hermanos y yo **nos llevamos** muy bien.*
  *Ana **se ha enfadado** con su novio y ya no salen juntos.*

- Otra serie de verbos siguen la estructura del verbo *gustar*, y necesitan los pronombres *me, te, le, nos, os, les* para funcionar.
  *A Lucía **le caen** mal los vagos.*
  Siguen este modelo: *molestar (algo a alguien); encantar; importar; quedar (bien o mal); preocupar (algo a alguien); interesar, pasar (algo a alguien).*

- A veces, el mismo verbo puede usarse con las dos estructuras. En este caso, el verbo puede tener significados muy diferentes o, al contrario, no variar apenas.
  *Lola **se queda** en casa todos los sábados.*
  *A Lola no **le quedan** bien los vaqueros.*
  *A Roberto **le preocupan** los problemas medioambientales.*
  *Enrique **se preocupa** mucho por sus hijos y por eso les dedica todo su tiempo.*

2 Completa las frases con el verbo y el pronombre adecuado (*me, te, se, le, nos, os, les*).

> ~~interesar~~ • quedar • caer (x 2) • pasar
> encantar • preocupar • parecer • enfadarse

1 ¿A vosotros qué programas de la tele <u>os interesan</u> más, los documentales o los deportivos?
2 A todos los padres _____ _____ el futuro de sus hijos.
3 ■ ¿Sabes qué _____ _____ a Alicia? La veo muy seria.
   ● No tengo ni idea. Yo la veo normal.
4 Yo creo que ese jersey _____ _____ grande, no es de tu talla.
5 ■ ¿A ti _____ _____ bien Javier?, a mí _____ _____ que es un pesado.
   ● Pues a mí no _____ _____ mal.
6 A mis amigos _____ _____ salir al campo los fines de semana.
7 ■ ¿Por qué _____ _____ tu padre?
   ● Porque ayer utilicé su coche y tuve un accidente.

3 Subraya el pronombre adecuado.

1 Ayer llovía mucho y los niños no salieron, <u>se</u> / *les* quedaron en casa.
2 José Luis es muy tranquilo, no *se* / *le* preocupa por nada, ni siquiera por su trabajo.
3 ¡Mamá, Javier *se* / *le* ha caído por las escaleras!
4 ■ ¿Sabes que Eduardo y Rosa *se* / *le* han separado?
   ● No me extraña, no *se* / *le* llevaban bien.
5 Yo creo que a mi jefe no *se* / *le* cae bien el secretario nuevo.
6 A mi mujer no *se* / *le* molestan los ruidos de las obras, pero a mí sí.
7 ¿Has visto qué mal *se* / *le* queda esa falda a Luisa?
8 A los vecinos del quinto *se* / *les* parece que el ascensor no ha quedado bien.
9 ■ ¿Qué *se* / *le* pasa a Celia? Tiene mala cara.
   ● No *se* / *le* encuentra bien.
10 ¿No te has enterado? Lucía *se* / *le* cayó cuando bajaba del autobús y *se* / *le* rompió una pierna.

Pronunciación y ortografía

Entonación interrogativa

Podemos distinguir dos tipos de entonación interrogativa.

a) Preguntas absolutas. Tienen un final ascendente.
   ¿Vamos al cine?

b) Preguntas pronominales. Tienen un final descendente. Empiezan con un pronombre interrogativo.
   ¿Cuándo te vas?

1 🔊 12 Escucha y repite.

1 ¿Ha venido María?   4 ¿Estás seguro?
2 ¿Tienes hambre?   5 ¿Quieres venir?
3 ¿Quién ha venido?   6 ¿Cómo lo sabes?

2 🔊 13 Escucha y señala la opción correcta.

1 ¿Hace frío?	☐	4 ¿Estudia mucho?	☐
Hace frío.	☐	Estudia mucho.	☐
2 ¿No ha venido?	☐	5 ¿Le gusta la tortilla?	☐
No ha venido.	☐	Le gusta la tortilla.	☐
3 ¿Quiere comer?	☐	6 ¿Está esperando?	☐
Quiere comer.	☐	Está esperando.	☐

■ *Describir a personas*

1 En parejas. Mira las fotos y describe a estas personas. Utiliza el vocabulario del recuadro.

Carácter
egoísta • generoso • terco • aburrido • formal tímido • tolerante • comprensivo • sincero presumido • cariñoso

Físico
guapo • bigote • bajo • barba • perilla • liso elegante • moreno • rizado • delgado

2 🔊14 Escucha y escribe el nombre correspondiente.

3 🔊14 Escucha otra vez y completa el recuadro.

	CARÁCTER	FÍSICO	GUSTOS
1 Jaime			
2 Paloma			
3 Paco			
4 Rosa			

Hablar

4 Responde a estas preguntas de forma esquemática.

1 ¿Quién es tu mejor amigo/a?
2 ¿Cómo es físicamente?
3 ¿Y de carácter?
4 ¿Qué cosas le gustan?
5 ¿Cuánto tiempo hace que lo/la conoces?
6 ¿Cómo os conocisteis?
7 ¿Por qué crees que os lleváis bien?
8 ¿Te enfadas con él/ella alguna vez?

5 En parejas, habla con tu compañero de tu mejor amigo/a.

Escribir

6 Escribe un párrafo sobre tu amigo/a.

Mi mejor amiga es Rosalía. Es amable y cariñosa, pero cuando se enfada…

Gramática

ORACIONES DE RELATIVO

● Si el hablante conoce la existencia del antecedente, se usa el **indicativo**.
*He encontrado a un hombre **que no tiene** trabajo.*
*Busco un hombre **que trabaja** en esta oficina (yo sé que existe, lo conozco).*

● Las oraciones de relativo llevan el verbo en **subjuntivo** cuando el hablante desconoce la existencia del antecedente.
*Busco un hombre **que tenga** trabajo.*
También se utiliza el **subjuntivo** cuando se dice del antecedente que no existe o que es escaso.
*Hay pocas personas **que canten** mejor que tú.*

PRESENTE DE SUBJUNTIVO

Regulares		
cantar	**comer**	**vivir**
cante	coma	viva
cantes	comas	vivas
cante	coma	viva
cantemos	comamos	vivamos
cantéis	comáis	viváis
canten	coman	vivan
Irregulares		
haber: haya	**hacer:** haga	**tener:** tenga

Leer

7 Lee la siguiente historieta y contesta a las preguntas.

- Dígame, ¿qué es exactamente lo que está buscando?
- Pues, yo busco un hombre que sea inteligente, comprensivo y amable, que tenga estudios universitarios, que tenga piso, coche y, a ser posible, un apartamento en la playa. Ah, y que le gusten los niños… es que yo tengo tres.
- Bueno, bien, voy a mirar en nuestros ficheros a ver si tenemos suerte, pero no puedo garantizarle nada

- Carmen, ¡lo he encontrado! He encontrado un hombre que es un encanto, amable, educado, es ingeniero, tiene un apartamento en la playa, le gustan los niños.
- ¡Qué bien! Me alegro por ti. ¿Dónde trabaja?
- Ese es el problema: está en el paro.

1 ¿Qué está buscando Ana?
2 ¿A qué tipo de lugar ha pedido ayuda?
3 ¿Qué problema tiene el hombre?

8 Completa con el verbo en subjuntivo.

1 Mi jefe está buscando un secretario que _quiera_ quedarse a trabajar por las tardes hasta las ocho. (querer)
2 Me han dicho que necesitan chicos que _____ carné de conducir. (tener)
3 Aquí no hay nadie que _____ el pelo como dijo Fernando. (tener)
4 ¿Conoces a alguien que _____ en la televisión? (trabajar)
5 Buenos días, póngame un pollo, que no _____ muy grande, por favor. (ser)
6 Ángel y Laura están buscando un piso que no _____ muy caro. (ser)

9 Lee cada frase y elige la opción correcta.

1 Para hacer ese trabajo necesitan a alguien que *sea* muy organizado.
   - ☐ a Estoy hablando de una persona que conozco.
   - ☐ b Estoy hablando en general.
2 Queremos alojarnos en una habitación que *tiene* unas vistas estupendas.
   - ☐ a Conocemos esa habitación porque ya hemos estado antes o porque unos amigos nos han hablado de ella.
   - ☐ b Suponemos que el hotel tiene una habitación así.
3 Estoy buscando unas pastillas que *son* muy eficaces para el dolor de garganta.
   - ☐ a Busco unas pastillas específicas que me han recomendado.
   - ☐ b Me sirve cualquier pastilla para la garganta.
4 ¿Tenéis un producto que *sirva* para limpiar la pantalla del ordenador?
   - ☐ a Quiero una marca concreta.
   - ☐ b Busco un producto eficaz, nada más.

10 Relaciona y escribe el verbo en la forma correcta. Puedes hacer más de una combinación.

1 Me gusta la gente que _se ríe mucho_.
2 Me molesta la gente que _____
3 Busco personas que _____
4 En mi clase hay dos personas que _____
5 No hay nadie que _____
6 Conozco gente a la que _____

a Hacer la paella como Celia.
b Tener muy buena pronunciación.
c Expresar sus sentimientos.
d Reírse mucho.
e Hablar mucho.
f Gustar la música.
g Gustar mucho los deportes de riesgo.
h Tener los mismos gustos que yo.
i (No) escuchar a los demás.

Hablar

11 Imagina que estás buscando amigos para salir. Haz una lista de las cualidades que pides. Luego compara con tus compañeros y comprueba cuántos comparten tus gustos.

Busco personas a las que les guste _____ , que sepan _____ .

1 ¿Qué haces cuando tienes problemas?
Comenta la respuesta con tus compañeros.

- ■ *Yo llamo a un amigo.*
- ● *Pues yo no. Yo no se le digo a nadie. ¿Y vosotros?*
- ❑ *Yo una vez escribí a una web…*
- ○ *Pues yo, si es importante, se lo cuento siempre a mi madre.*

2 Lee las consultas y relaciónalas con sus respuestas.

CONSULTAS

1 No sé qué hacer

Desde hace unos meses estoy pensando en comprar un perro. Vivo con otras dos chicas que están de acuerdo con la idea y lo cuidaríamos muy bien. El problema es que nuestro piso es pequeño y trabajamos cuatro días a la semana, desde la mañana hasta la noche. Sé que es posible, puesto que mucha gente tiene perros en pisos, pero, ¿sería bueno para él?, ¿qué deberíamos hacer?

2 Indeciso

Soy un hombre de 30 años y últimamente me estoy tomando la vida muy en serio. Llevo viviendo dos años con una chica y creo que es la mujer de mi vida. Al principio nos llevábamos muy bien. Tenemos las mismas aficiones y me decía que estaba muy enamorada de mí. Es verdad que nos peleábamos de vez en cuando, como todas las parejas, pero nada serio.

Últimamente mi chica ha cambiado mucho. Ya no le interesan las cosas que hacíamos antes juntos. A veces se queja de todo: de mi manera de hablar, de vestir, de comer… Estoy desesperado. He intentado hablar con ella para saber si hay otro hombre en su vida, pero su respuesta es siempre negativa. ¿Qué me aconseja?

RESPUESTAS

A Tener un animal es parecido a tener un hijo. Tienes la responsabilidad de otra vida (del perro en este caso). Es necesario preocuparse de todo: darle de comer, bañarlo, sacarlo a pasear independientemente del sol o de la lluvia, y muchas cosas más. Es normal que la gente mayor que no trabaja tenga animales de compañía para no estar sola.

Antes de comprarlo, por tanto, deberías pensar en todos los problemas y las consecuencias para ti, tus amigas y el perro. ¿Qué vais a hacer con vuestras vacaciones, visitas, salidas, etc.? ¿Qué va a hacer el perro solo cuando vosotras trabajáis? En tu lugar, yo esperaría a ver si tus condiciones de vida cambian.

Otra opción sería buscar a alguien que quiera cuidar el perro cuando vosotras no podáis.

B Todas las parejas tienen sus épocas felices y otras infelices. Parece que las épocas difíciles duran más que las felices, porque las relaciones humanas no son fáciles. Por eso muchas parejas se divorcian, porque no tienen paciencia y capacidad para resolver el problema de la convivencia diaria. Espero que no sea este tu caso.

Yo en tu lugar hablaría con otros amigos y les contaría el problema, a ver qué te dicen. Pero antes, lo que tienes que hacer es hablar con ella tranquilamente, explicarle tus sentimientos y, sobre todo, tienes que mantener la calma y, al final, deberías decidir si ella es la mujer de tu vida o no.

3 Lee las cartas otra vez y contesta a las preguntas.

1 ¿Cuál es el problema de la chica de la primera carta?
2 ¿Cómo se siente el chico de 30 años? ¿Qué le aconsejarías tú?

Vocabulario

4 Completa las frases con uno de los verbos del recuadro. Fíjate en los pronombres.

> enfadarse • ~~imaginarse~~ • darse cuenta de
> optar • acordarse • olvidarse (x 2)
> equivocarse • preocuparse

1 Yo _me imagino_ que María no ha venido porque está muy ocupada.
2 Ayer Eduardo _____ con nosotros porque no lo esperamos al salir del trabajo.
3 ■ ¿Me has traído el libro que te dije?
  ● No, lo siento, _____ me _____.
4 ■ Pablo, ¿_____ de comprar el pan?
  ● ¡Vaya!, otra vez _____.
5 ■ Ana, ¿_____ cómo te mira aquel chico?
  ● No me mira a mí, te mira a ti.
6 En la vida muchas veces tienes que _____ por una cosa o por otra, y no es fácil decidirse.
7 ■ ¿Diga?
  ● ¿Está Roberto?
  ■ No, _____.
  ● Perdone.
8 Mi hermana es muy pesada, siempre _____ por mi vida, si salgo mucho por las noches, si estudio mucho o poco. Estoy harta.

Comunicación

DAR SUGERENCIAS Y CONSEJOS

a. *Deberías* **+ infinitivo**
Deberías ir a la peluquería, tienes el pelo muy largo.

b. *Podría* **+ infinitivo**
¿*Podría* hablar más bajo, por favor?

c. *Tener* **+** *que* **+ infinitivo**
Lo que *tienes que hacer* es estudiar más si quieres aprobar el curso.

d. Verbo en forma condicional
■ He suspendido Historia y no estoy de acuerdo.
● Yo en tu lugar *hablaría* con la profesora.

Gramática

CONDICIONAL		
comprar	comer	vivir
compraría	comería	viviría
comprarías	comerías	vivirías
compraría	comería	viviría
compraríamos	comeríamos	viviríamos
compraríais	comeríais	viviríais
comprarían	comerían	vivirían

Irregulares

● El condicional tiene las mismas irregularidades que el futuro.

decir: diría, dirías, diría, diríamos...

hacer: haría, harías, haría, haríamos...

poder: podría, podrías, podría, podríamos...

poner: pondría, pondrías, pondría, pondríamos...

salir: saldría, saldrías, saldría, saldríamos...

Escuchar

5 🔊 15 **Escucha y completa los consejos**

1 Yo en tu lugar _____
_____
_____
_____
_____
_____
_____ .

2 Lo que tienes que hacer _____
_____
Yo en tu lugar _____
_____ .

6 Escribe dos consejos para cada problema. Utiliza los verbos del recuadro para ayudarte.

> comprar • tomar • salir • escuchar • ahorrar
> ir al médico • leer el periódico • ~~hablar~~

1 Estoy enfadada con mi hija porque no ha aprobado el curso.
   Yo en tu lugar hablaría con ella.
2 No sé qué regalarle a Julio por su cumpleaños.
3 No puedo dormir.
4 A mí me gustaría conocer gente.
5 Mañana tengo un examen y estoy nervioso.
6 No encuentro trabajo.
7 No tengo dinero para ir de vacaciones.
8 Mi novio/a me ha dejado.

7 ¿Qué sugieres en estas situaciones? Escribe una frase para cada caso usando el condicional.

1 Estás en una cafetería y tienes frío porque el aire acondicionado está muy fuerte.
   ¿Podrían bajar un poco el aire, por favor?
2 Vas paseando con unos amigos por una calle con muchos bares. Has comido muy pronto y tienes hambre.
3 Estáis en un restaurante y tu novio/a no sabe qué pedir. Tú ya has probado casi todos los platos.
4 El hijo de un amigo tuyo tiene problemas con sus estudios y saca malas notas, sobre todo en matemáticas.
5 A tu pareja y a ti os apetece hacer un viaje. Estáis hablando para decidir adónde ir.
6 Estás en la calle con un amigo. Tu móvil se ha quedado sin batería y necesitas hacer una llamada importante ahora mismo.

Hablar y escuchar

Describir cómo son las personas

1 🔊 16 Escucha el diálogo.

> Laura: ¿Qué tal tu fiesta de cumpleaños?
>
> Carmen: Lo pasamos muy bien. Al final no vino mucha gente, pero estuvo **mi hermana y conocimos a su novio. ¿Sabías que tenía novio?**
>
> Laura: ¡No sabía nada! ¿Y cómo es?
>
> Carmen: Me cayó muy bien. Me pareció encantador. Se llama **Eduardo. Es mexicano. Es muy simpático y nada tímido. ¡No paró de hablar sobre su país!**
>
> Laura: ¿Y es lindo?
>
> Carmen: **Es muy alto y moreno y tiene unos ojos muy bonitos.** Lo que no me gusta es que **tiene** barba. ¿Quieres que te enseñe alguna foto de la fiesta?
>
> Laura: ¡Ah, **parece muy alegre!** ¿A qué se dedica?
>
> Carmen: **Es cocinero en un restaurante mexicano** y nos preparó un postre riquísimo.
>
> Laura: ¿Cuándo se conocieron?
>
> Carmen: **El verano pasado, cuando estaban de vacaciones en la playa.** El único problema es que es un poco celoso. No deja a mi hermana sola ni un momento al día. Pero se llevan muy bien.

Comunicación

- ¿Cómo es?
- ¿Es guapo? ¿A qué se dedica?
- Lo que no me gusta es que…
- El único problema es que…

2 Completa la conversación con las palabras del recuadro.

> moreno • cómo • aburrido • barba • rizado

- ¿(1) _____ es el hermano de tu novio?
- Es muy tímido y un poco (2) _____.
- ¿Es (3) _____?
- Sí, y tiene el pelo (4) _____. Lo que no me gusta es que tiene (5) _____.

3 Pregunta y responde a tu compañero como en el ejemplo. Utiliza las frases del recuadro.

- ¿A qué se dedica tu novio?
- Estudia periodismo.
- ¿Y dónde lo conociste?
- Me lo presentaron en una fiesta en la universidad.

> médico / hospital
> camarero / terraza de un bar
> dependiente / grandes almacenes
> mecánico / taller

4 Cambia las palabras en negrita del ejercicio 1 y practica un nuevo diálogo con tu compañero.

5 🔊 17 Escucha la conversación y contesta a las preguntas.

1 ¿Qué está haciendo Santiago cuando llega Marcos?
2 ¿Qué piensa Marcos sobre la personalidad de Ana?
3 ¿Qué dice Santiago sobre la personalidad de Ana?
4 ¿Qué piensa Marcos sobre la personalidad de Pedro?
5 ¿Por qué le dice Marcos a Santiago que mejor piense en otra chica?

Leer

Machu Picchu

1 ¿Sabes algo de Machu Picchu? Coméntalo con tus compañeros.

2 Lee el texto y completa cada hueco con una de las opciones que se dan a continuación.

MACHU PICCHU

Es una antigua _____ (1) inca, próxima a Cuzco, rodeada de montañas de la Cordillera Central de los Andes peruanos. El sitio arqueológico incaico se encuentra a 2438 metros sobre _____ (2) del mar. La ciudad tiene una superficie de 530 metros de largo _____ (3) 200 de ancho y cuenta con 172 edificios.

La zona arqueológica solo es accesible o bien a través de los caminos incas o bien utilizando la carretera que nace en Aguas Calientes y _____ (4) en la entrada al lugar sagrado. El acceso a Aguas Calientes solo es posible a través de un tren, que tarda unas tres horas desde Cuzco.

Para llegar a Machu Picchu por el principal camino incaico se debe hacer una caminata de unos tres días. Para ello _____ (5) tomar el tren hasta el km 82 de la vía férrea Cuzco-Aguas Calientes y desde allí empezar a caminar.

En cuanto a su historia, hay dos teorías: una sostiene que la ciudad _____ (6) por Pachacútec (1438-1470) en 1440, y otra versión afirma que fue Huiracocha Inca quien ordenó la construcción de esta maravilla, aproximadamente en los años 1380-1400.

En cualquier caso, durante varios siglos quedó deshabitada y rodeada de vegetación. En 1911, Hiram Bingham, un profesor norteamericano de Historia, llegó a Machu Picchu guiado por algunos propietarios de tierras, que _____ (7) el sitio.

Bingham _____ (8) muy impresionado por lo que vio y firmó acuerdos entre la Universidad de Yale, la National Geographic Society y el gobierno peruano para iniciar de inmediato el estudio científico del sitio. Así, Bingham dirigió trabajos arqueológicos en Machu Picchu desde 1912 hasta 1915, período _____ (9) se despejó la maleza y se excavaron tumbas incas en los extramuros de la ciudad. La "vida pública" de Machu Picchu empieza en 1913 con la publicación de todo ello en _____ (10) en la revista *National Geographic*.

Actualmente estas maravillosas ruinas forman parte del Patrimonio de la Humanidad y es uno de los lugares más visitados del mundo.

Aguas Calientes

1 a) ciudad ☐
  b) laguna ☐
  c) diosa ☐

2 a) la altura ☐
  b) la vista ☐
  c) el nivel ☐

3 a) con ☐
  b) por ☐
  c) a ☐

4 a) llega ☐
  b) termina ☐
  c) empieza ☐

5 a) debe ☐
  b) es necesario ☐
  c) se tiene ☐

6 a) construyó ☐
  b) fue construida ☐
  c) fue construido ☐

7 a) sabían ☐
  b) veían ☐
  c) conocían ☐

8 a) Se hizo ☐
  b) se puso ☐
  c) se quedó ☐

9 a) en que ☐
  b) que ☐
  c) donde ☐

10 a) un artículo ☐
  b) una nota ☐
  c) un anuncio ☐

3 Con tu compañero, prepara cinco preguntas para hacérselas a otra pareja de compañeros. Gana la pareja que acierte más preguntas.

¿Cuánto se tarda en llegar a Machu Picchu por el camino inca?

Escribir

Rellenar formularios

1 Con la información que sigue, rellena la hoja de suscripción a la revista *Muy Interesante*.

Elena García Sandoval, con número de identificación fiscal 03827254P, nació el 3 de diciembre de 1983 y reside en Getafe, una ciudad de la provincia de Madrid. Su domicilio está en la calle Baleares 15, segundo izquierda, código postal 28011. Su dirección de correo electrónico es egarciasandoval3@yahoo.es... y su teléfono es el 912516570. Su número de móvil es el 650392800. Elena es técnica de laboratorio y tiene una tarjeta VISA con el número 0021 2456 3718 5344. A ella le gusta guardar las revistas y encuadernarlas con sus tapas correspondientes.

NIF _____ NOMBRE _____ APELLIDOS _____
DIRECCIÓN _____
C. P. _____ POBLACIÓN _____ PROVINCIA _____ PAÍS _____
TELÉFONO _____ TEL. MÓVIL _____
E-MAIL _____
PROFESIÓN/ACTIVIDAD _____
FECHA NACIMIENTO _____

Firma del titular (Imprescindible)

FORMA DE PAGO

MUY INTERESANTE Nº 377

☐ Tarjeta de crédito Visa, Master Card o Amex ⎕⎕⎕⎕ ⎕⎕⎕⎕ ⎕⎕⎕⎕ ⎕⎕⎕⎕   Fecha de Caducidad ⎕⎕⎕⎕
Código de seguridad CVC o CVV ⎕⎕⎕   Tres últimos dígitos impresos al dorso de la tarjeta   Titular de la tarjeta _____

☐ Domiciliación bancaria ⎕⎕⎕⎕ ⎕⎕⎕⎕ ⎕⎕ ⎕⎕⎕⎕⎕⎕⎕⎕⎕⎕
CLAVE ENTIDAD   OFICINA   D.C.   NÚMERO DE CUENTA
Nombre de la entidad bancaria _____
Titular de la cuenta _____

2 En el formulario siguiente faltan algunos datos. Complétalos.

unicef
Comité Español

SOLICITUD DE INGRESO
COMO SOCIO COLABORADOR

Nombre   Antonio
_____   Fernández Herrero
_____   Avda. 32 – 2
_____   Zafra Badajoz
_____   1962 37282739
_____   abogado   606320718
_____   ferher86@gmail.com

Domiciliación bancaria
_____   0021
_____   Caja Sevilla

El tiempo pasa

4

- · · Cambios en la vida
- · · Expresar hábitos en el pasado
- · · Hablar de experiencias vitales
- · · **Cultura:** España y los españoles

Hablar

1 ¿Qué has hecho en los últimos años? Utiliza la ayuda del recuadro y cuéntale a tu compañero qué ha sido de tu vida en los últimos cinco años.

> casarse • acabar la carrera
> mudarse a otra ciudad • viajar
> estudiar • tener hijos • cambiar de trabajo

En estos cinco años he estado en el extranjero, he conocido a un/a chico/a, he tenido un/a hijo/a.

2 🔊18 Laura y Javier se encuentran después de un tiempo. Escucha la conversación y di si las afirmaciones son verdaderas (V) o falsas (F).

1 Laura y Javier se ven con frecuencia. ☐
2 La vida de Laura no ha cambiado mucho. ☐
3 Javier vive en Madrid. ☐
4 Javier no ha cambiado de empresa desde que empezó a trabajar. ☐
5 La madre de Javier tiene problemas de salud. ☐

3 🔊18 Escucha otra vez la grabación y contesta a las siguientes preguntas.

1 ¿Por qué le ha cambiado la vida a Laura?
2 ¿Dónde trabaja Laura?
3 ¿En qué ciudades ha trabajado Javier?
4 ¿Cuánto tiempo lleva Javier viviendo en el campo?
5 ¿Sigue viviendo con Ana?
6 ¿Cuándo va a tener Javier su primer hijo?
7 ¿Qué está haciendo Javier en Madrid?
8 ¿Dónde están los hijos de Laura?

Gramática

PERÍFRASIS VERBALES
Dejé de ir *al gimnasio el mes pasado.* ***Acabo de ver*** *a Rosa con su novio.* *Óscar **empezó a trabajar** la semana pasada.* *Laura **ha vuelto a operarse** de la rodilla.* ***Sigo teniendo*** *el mismo teléfono.* ***Llevamos viviendo*** *en esta casa más de diez años.*

Dejar de *Acabar de* *Empezar a* *Volver a*	+ infinitivo
Seguir *Llevar*	+ gerundio

4 Relaciona.

1 Después de casarme... ☐
2 Empecé a bucear... ☐
3 El médico le aconsejó... ☐
4 Acabo de ver a Jesús... ☐
5 Lleva estudiando inglés... ☐
6 Maribel ha vuelto a estudiar... ☐

a ...dejar de fumar.
b ...seguí viviendo en el mismo barrio.
c ...desde que iba a la escuela.
d ...en la puerta de la clase.
e ...cuando tenía siete años.
f ...piano después de diez años.

5 Reescribe la frase. Utiliza una perífrasis.

1 Roberto dejó el fútbol, pero ahora juega otra vez.
Roberto ha vuelto a jugar al fútbol.
2 Mi hermana tenía dos niños. Hace muy poco ha tenido una niña.
3 Rosa canta en un coro desde hace diez años.
4 Emilio ha jugado en un equipo de balonmano hasta el año pasado. Ya no juega.
5 Mi amiga Eva pinta paisajes desde que tenía ocho años.

6 Escribe el verbo en la forma adecuada: *he estado / estaba / estuve* + gerundio.

1 María llegó ayer de vacaciones, (visitar) <u>ha estado visitando</u> a sus primos en Alemania.
2 La semana pasada (hablar, yo) _____ _____ con la profesora de música de Jorge y me dijo que estaba muy contenta.
3 Cuando llegaron los abuelos, los niños (dormir) _____.
4 Tienes los ojos rojos. Otra vez (jugar, tú) _____ al ordenador toda la tarde.
5 El sábado por la tarde, (ver, nosotros) _____ _____ a Paloma en el hospital. Ha tenido un accidente.
6 Mientras esperábamos el autobús, (hablar, nosotras) _____ de nuestras cosas.
7 La tormenta empezó cuando Roberto (salir) _____ con la bicicleta.
8 Mi marido (limpiar) _____ el coche toda la mañana.
9 El verano pasado María (estudiar) _____ español en Salamanca.

Gramática

ESTAR + GERUNDIO

- La perífrasis *estar* + gerundio se utiliza para hablar de acciones en desarrollo en **presente, pasado** y **futuro**.
Estamos esperando el autobús.
Estuvimos esperando el autobús.
Estuvimos esperándole más de media hora y no apareció.
Estaremos esperando el autobús.

Estaba + gerundio

- Se utiliza para acciones inacabadas en desarrollo. Generalmente tiene el mismo valor que el pretérito imperfecto.
*Conocí a Pedro cuando **estábamos trabajando** / trabajábamos en la agencia.*

Estuve + gerundio

- Se utiliza para acciones acabadas pero vistas en su desarrollo. Coincide con el pretérito indefinido.
Estuvo trabajando */ Trabajó en la agencia doce años.*

He estado + gerundio

- Se utiliza para acciones acabadas recientemente. Coincide con el pretérito perfecto.
He estado leyendo *toda la mañana. / He leído toda la mañana.*

Hablar

7 ¿Qué sabes de tu compañero? Practica con él las siguientes preguntas.

- ¿Cuánto tiempo llevas
  ...viviendo en esta ciudad?
  ...estudiando español?
- ¿Qué estuviste haciendo
  ...el verano pasado?
  ...el fin de semana?
- ¿Cuándo empezaste a
  ...estudiar en esta escuela?
  ...salir con tus amigos?
- ¿Cuándo dejaste de
  ...ver los dibujos animados en la tele?

Hablar

1 En parejas. Habla con tu compañero sobre tu educación primaria o secundaria. Di todo lo que puedas y contesta a las preguntas de tu compañero, como en el ejemplo.

- ■ *Fui a la escuela en mi pueblo.*
- ● *¿Era una escuela pública o privada?*

1 ¿Llevabas uniforme?
2 ¿Comías en la escuela o en casa?
3 ¿Qué horario tenías?
4 ¿Te gustaban los profesores?
5 ¿Cuáles eran tus asignaturas favoritas?…

Leer

2 Antes de leer el texto, busca el significado de: *mero/a, desembarcar, retos, enfocar* y *contribuir.*

3 Lee el texto y contesta a las preguntas.

1 ¿Qué aportan las nuevas tecnologías a la enseñanza?
2 ¿Qué nuevas tecnologías se están implantando en las aulas?
3 ¿Qué es necesario para que las nuevas tecnologías tengan éxito en el aula?
4 ¿En qué puede ayudar el uso de las nuevas tecnologías?

Las nuevas tecnologías en el aula

Numerosos estudios demuestran que el uso en las clases de pizarras digitales, internet y ordenadores puede mejorar la enseñanza, crear otra dinámica pedagógica y una mayor participación del alumnado en el proceso de aprendizaje. Y esos mismos estudios señalan que la mera informatización de las tareas escolares solo implica un cambio superficial en la adquisición de conocimientos si detrás no hay un auténtico cambio en el sistema pedagógico.

Las nuevas tecnologías, que se presentan como un complemento de la enseñanza tradicional, están empezando a desembarcar en las aulas con retos importantes. La pizarra de toda la vida se convierte en una que funciona unida a un ordenador y a un proyector; el cuaderno y el bolígrafo son sustituidos por el ordenador o la tableta, que es portátil, tiene wi-fi y reconoce la escritura manual. Los libros de papel dejan paso a los digitales. Internet es una fuente muy importante de información.

Pero todo eso exige otra manera de enfocar las clases, de estar en ellas, de corregir los ejercicios y valorar la adquisición de conocimientos.

Estamos en el inicio del cambio. Los políticos, los profesores y la sociedad empiezan a entender que el uso de la tecnología en las aulas puede ser muy positivo y puede contribuir a mejorar el aprendizaje, a crear otra dinámica pedagógica y a rebajar el fracaso escolar.

Extraído de lavanguardia.com

Hablar

4 Con tu compañero, haz una lista de los materiales que se utilizaban en la escuela antes y ahora, con las nuevas tecnologías.

antes	ahora
pizarra tradicional	*pizarra digital*

Gramática

5 Escribe frases sobre los cambios de hábitos (del pasado al presente), como en el ejemplo.

1 (yo) / tomar / café / té.
Antes tomaba café, pero ahora tomo té.
2 Alicia / vivir / Barcelona / Madrid.
3 Mis amigos y yo / escuchar / música rock / música clásica.
4 Luisa / ir al trabajo / coche / metro.
5 Joaquín / ser / alegre / serio.
6 Mis hermanos / practicar / ciclismo / natación.

Escribe tres frases más sobre ti mismo.

Hablar

6 Pregúntale a tu compañero sobre su infancia. Utiliza las ideas del recuadro.

> ...con quién / compartir la habitación?
> ...qué deportes / practicar tú y tus amigos?
> ...qué comidas / gustar?
> ...qué tipo de música / oír tus padres?
> ...tu padre / tener coche?
> ...vosotros / jugar en la calle?
> ...qué programas / ver en la televisión?
> ...qué notas / sacar tú en los exámenes?
> ...qué película, libro, canción... / ser tu favorita?

Cuando eras pequeño, ¿qué programas veías en la televisión?

Escuchar

7 Dos profesores hablan sobre la enseñanza de ahora y la de antes. Escucha y di si las afirmaciones son verdaderas (V) o falsas (F).

1 En la enseñanza de antes se utilizaba mucho la memoria. ☐
2 Ahora los alumnos aprenden a razonar. ☐
3 En las escuelas de ahora, los chicos están separados de las chicas. ☐
4 Ahora las escuelas son mixtas. ☐
5 Antes los alumnos no respetaban al profesor. ☐
6 Ahora los estudiantes no pueden preguntar ni participar en las clases. ☐
7 Antes los profesores eran más estrictos. ☐
8 Ahora los profesores son más dialogantes. ☐
9 Ahora hay más silencio en clase que antes. ☐
10 Si el alumno no trabaja, no puede aprender. ☐

Escribir

8 Escribe tres párrafos sobre la escuela a la que fuiste.

- Tipo de escuela.
- ¿Dónde?
- ¿Cuánto tiempo estuviste allí?

- Número de alumnos por clase.
- Profesores (estrictos, abiertos...).
- Disciplina.
- Asignaturas preferidas.

- ¿Te gustaba tu escuela? ¿Por qué?
- Cuenta las cosas que te gustaban y las que no.

1 Responde a las preguntas y comenta tus respuestas con tu compañero.

¿En qué te gustaría trabajar?   *¿Qué tienes que hacer para conseguirlo?*

2 Lee y señala la opción verdadera, según el texto.

Vargas Llosa
La educación, defensa contra la infelicidad

El escritor peruano-español Mario Vargas Llosa, Premio Nóbel de Literatura en 2010, en su conferencia en la Universidad Autónoma Metropolitana de México D.F. afirmó:

La primera y la más importante función de la enseñanza es ayudar a los niños y jóvenes a descubrir su vocación y convencerlos de que deben entregarse a ella, porque es la mejor manera de defenderse contra la futura infelicidad.

Las personas menos infelices que he conocido en mi vida son aquellas que dedicaron su tiempo y su esfuerzo, su talento y creatividad, a lo que les gusta hacer, por eso, la tarea más importante de las escuelas y universidades es ayudar a los jóvenes a descubrir su verdadera vocación. En mi caso, ser escritor ha sido la decisión más importante que he tomado en mi vida.

Generalmente, quien elige una profesión por razones ajenas a su vocación, muchas veces pensando que de esa manera tendrá éxito social y económico, es probable que en esa actividad fracase y se sienta frustrado.

Cuando uno dedica su existencia a su propia vocación, en ella tendrá más posibilidades de tener éxito. Según la Biblia, el trabajo es un castigo divino. Estamos condenados a ganarnos nuestra vida con el sudor de nuestra frente trabajando. Pero para el que trabaja en aquello que le gusta, el trabajo no significa de ninguna manera un castigo o una maldición.

Yo, cuando trabajo, y trabajo mucho, muchas veces sudo tinta, pero gozo; sufriendo, gozo. No cambiaría con nadie, ni por nada, este quehacer.

Extraído de eleconomista.com

1 Según el autor, la función más importante de la enseñanza es:

- ○ a) preparar a los jóvenes para el futuro,
- ○ b) enseñarles a ser felices,
- ○ c) facilitarles el descubrir lo que quieren hacer en la vida.

2 Las personas más felices que ha conocido el autor son:

- ○ a) las que tienen mucho talento y creatividad,
- ○ b) las que se dedican a lo que les gusta,
- ○ c) los escritores.

3 Deberíamos elegir nuestro trabajo pensando en:

- ○ a) nuestra vocación,
- ○ b) el éxito social,
- ○ c) el éxito económico.

Gramática

- Se utiliza el **pretérito perfecto** para expresar experiencias vitales, sin especificar el momento concreto en el que ocurrieron.

  *Las personas más felices que **he conocido** trabajan en lo que les gusta.*

  *Ser escritor **ha sido** la decisión más importante que he tomado en mi vida.*

FORMACIÓN DE CONTRARIOS

- Para formar adjetivos contrarios, usamos los prefijos: *in-, i-* y **des-**.

útil	*in*útil
legales	*i*legales
ordenada	*des*ordenada

- Si el adjetivo empieza por *p* o *b*, el prefijo es **im-**, en vez de **in-**.

presentable	impresentable
borrable	imborrable

3 Escribe los contrarios de los siguientes adjetivos, utilizando los prefijos adecuados. Comprueba en tu diccionario.

1 feliz *infeliz*
2 limitado
3 tranquila
4 honesto
5 posible
6 perfecto
7 conectado
8 mortal
9 tranquilo
10 cómodo

4 Subraya el adjetivo correcto.

1 El dinero es *necesario* / *innecesario* para comprar.
2 Este problema tan difícil no lo puede resolver una persona *experta* / *inexperta*.
3 Ser *responsable* / *irresponsable* es un gran defecto.
4 Su ayuda no sirvió para nada. Fue *útil* / *inútil*.
5 Este sillón es estupendo; es muy *cómodo* / *incómodo*.
6 Una vez resuelto el problema, la situación estaba *controlada* / *descontrolada*.
7 Siempre quiere tener razón, es muy *tolerante* / *intolerante*.

5 Completa las frases con los adjetivos contrarios a los del recuadro.

> paciente • justo/a • maduro/a • legal
> ~~agradable~~ • sensible • sociable • posible

1 Nosotros estábamos muy incómodos, la situación era muy *desagradable*.
2 Todos lloraban, menos María. Es muy _____.
3 No tengas prisa. No seas _____.
4 Actúa como una niña pequeña. Es muy _____.
5 Está prohibido aparcar aquí. Es _____.
6 El castigo no fue igual para todos. Fue _____.
7 Tiene mucha dificultad para relacionarse. Es muy

   _____.
8 Sin un mapa es _____ llegar al final del recorrido.

Pronunciación y ortografía

Acentuación de monosílabos

Generalmente, las palabras de una sola sílaba no llevan tilde.
pan, mar, yo, sal, fue, dio.
Sin embargo, algunas palabras monosílabas llevan tilde para diferenciar su categoría gramatical o su significado.
***Mi** hermana tiene 20 años.*
*A **mí** no me gusta bailar.*

1 Escribe la tilde en la palabra monosílaba correspondiente.

1 a. Déjame el diccionario.
   b. A el no le digas nada.
2 a. El te verde es muy bueno.
   b. ¿Cuándo te vas a duchar?
3 a. Dame el paquete a mi.
   b. Mañana viene mi hermano.
4 a. Este niño no se llama Pedro.
   b. Yo no se dónde está Carmen.
5 a. ¿Tu vas a ir a la boda de María?
   b. ¿Dónde está tu abrigo?
6 a. Si puedo, iré a verte.
   b. El si quiere casarse, pero ella no.

2 🔊 20 **Escucha, comprueba y repite.**

3 **Escribe otras frases con los monosílabos anteriores. Díctaselas a tu compañero.**

Hablar y escuchar

Comentar los cambios de la vida

1 🔊 21 Escucha el diálogo.

Paloma: ¡Hombre, Jorge! ¡Cuánto tiempo sin verte! ¿Dónde te has metido últimamente?

Jorge: ¡Hola, Paloma! Es que he estado viviendo en Barcelona. Después de terminar la carrera de Piano, empecé a dar clases en el Conservatorio de allí. Y ahora he vuelto a vivir a Madrid y acabo de presentarme a unas pruebas para la orquesta de la Comunidad. Y tú, ¿qué tal?

Paloma: Yo acabé la carrera de Medicina el año pasado y he empezado a trabajar en un hospital este verano. ¿Y qué sabes de Eva? ¿Sigues en contacto con ella?

Jorge: No, antes nos veíamos mucho, pero ahora hace tiempo que no la veo. Y tú, ¿sigues saliendo con David?

Paloma: ¡Ah! ¿Pero no te has enterado? Llevamos casados seis meses y ¡estamos esperando nuestro primer hijo!

Jorge: ¡Vaya! ¡Enhorabuena! ¡Esto hay que celebrarlo!

Paloma: Vale, vente a cenar mañana a casa y así saludas a David.

Jorge: Muy bien. Venga, mañana nos vemos.

Comunicación

- ¡Hombre, cuánto tiempo sin verte!
- Acabo de…
- Antes… pero ahora…
- ¿Sigues en contacto con…?
- ¡Vaya! ¡Enhorabuena!
- Venga, mañana nos vemos.

2 Pregunta y responde a tu compañero como en el ejemplo. Utiliza las frases del recuadro.

■ *¡Hola! ¡Cuánto tiempo sin verte! ¿Qué tal te va?*

● *Muy bien, acabo de alquilar un piso?*
Y tú, ¿qué tal?

■ *Pues yo sigo viviendo con mis padres.*

> terminar la carrera / estudiar Medicina
> comprar un coche / viajar en autobús
> encontrar trabajo / estar en el paro
> romper con mi novio / salir con Juan

3 Lee el diálogo y completa con las expresiones del recuadro.

> si quieres • ¡Enhorabuena! • Venga
> ¿Pero no te has enterado?

■ ¿Sigues trabajando en Correos?

● ¡Ah! (1) _____ Me he jubilado hace dos años.

■ ¡Vaya! (2) _____ Estarás contento. Yo me jubilé también el año pasado.

● ¡Anda, no sabía nada! Ahora podemos quedar alguna mañana para dar un paseo, (3) _____ .

■ (4) _____ , te llamo la semana que viene.

4 Practica un nuevo diálogo con tu compañero como en el ejercicio 1. Puedes utilizar alguna de las expresiones del ejercicio anterior.

5 🔊 22 Escucha el diálogo entre Sandra y Pedro y contesta a las preguntas.

1 ¿Dónde han estado hablando Sandra y Beatriz?
2 ¿De dónde acaba de volver Beatriz?
3 ¿Qué hace allí? ¿Con quién vive?
4 ¿Cuándo se van a volver a ver Beatriz y Sandra?

Leer

España y los españoles

1 ¿Cuánto sabes sobre España? Completa el cuestionario. Luego comprueba con tu compañero.

En España....

1 La Cibeles es:

○ una bebida
○ un famoso restaurante de Toledo
○ una fuente en Madrid

2 En Sevilla tú puedes visitar:

○ la Giralda
○ la Mezquita
○ la Sagrada Familia

3 El Real Madrid es un famoso equipo de:

○ rugby
○ fútbol
○ balonmano

4 La capital de Cataluña es:

○ Bilbao
○ Santiago de Compostela
○ Barcelona

5 ¿Cuál de estos actores es español?

○ Robert de Niro
○ Javier Bardem
○ Andy García

6 La región de La Rioja es famosa por:

○ el jamón ibérico
○ el vino
○ el aceite

7 La población de España es alrededor de:

○ 20 millones
○ 40 millones
○ 60 millones

8 ¿Quién escribió *El Quijote*?

○ Quevedo
○ Lope de Vega
○ Cervantes

9 ¿Cuál es la comida típica española?

○ la pizza
○ la paella
○ los rollitos de primavera

10 El tren de alta velocidad entre Madrid y Sevilla se llama:

○ Talgo
○ Ter
○ AVE

2 Escribe un cuestionario y haz las preguntas a tus compañeros.
Puede ser sobre tu país o sobre un país donde se hable español.

Escribir

Punto, dos puntos y coma

1 Lee el siguiente cuadro con las normas de puntuación en español. ¿Cuáles de ellas son diferentes en tu idioma?

SIGNOS DE PUNTUACIÓN

Utilizamos punto (.):

- Al final de cada frase (periodo del texto con sentido completo).

- Cada vez que se pasa a otro asunto se pone punto y aparte, así se inicia otro párrafo. Siempre después de punto se empieza con mayúscula.

  Juan llamó por teléfono. Dijo que acababa de llegar de Londres.

Utilizamos coma (,):

- Para separar las enumeraciones.

  Antonio, Ana y Jesús vienen a cenar.

- Para separar el vocativo (la persona a la que nos dirigimos) del resto de la frase.

  Enrique, ¿tú qué opinas?

- Para separar las aclaraciones dentro de una frase.

  Cristiano Ronaldo, que juega en el Real Madrid, nació en Portugal.

- Delante de conectores como *pero, sin embargo, por tanto…*

  Es lista, pero muy perezosa.

Utilizamos dos puntos (:):

- Delante de las citas, que siempre van entre comillas (").
  Xavi dijo: "Ganaremos el mundial".

- Después de la presentación en una carta.
  Estimado señor:

- Para iniciar una enumeración.
  Los cuatro puntos cardinales son: norte, sur, este y oeste.

2 Escribe las mayúsculas y los signos de puntuación necesarios.

1 no tuvo que decirme cuándo dónde ni por qué
2 cambié de imagen y me puse a la moda bigote pelo largo pantalones vaqueros camisa de flores y sandalias
3 jacinto ven aquí que voy a contarte algo
4 quise pedir un préstamo pero mi sueldo era muy bajo
5 no le faltaba razón ese barco no era seguro
6 pedro estás contento con tu trabajo
7 le dije a adriana estás igual que siempre
8 ella no dijo nada sin embargo todos la entendimos
9 él me dijo hace más de un año que no veía a juan
10 encontré lo que estaba buscando tijeras pegamento papel y rotuladores

3 Puntúa el siguientes texto con los signos de puntuación adecuados.

Gabriel García Márquez

Mi madre me pidió que la acompañara a vender la casa había llegado a Barranquilla esa mañana desde el pueblo distante donde vivía la familia y no tenía la menor idea de cómo encontrarme preguntando por aquí y por allá entre los conocidos le indicaron que me buscara en la librería Mundo o en los cafés vecinos donde iba dos veces al día a conversar con mis amigos escritores el que se lo dijo le advirtió vaya con cuidado porque son locos de remate llegó a las doce en punto se abrió paso con su andar ligero por entre las mesas de libros en exhibición se me plantó enfrente mirándome a los ojos con la sonrisa pícara de sus días mejores y antes que yo pudiera reaccionar me dijo soy tu madre.

Vivir para contarla

1 Completa las frases con el verbo en la forma adecuada.

1 Ayer _nos divertimos_ mucho en el parque de atracciones. (divertirse, nosotros)

2 Mi madre _____ cuando llego tarde del cine. (enfadarse)

3 Antonio nunca _____ , siempre está entretenido con sus cosas. (aburrirse)

4 Ella dice que nunca _____ de sus promesas. (olvidarse)

5 ■ ¿Dónde has puesto la carta del banco?
   ● No _____ . (acordarse, yo)

6 ¿_____ de que el vecino sale mucho por las noches? (Darse cuenta, tú)

7 Parece que Emilio y su hermana no _____ bien, siempre están discutiendo. (llevarse)

8 A mí me parece que Raúl no _____ mucho de la casa, la tiene un poco sucia. (preocuparse)

2 Completa las frases con el pronombre adecuado.

1 ■ ¿A ti no _te_ molestan los ruidos de la calle para dormir?
   ● No, a mí _____ molesta más la luz.

2 Estoy harta de estos niños, _____ llevan tan mal que no pueden jugar en paz ni un momento.

3 Mi marido no soporta a Enrique, _____ cae fatal.

4 El otro día María _____ cayó en la calle y _____ rompió un brazo.

5 ■ ¿Qué _____ pasó el domingo?, ¿por qué no viniste al campo?
   ● Es que no _____ encontraba bien, _____ dolía la cabeza.

6 ■ A Elena no _____ interesa nada, yo creo que está un poco deprimida.

7 Jorge es un chico estupendo, a todos nosotros _____ cae bien.

8 ■ ¿Qué tal _____ (a mí) quedan estos pantalones?
   ● Pues…, a mí _____ parece que no _____ quedan muy bien, la verdad. Los otros _____ sientan mejor.

9 Mi jefe es una buena persona, _____ preocupa por todos sus empleados.

10 Vicente dice que a él no _____ preocupa el futuro porque tiene bastante dinero para vivir sin trabajar.

3 Relaciona los problemas con los consejos. Hay más de una opción.

1 No tengo amigos y me siento solo. ☐

2 Estoy deprimida, no tengo ganas de nada. ☐

3 Yo no quiero estudiar, quiero ser guitarrista, pero mis padres no me comprenden. ☐

4 Mi marido está trabajando todo el día y casi no nos vemos. ☐

5 Mi mejor amiga se ha ido a vivir a otra ciudad y la echo mucho de menos. ☐

a Lo que tienes que hacer es buscar otra amiga.

b Yo en tu lugar hablaría con él y se lo diría.

c Deberías hablar con tus padres y matricularte en una escuela de música.

d Quizás deberías ir a un especialista.

e Lo que tienes que hacer es salir, apuntarte a un grupo de senderismo o pintura y conocer gente.

4 En cada frase hay un error. Búscalo y corrígelo.

1 A mí me gusta la gente que sea simpática.

2 Roberto enfadó con su novia.

3 Viven en un piso que tenga dos dormitorios.

4 María es tímido y cariñoso.

5 Roberto tiene pelo castaño.

6 ¿Conoces a alguien que sabe hablar japonés?

7 Últimamente se me olvido las cosas.

8 Yo en tu lugar hablaré con tus padres.

9 Busco una chica que sea sincero.

10 ¿Acuerdas de Elena, la hermana de Jorge? Pues ha tenido un accidente.

5 Escribe la forma correspondiente del condicional.

1 escribir, ella _escribiría_   6 comer, Vd. _____

2 salir, yo _____   7 vivir, yo _____

3 poner, tú _____   8 estudiar, tú _____

4 decir, ella _____   9 buscar, él _____

5 hacer, nos. _____   10 venir, yo _____

6 Escribe un párrafo (puede ser un poema) sobre "¿qué es un amigo?".

> Un amigo es alguien que te ayuda cuando lo necesitas…

7 Completa las frases. Utiliza *estaba / estuve / he estado* + gerundio.

1 ¿Qué <u>estabas haciendo</u> (hacer, tú) cuando sonó el teléfono?
2 Cuando lo vi, Ignacio _____ (comprar) un regalo para Ana.
3 El año pasado _____ (estudiar, yo) español en el Instituto Cervantes.
4 ¡_____ (comer, vosotros) caramelos toda la mañana!
5 Cuando sonó el teléfono, _____ (preparar, yo) la comida.
6 Ayer _____ (trabajar, nosotros) hasta las diez de la noche.
7 ¿Por dónde _____ (viajar) tus padres este verano?
8 Hace muchos años, _____ (trabajar, nosotros) en Barcelona.
9 Esta mañana _____ (esperar, yo) el autobús más de media hora.
10 _____ (Ver, nosotros) el partido cuando se estropeó la televisión.

8 Completa el texto con los verbos del recuadro.

> se abrazaban • vio • ~~vivía~~ • viajaba • vino desapareció • subía • escuchó • esperaba • volvía

EL VIAJE

Achával (1) <u>vivía</u> lejos, a más de una hora de Buenos Aires. Cada mañana Acha (2)_____ al ferrocarril de las nueve para irse a trabajar. Subía siempre al mismo vagón y se sentaba en el mismo lugar.

9 Completa las frases con las palabras del recuadro.

> de fumar • a vivir • a casarse • estudiando ~~trabajar~~ • fumando • de llamar escuchando • trabajando • viviendo

1 Cuando cumplió veinte años, empezó a <u>trabajar</u>.
2 Cuando nació mi primer hijo, seguí _____ en la misma empresa..
3 Cuando se lo recomendó el médico, dejó _____.
4 Aunque estaba enfermo siguió _____.
5 Llevamos muchos años _____ en Sevilla.
6 Cuando me divorcié, volví _____ en casa de mis padres.
7 Acaba _____ Pepe y dice que viene a comer con nosotras.
8 Siguió _____ hasta que terminó su segunda carrera.
9 Mi hermana ha vuelto _____.
10 Mis amigos siguen _____ música de los años ochenta.

Frente a él (3)_____ una mujer. Todos los días, a las nueve y veinticinco, esa mujer bajaba por un minuto en una estación, siempre la misma, donde un hombre la (4)_____ parado siempre en el mismo lugar. La mujer y el hombre (5)_____ y se besaban hasta que sonaba la señal de salida. Entonces ella se desprendía y (6)_____ al tren. Esa mujer se sentaba siempre frente a él, pero Acha nunca le (7)_____ la voz. Una mañana ella no (8)_____ y a las nueve y veinticinco Acha (9)_____, por la ventanilla, al hombre esperando en el andén. Ella nunca más vino. Al cabo de una semana el hombre también (10)_____.

Eduardo Galeano

¿Qué sabes?

	☺	😐	☹
· Describir la personalidad y el aspecto físico de una persona.	☐	☐	☐
· Definir características de personas o cosas por medio de oraciones de relativo.	☐	☐	☐
· Hablar de sentimientos y de relaciones personales.	☐	☐	☐
· Dar consejos.	☐	☐	☐
· Hablar de experiencias utilizando las perífrasis verbales.	☐	☐	☐
· Hablar de la infancia y de la educación que has recibido.	☐	☐	☐
· Formar contrarios de algunos adjetivos.	☐	☐	☐
· Distinguir la entonación interrogativa y acentuar palabras monosílabas.	☐	☐	☐

Salud y enfermedad

5

■ *Hablar de dietas*

Vocabulario

1 Clasifica los alimentos del recuadro en la columna correspondiente. Añade algunos más.

> berenjenas • garbanzos • mejillones
> filete • yogur • salchichas • merluza
> queso • lentejas • coliflor

CARNE	*filete*
LEGUMBRES	
PESCADO	
LÁCTEOS	
VERDURAS	

2 ¿Qué sabes sobre los distintos tipos de alimentación?

1 ¿Cómo se llaman las personas que no comen carne?
2 ¿Y las que no comen ningún producto de origen animal (leche, huevos...)?
3 ¿Estás de acuerdo con su filosofía?
4 ¿Hay algún alimento que no sueles comer? ¿Por qué?

3 🎧 23 Vas a escuchar a una persona que es vegetariana y nos explica sus motivos. Escucha la grabación y contesta a las preguntas.

1 ¿Por qué se convirtió en vegetariano?
2 ¿Qué alimentos no comen los vegetarianos?
3 El autor desayuna solo fruta por la mañana, ¿para qué?
4 ¿Cómo reaccionaron sus amigos cuando se convirtió en vegetariano?
5 ¿Qué miembro de su familia no come carne actualmente?
6 ¿Qué hará el autor para evitar que sus hijos coman "comida basura"?
7 ¿Qué alimentos comen los vegetarianos?
8 ¿Qué es lo que más le gusta al autor cuando invita a cenar a sus amigos?

Hablar

4 Lee y señala con V las afirmaciones con las que estás de acuerdo y con X las que no compartes. Luego compara tus respuestas con las de tu compañero.

1 Comer carne hace más agresiva a la gente. ☐
2 No es necesario comer carne porque una dieta vegetariana cubre todas las necesidades. ☐
3 Una dieta completa necesita de todo, también la carne. ☐
4 Es injusto tener que matar animales para comer. ☐
5 Los pollos y pavos viven en unas condiciones horribles. ☐
6 La comida vegetariana es aburrida. ☐
7 La carne contiene aditivos perjudiciales para la salud. ☐

5 En grupos de tres. Cada uno elige uno de los siguientes personajes. Defiende tu dieta y trata de convencer a tus compañeros. Prepara un guion antes de hablar.

A Eres vegetariano. Estás en desacuerdo con la gente que come carne, pescado, huevos y leche.

B Te alimentas habitualmente de "comida rápida": bocadillos, congelados, pizzas, perritos, etcétera.

C Eres un "gourmet".Te encanta la comida de calidad, incluyendo la carne, pescado y productos frescos.

6 Relaciona. Hay varias opciones.

1 Hago dieta para... ☐
2 He comprado lechuga y tomates para que... ☐
3 Come espinacas para... ☐
4 He ido a la frutería para... ☐
5 He lavado los tomates para... ☐
6 He abierto la ventana para que... ☐
7 Duermo ocho horas para... ☐
8 Te llamo para que... ☐
9 Hacen deporte para... ☐
10 He hecho pasta para que... ☐

a ...entre aire fresco.
b ...hagas una ensalada.
c ...cenen los niños.
d ...estar en forma.
e ...comprar fruta para el desayuno.
f ...estar fuerte como Popeye.
g ...me des la receta del pastel de manzana.
h ...preparar la ensalada.
i ...levantarme descansado.
j ...adelgazar.

Gramática

ORACIONES FINALES

● Se utiliza **para + infinitivo** cuando el sujeto de los dos verbos es el mismo.
*(Yo) Desayuno fruta **para (yo) desintoxicarme**.*

● Se utiliza **para que + subjuntivo** cuando los sujetos son diferentes.
*(Yo) Te llamo **para que (tú) me cuentes** lo que pasó.*

● Se utiliza **para qué + indicativo** en el caso de una oración interrogativa.
*¿**Para qué quieres** mi coche?*
*¿**Para qué has comprado** tantas patatas?*

7 Completa las frases con el infinitivo o subjuntivo de los verbos del recuadro.

regar • secarse • cocinar • oír • explicar
saber (x 2) • hacer • ~~estar~~

1 Hay que cuidar la alimentación para <u>estar</u> sano.
2 Fuimos al concierto para _____ cantar a Luis.
3 En verano le dejo las llaves a la vecina para que _____ las plantas.
4 Esta tarde viene mi sobrino para que mi marido le _____ los problemas de matemáticas.
5 Hablé con Laura para _____ cómo estaba.
6 He comprado setas para que Daniel _____ la cena.
7 He regado el césped para que no _____.
8 Te mando este correo para que _____ lo que ha pasado.
9 Nos hace falta aceite para _____.

Leer

1 Antes de leer el texto busca el significado de las siguientes palabras.

> rama • aceites esenciales • infusiones • aromas
> oler • aplicar • tratar • albahaca

2 Lee el texto y después señala si son verdaderas (V) o falsas (F) las afirmaciones siguientes.

1 En la aromaterapia se utiliza el olor de las plantas para curar. ☐
2 La aromaterapia es una rama de la medicina convencional. ☐
3 Los aceites vegetales deben beberse en infusiones. ☐
4 El aceite de lavanda es bueno para las quemaduras. ☐
5 La aromaterapia funciona por la relación entre olor y cerebro. ☐

3 Relaciona cada planta con su remedio.

1 Albahaca ☐
2 Árbol del té ☐
3 Rosa ☐
4 Sándalo ☐
5 Romero ☐

a Desórdenes emocionales
b Dolores musculares
c Infecciones
d Problemas respiratorios
e Relajante

AROMATERAPIA

La aromaterapia es una rama de la ciencia herbolaria que utiliza aceites vegetales concentrados (aceites esenciales) para mejorar la salud física y mental A diferencia de las plantas utilizadas en herbolaria en forma de infusiones para beber, los aceites esenciales no se beben, sino que se huelen o se aplican en la piel.

El término aromaterapia fue utilizado por primera vez por el químico francés René-Maurice Gatte-fossé en 1935. Desde un punto de vista científico, no se considera parte de la medicina convencional, sino más bien de la medicina alternativa.

Los aceites esenciales de las plantas han sido usados para propósitos terapéuticos desde hace cientos de años. Chinos, hindúes, egipcios, griegos y romanos usaron los aceites esenciales en cosméticos, perfumes y medicinas. En Centroamérica eran utilizados los aromas de las flores y algunas plantas en infusiones para baños corporales.

Hacia 1920 René-Maurice Gattefossé, químico francés, descubrió las propiedades medicinales del aceite esencial de lavanda cuando lo aplicó a una quemadura sobre su mano después de sufrir un accidente en su laboratorio, y así empezó la moda del uso de los aceites vegetales.

Más tarde, el doctor Jean Valnet, médico del ejército francés, utilizó con éxito los aceites esenciales para tratar a los soldados heridos en la guerra. En 1964 Valnet publicó *L'aromathérapie*, un libro que muchos consideran la biblia de la aromaterapia.

Es indudable la relación que existe entre los olores y los efectos químicos que provocan en el sistema límbico y en el hipotálamo, los órganos del cerebro donde se fabrican las emociones.

USOS DE LOS ACEITES ESENCIALES

Algunas propiedades que se atribuyen a los aceites esenciales más utilizados son:

Aceite de albahaca. Se usa para el tratamiento de la depresión, los dolores de cabeza y para problemas respiratorios.

Aceite de árbol de té. Este arbolito es un remedio tradicional de los aborígenes australianos. Al principio se hacía con él una infusión para beber, de donde viene su nombre inglés "Tea tree". Investigaciones recientes dicen que su aceite puede combatir todo tipo de infecciones.

Aceite de Rosa: Lo usan para el tratamiento de los desórdenes emocionales. Tiene un aroma dulce y penetrante.

Aceite de Sándalo: Aceite con olor a madera, es usado como relajante en meditación y para las pieles secas.

Aceite de Romero: Es uno de los aceites esenciales más utilizados. Es un potente estimulante de la mente, además de combatir dolores musculares y afecciones respiratorias. Destaca por sus propiedades antisépticas. Es muy valorado en tratamientos estéticos, especialmente para el fortalecimiento del cabello.

4 ¿Sabes la diferencia entre medicina occidental y medicina alternativa? ¿Conoces algún tipo de medicina alternativa? ¿Cuál? Cuéntaselo a tus compañeros.

5 Lee las definiciones y completa las frases.

PEQUEÑO DICCIONARIO DE MEDICINAS ALTERNATIVAS

AROMATERAPIA
Remedios naturales basados en el olor de las plantas.

CROMOTERAPIA
Los colores se utilizan para producir respuestas psicológicas.

FITOTERAPIA
Uso medicinal de las plantas, en estado natural o preparados.

HIDROTERAPIA
Utilización del agua en forma medicinal.

MUSICOTERAPIA
Uso de la música como medio de expresión de sentimientos y emociones.

RISOTERAPIA
Uso de la risa para mejorar el ánimo y algunas enfermedades.

1 En los balnearios con sus aguas termales se practica la _____.

2 Los vahos de eucalipto para curar resfriados se utilizan en la _____.

3 El corazón recibe más oxígeno cuando nos reímos en la clase de _____.

4 El *jazz* y la música clásica se utilizan en la _____.

5 Mi médico me ha mandado un tratamiento de hierbas. Practica la _____.

Escuchar

6 🔊 **24** Vas a leer y escuchar las instrucciones para realizar un ejercicio de yoga llamado *El saludo al sol*. Completa el texto con las palabras del recuadro.

EL SALUDO AL SOL

El saludo al sol es un ejercicio de yoga que consiste en una serie de movimientos suaves sincronizados con la respiración. Una vez que haya aprendido las posturas, es importante que las combine con una respiración rítmica.

> brazos (x 2) • frente • orejas • manos (x 2)
> pierna (x 2) • rodillas (x 2) • espalda • pies (x 4)
> cuerpo • dedos • caderas • cabeza • pecho

1 De pie, espire al tiempo que junta las *manos* (1) a la altura del _____(2).

2 Aspire y estire los _____(3) por encima de la _____(4). Inclínese hacia atrás.

3 Espirando, lleve las manos al suelo, a cada lado de los _____(5), de forma que los _____(6) de manos y pies estén en línea.

4 Aspire al tiempo que estira hacia atrás la _____(7) derecha, y baje la _____(8) derecha hasta el suelo.

5 Conteniendo la respiración, lleve hacia atrás la otra pierna y estire el _____(9).

6 Apoye las rodillas, el pecho y la _____(10) sobre el suelo.

7 Aspire, deslice las _____(11) hacia delante e incline la cabeza hacia atrás.

8 Espire y, sin mover las _____(12) ni los _____(13), levante las caderas.

9 Aspire y lleve el _____(14) derecho hacia delante. Estire hacia atrás la _____(15) izquierda.

10 Lleve el otro _____(16) hacia delante. Estire las _____(17) y toque las piernas con la frente.

11 Aspire a la vez que inclina la _____(18) con la cabeza hacia atrás y mantiene los _____(19) junto a las _____(20).

12 Espire al tiempo que regresa a la posición inicial.

Leer

1 Lee el cuestionario y luego hazle las preguntas a tu compañero.

- ¿Cuántas horas duermes diariamente?
- ¿Te afectan el café o el té para dormir?
- Cuando no puedes dormir, ¿qué haces: oír la radio, ver la televisión, leer...?
- ¿Puedes dormir en los viajes?
- ¿Te da sueño después de comer?
- ¿Recuerdas tus sueños?
- ¿Necesitas despertador?

2 Lee el texto. ¿Los consejos que da son para dormir o para no dormir?

3 Subraya los imperativos que aparecen en el texto.

4 Escribe todos los imperativos en forma negativa, de manera que los consejos sean válidos para dormir.

Acuéstese	No se acueste

Actitudes que seguro le causarán insomnio

Mucha gente adopta ciertas conductas nocivas sin pensar que con ellas está afectando a la calidad de su sueño. Si usted quiere pasarse toda la noche dando vueltas en la cama sin poder dormirse, haga lo siguiente:

A Acuéstese pensando en todas las cosas negativas que le pasaron durante el día, y piense en cómo resolverá los problemas que le esperan al día siguiente.

B Cene abundantemente y acuéstese inmediatamente después. Su diafragma estará tan comprimido que tendrá los ojos más abiertos que un búho.

C Una hora antes de acostarse, practique un deporte de competencia como el tenis o el fútbol. La adrenalina originada por su organismo para tratar de ganar, sumada al enfado de la posible derrota, hará que no pegue ojo en toda la noche.

D De un día para otro cambie sus costumbres: duerma sin almohada o, si antes no lo hacía, dese un baño bien caliente antes de acostarse. Si logra dormir, será casi un milagro.

E Tome café, té o alguna bebida estimulante a las ocho de la tarde.

F Después de comer, duerma una siesta larga.

Hablar

5 En grupos de tres o cuatro, escribid una lista de consejos en imperativo afirmativo y negativo para dormir bien. Intercambiad los consejos con otros grupos.

Gramática

EL IMPERATIVO

- Se usa el imperativo para dar órdenes, para pedir favores, para dar instrucciones y consejos.

  Abrid los libros.
  Tráeme un vaso de agua, por favor.
  Duerma ocho horas.

- Todas las formas del imperativo (excepto *tú* y *vosotros* en la forma afirmativa) son iguales que las del presente de subjuntivo.

  Cambiar

cambia (tú)	**no cambies** (tú)
cambie (usted)	**no cambie** (usted)
cambiad (vosotros)	**no cambiéis** (vosotros)
cambien (ustedes)	**no cambien** (ustedes)

- Los verbos que son irregulares en presente de indicativo tienen la misma irregularidad en imperativo (excepto la persona *vosotros*).

  Dormir

Presente	Imperativo	
duermo (yo)	*duerme* (tú)	*dormid* (vosotros)

- Otros verbos irregulares.

	Imperativo	
	afirmativo	**negativo**
Decir:	**di** (tú)	**no digas**
Ir:	**ve** (tú)	**no vayas**
Hacer:	**haz** (tú)	**no hagas**
Poner:	**pon** (tú)	**no pongas**
Oír:	**oye** (tú)	**no oigas**
Venir:	**ven** (tú)	**no vengas**
Salir:	**sal** (tú)	**no salgas**

- Imperativo con pronombres.

afirmativo	negativo
tráelo	**no lo traigas**
dámela	**no me la des**
díselo	**no se lo digas**

---

6 Completa los siguientes consejos. Utiliza los verbos del recuadro.

> no dormir • levantarse • olvidarse • elegir
> ~~no tomar~~ • recordar • poner

LOS SECRETOS DE LA SIESTA

a <u>No tomes</u> té o café al terminar de comer si vas a dormir la siesta.
b _____ un sillón o sofá adecuado.
c _____ más de veinte o treinta minutos.
d _____ de las preocupaciones y el estrés.
e _____ una música de fondo que te acompañe en tu descanso.
f _____ con calma, sin prisas.
g _____ que la siesta es una buena terapia para la salud física y mental.

Pronunciación y ortografía

La *g* y la *j*

/g/ g + a, o, u	/x/ g + e, i
gu + e, i	j + a, e, i, o, u

1 **Escucha y repite.**

> **genio** gente **joven** jueves **jefe** jirafa
> gato **gorro** agua **García** goma **guapo**
> **guerra** guía **guitarra** guepardo

2 Completa con *j, g* o *gu*.

1 El ___ueves pasado ___u___é al fútbol con Martín.
2 El ____epardo es un animal muy rápido.
3 Lávate las manos con ____abón.
4 El novio de Isabel es muy ____uapo.
5 En el ____ardín de Luis hay dos ____eranios.
6 Tu corbata es i____ual que la mía.
7 Luis, toca la ____itarra, por favor.
8 Julia, tráeme la a____enda que está al lado del teléfono.
9 María ha te____ido un ____ersey para su nieto.
10 Para lle____ar al hotel, si____e todo recto y luego ____ira a la derecha.

3 **Escucha, comprueba y repite.**

Hablar y escuchar

Dar consejos

1 🔊27 Escucha el diálogo.

> Antonio: Hola, Luis. Soy Antonio.
>
> Luis: Hola, ¿qué tal?
>
> Antonio: Te llamo para decirte que no voy a poder ir a la oficina mañana y no vamos a poder terminar el informe que tenemos pendiente.
>
> Luis: ¿Por qué? ¿Qué te pasa?
>
> Antonio: Me encuentro fatal. Me duele la cabeza y tengo fiebre.
>
> Luis: Habrás cogido la gripe. Tómate una aspirina y métete en la cama. Ya terminaremos nuestro trabajo otro día. No te preocupes. Si puedo, me acerco mañana a verte.
>
> Antonio: Vale y tráeme alguna revista para entretenerme.
>
> Luis: Y no te preocupes. Si quieres, yo aviso mañana en la oficina para que sepan que no vas a poder ir a trabajar.
>
> Antonio: No, déjalo. Ya llamo yo. Muchas gracias.
>
> Luis: ¡Que te mejores!

Comunicación

- ¿Qué te pasa?
- Te llamo para decirte que…
- Tómate…
- No te preocupes…
- No, déjalo.
- ¡Que te mejores!

2 Lee el diálogo y completa con las palabras del recuadro.

> cenes • llevártelos • Tómate
> traerme • estómago

- ¿Qué te pasa?
- Me duele el (1) _____.
- (2) _____ un té y no (3) _____.
- Por favor, ven a mi casa para (4) _____ los apuntes.
- Vale, iré a tu casa mañana por la tarde para (5) _____.

3 Practica con tu compañero, siguiendo el modelo.

- *He suspendido los exámenes.*
- *No te vayas de vacaciones y prepáratelos para septiembre.*
- Mi novia/o me ha dejado.
- Me he quedado en el paro.
- No entiendo este ejercicio.
- Me duele la espalda.
- Se me ha estropeado el coche.

4 Practica un nuevo diálogo con tu compañero como en el ejercicio 1. Puedes utilizar alguna de las situaciones del ejercicio anterior.

5 🔊28 Escucha las dos llamadas telefónicas y contesta a las preguntas.

1 ¿Qué le ha pasado a Ángel?
2 ¿Cómo se lo ha hecho?
3 ¿Qué consejos le dan en el servicio de urgencias?
4 ¿Cómo va a ir al servicio de urgencias?
5 ¿Qué le ha pasado a la madre de Roberto?
6 ¿Qué le manda hacer Julián a Roberto?
7 ¿Para qué va a comprar Julián la crema?

Leer

Viajar a Cuba

1 ¿Qué sabes de Cuba? Marca verdadero (V) o falso (F).

1 Cuba es una isla. ☐
2 Está en el mar Mediterráneo. ☐
3 Los cubanos hablan portugués. ☐
4 Los cigarros habanos son de Cuba. ☐
5 La capital es Santiago de Cuba. ☐

2 Lee el texto y contesta a las preguntas.

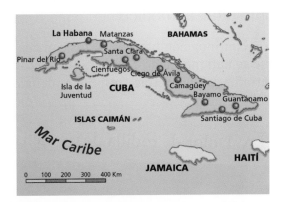

Al son de Cuba

¿No has estado hasta ahora en la isla más divertida de América, el mejor lugar para bailar, relajarse y disfrutar?

Sí, **Cuba**.

Cuba es tu destino: sol radiante, preciosas playas de arena blanca y cultura centenaria.

Son muchos los destinos que se pueden visitar en esta isla. La Habana, su capital, puede ser el punto de comienzo. Es una ciudad donde se mezclan la modernidad y tradición. Es imprescindible caminar por sus calles, visitar sus castillos y disfrutar de su malecón, sus teatros, restaurantes... Pero sin ninguna duda lo más impresionante de La Habana son sus gentes, hospitalarias y sonrientes como pocas en el mundo.

Nuestro viaje podría continuar en Varadero, conocido como la "playa Azul", donde sus playas de arena blanca y aguas multicolores te permitirán ponerte moreno y descansar. Si eres aficionado al buceo, los distintos tipos de corales y peces te harán sentir en el paraíso. No lo dudes, Varadero te espera.

No podemos dejar a un lado la comida cubana, con influencias españolas y africanas. El arroz con frijoles, también llamado "moros y cristianos", el puerco, preparado de distintas formas, y la langosta son los platos más típicos, sin olvidarnos de los dulces como las natillas, el arroz con leche, etcétera.

Las compras tradicionales son: los puros habanos y la música cubana. No dejes de visitar esta joya caribeña tan pronto como puedas.

La Habana

Músicos en una calle de La Habana

Playa de Varadero

1 ¿Dónde se encuentra la isla de Cuba?
2 ¿Cuál es su capital?
3 ¿Cómo son los habitantes de La Habana?
4 ¿Qué se puede hacer en Varadero?
5 ¿Qué vas a encontrar si buceas en la "playa Azul"?
6 ¿Qué son los "moros y cristianos"?
7 ¿Qué postres destacan en la cocina cubana?
8 ¿Qué puedes traer de recuerdo a tus amigos si vas a Cuba?

Escribir

Consultar al médico

1 A continuación hay dos cartas con dos problemas diferentes que se han mezclado. Mira el título de cada una e identifica los párrafos con las cartas. Después, ordénalos.

A. Dolor de rodilla de un ciclista.

B. Molestias en el hombro derecho.

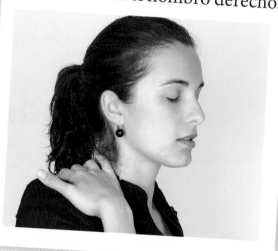

Desde hace tres meses tengo un dolor en el hombro derecho. Al principio el dolor durante el día era muy leve y algo más molesto por la noche. B 1

Soy un hombre de 43 años, mido 1,75 y peso 68 kg. Hace unos dos años que practico *mountain bike*. Siempre me ha ido muy bien, pero desde hace un mes he empezado a sentir dolor en las dos rodillas.

Cuando subo escaleras, siento una punzada en el menisco que me deja paralizado. Por la noche en la cama el dolor es como un hormigueo. Por la mañana vuelven las molestias y dolores que son insoportables.

A los pocos días fui al médico y me diagnosticó tendinitis y me recetó antiinflamatorios durante 15 días. Pero el dolor seguía, los antiinflamatorios no me hacían efecto. A los quince días volví al médico y me mandó unas radiografías.

Hace dos semanas que no practico nada de ciclismo y estoy esperando para hacerme unas pruebas. ¿Cree usted que es grave?

Estoy a la espera de las pruebas, pero últimamente el dolor ha aumentado, hasta el punto de que no puedo peinarme. No sé si debo esperar a las radiografías o dirigirme a urgencias.

2 En parejas. Comprueba con tu compañero si has ordenado bien las cartas. Comenta qué respuestas daríais a cada problema.

3 Las dos consultas anteriores tratan de dolores. Imagina que tienes algún tipo de dolor y escribe una carta al consultorio de la revista anterior. Explica:

- qué molestias tienes,
- cuándo han empezado las molestias,
- cómo han evolucionado,
- en qué momento del día es más fuerte el dolor,
- si has ido al médico,
- qué te ha recomendado y recetado.

Nuestro mundo

6

·· Expresar sentimientos y opiniones
·· Expresar recomendaciones y obligaciones
·· Comparar
·· **Cultura:** Ciudades españolas Patrimonio de la Humanidad

Hablar

1 Comenta con tu compañero.

¿Cuáles son los problemas medioambientales más importantes en este momento?
¿Crees que los partidos "verdes" son importantes? ¿Por qué?

2 Contesta el cuestionario y compara tu puntuación final con la de tu compañero.

1 ¿Utilizas el transporte público?
- ○ **a** Sí, pero si puedo voy andando.
- ○ **b** De vez en cuando.
- ○ **c** No, prácticamente nunca.

2 ¿Qué opinas de las centrales nucleares?
- ○ **a** Deberían desaparecer.
- ○ **b** Deberían mejorar sus medidas de seguridad.
- ○ **c** Es un tema que no me preocupa.

3 ¿Qué importancia tiene para ti la recogida de basura selectiva?
- ○ **a** Es algo muy positivo que debe implantarse en todo el mundo.
- ○ **b** Es una exigencia a la que hay que acostumbrarse.
- ○ **c** Es una actividad inútil a la que me resistiré todo lo que pueda.

4 ¿Qué haces con las pilas gastadas?
- ○ **a** Las deposito en recipientes preparados para su recogida.
- ○ **b** Unas veces las dejo en contenedores de pilas y otras veces las tiro a la basura.
- ○ **c** Las tiro a la basura.

5 ¿Te preocupa la contaminación del planeta?
- ○ **a** Sí, mucho.
- ○ **b** Algo, pero no demasiado.
- ○ **c** Sinceramente, poco.

6 ¿Entregas dinero a alguna organización ecologista?
- ○ **a** Sí, de forma regular.
- ○ **b** Alguna pequeña cantidad de vez en cuando.
- ○ **c** No, nunca.

7 Van a hacer una autopista que altera el paisaje, ¿cuál es tu actitud?
- ○ **a** De lucha, no se puede permitir.
- ○ **b** De preocupación.
- ○ **c** De alegría. Al fin voy a poder moverme con rapidez

PUNTUACIÓN
Si la mayoría de tus respuestas son **a,** eres un ecologista o casi llegas a serlo. No solo te preocupas por la naturaleza, sino que participas activamente en su conservación.
Si la mayoría de tus respuestas son **b,** por lo general respetas el medioambiente y procuras no contaminar, pero tampoco te esfuerzas en exceso. Claramente podrías hacer mucho más.
Si la mayoría de tus respuestas son **c,** tu actitud se podría llamar contaminante. Vives de espaldas a la problemática medioambiental que te rodea.

Escuchar

3 Vas a oír una entrevista a un miembro de Greenpeace. Antes de escuchar, señala si crees que las siguientes afirmaciones son verdaderas o falsas.

1 Greenpeace es una organización dedicada a la defensa de los emigrantes. ☐
2 Greenpeace es una organización que trabaja solo en Europa. ☐
3 El objetivo de Greenpeace es conseguir la paz mundial. ☐
4 Los países más ricos colaboran activamente con esta organización. ☐
5 La misión de los miembros de Greenpeace es defender la tierra. ☐

4 🔊29 Escucha la entrevista y comprueba tus hipótesis.

5 🔊29 Escucha de nuevo y contesta a las siguientes preguntas.

1 ¿Cuál es el objetivo de Greenpeace?
2 ¿Cuál es la mayor preocupación de esta organización?
3 ¿Quiénes deben colaborar para mejorar el futuro del planeta?
4 ¿Existe un apoyo total por parte de la gente hacia esta organización?
5 ¿Cómo se puede colaborar con esta organización?

6 Forma frases. Hay más de una posibilidad.

1 A Manu le gusta ☐
2 A nosotros nos molesta ☐
3 Me preocupa que ☐
4 A algunos políticos no les preocupa que ☐
5 Me molesta que ☐

a ver montones de basura sin reciclar.
b llevar los cristales al contenedor.
c gastes tanta agua.
d la gente no sea ecologista.
e haya contaminación.
f mis hijos vivan en un mundo contaminado.

7 Completa las frases con el verbo en la forma adecuada del subjuntivo.

1 Me molesta que _la gente no cuide_ el medioambiente. (la gente, no cuidar)
2 Me preocupa que _____ los problemas medioambientales. (el gobierno, no solucionar)
3 Me gusta que _____ campañas sobre el reciclado de basuras. (la televisión, hacer)
4 ¿Te importa que me _____ tus papeles al contenedor? (yo, llevar)
5 Me molesta que _____ no _____ con Greenpeace. (los políticos, colaborar)
6 Me preocupa que _____. (no llover)

8 Escribe tus opiniones sobre el futuro del planeta. Utiliza, entre otras, las expresiones del recuadro.

> creo que... • espero que... • no me importa...
> me preocupa que... • me molesta que...

1 ¿Qué medio de transporte utilizas para desplazarte a diario?

2 Lee el texto.

Las grandes ciudades se suben a **la bicicleta**

Más de 100 ciudades españolas tienen ya servicios públicos de préstamo.
Hay que hacer posible su uso con el de los coches y con los peatones.

Manuel, de 31 años, ciclista habitual en una gran ciudad española, teme por su seguridad cada vez que utiliza la bicicleta entre coches y autobuses. A Carmen, que camina hasta su trabajo cada día, le indigna que vaya a cruzar una calle y un ciclista casi la atropelle porque no respeta el semáforo. Y Carlos, desde su coche, ve con simpatía las dos ruedas pero reconoce que acaban siendo una molestia y un peligro cuando circulan por la calzada. La convivencia no está siendo fácil, pero aun así la bicicleta se abre paso en las grandes ciudades a un ritmo imparable.

Es conveniente utilizar la bicicleta porque es sostenible, humaniza las ciudades, combate el sedentarismo, suele ser divertida y, por si fuera poco, proporciona una grata sensación de libertad, argumentan sus defensores más fieles. Hasta no hace mucho había una decena de ciudades españolas con sistemas de préstamo público de bicis, hoy cuentan con él más de 100 municipios

Pero está lejos todavía de países como Holanda, Dinamarca o Francia, donde el

Alquiler de bicicletas en Barcelona.

Ciclistas en Ámsterdam.

uso de la bici es habitual. Además, en las distintas ciudades españolas las situaciones son muy diferentes. En Barcelona, el 2% de los desplazamientos que se hacen a diario se realizan en bicicleta. En San Sebastián son casi el 3%, al igual que en Zaragoza o Vitoria. Sevilla está a la cabeza de todas ellas, con más del 6% de los desplazamientos, mientras que en otras capitales, como Madrid, apenas llegan al 0,3%.

No hay fórmulas mágicas para hacer compatible la circulación de coches, autobuses y bicis. Cada ciudad hace lo que puede. Es necesario que se tomen medidas para facilitar la convivencia de todos.

Un gran número de capitales usan igual la calzada que las aceras para la circulación de las bicis. En unos casos los carriles bici están separados del resto del tráfico por un bordillo, en otros solo por una línea pintada en el suelo. También hay Ayuntamientos que prefieren desviar el tráfico de bicicletas por calles secundarias, donde la velocidad se limita a los 30 kilómetros por hora. En París o en Bruselas, la bici comparte el carril con autobuses... Sea cual sea la solución, para poder usar la bicicleta con seguridad hace falta que disminuya la velocidad del tráfico y circulen menos vehículos por las calles de la ciudad.

Extraído de El País

3 Localiza en el texto cinco palabras relacionadas con las siguientes definiciones:

1 Alcanzar violentamente un vehículo a personas o animales: _____
2 Lugar por el que circulan los vehículos motorizados: _____
3 Que puede mantenerse por sí mismo, sin ayuda exterior: _____
4 Falta de movimiento: _____
5 Cada banda utilizada para el tránsito de vehículos: _____

4 Vuelve a leer el texto y contesta a las siguientes preguntas.

1 ¿Qué beneficios aporta el uso de la bicicleta?
2 ¿En qué ciudad española se usa más la bicicleta?
3 ¿De qué distintas maneras se puede organizar el tráfico de las bicis en las ciudades?
4 ¿Qué cambios son necesarios para que los ciclistas circulen con seguridad?
5 ¿Has utilizado tú en alguna ocasión este servicio?

Hablar

5 En grupos de cuatro. ¿Qué piensas del uso de la bicicleta en las ciudades? Con tus compañeros elabora una lista de recomendaciones y obligaciones para mejorar los desplazamientos en tu ciudad.

Es necesario prohibir la circulación en el centro de la ciudad.

Es conveniente que construyan más carriles para las bicicletas.

Comunicación

- Expresar obligaciones impersonales, generales.
  - **Infinitivo**
  *No **hace falta tener** dos coches.*
  ***Es necesario cambiar** de hábitos.*
  ***Hay que usar** la bici para ahorrar energía.*

  - **Subjuntivo**
  ***Es necesario que se tomen** medidas.*
  ***Hace falta que disminuya** la velocidad del tráfico.*

- Expresar valoraciones.
  - **Generales**
  ***Es conveniente utilizar** menos el coche.*

  - **Particulares**
  ***Es conveniente que tú utilices** menos el coche.*

6 Completa la conversación con una de las formas estudiadas.

> hay que • es necesario que • es importante
> (no) hace falta que.

> Hoy es el cumpleaños de Jesús y está organizando una fiesta con sus amigos.
>
> Ángela: ¿Jesús, qué (1) *hay que* hacer?
> Jesús: Lo primero, (2)_____ pongamos la sillas pegadas a las paredes.
> David: No olvidéis que (3)_____ traer un equipo de música.
> Rubén: ¿(4)_____ coloquemos unas mesas para las bebidas?
> Jesús: No, (5)_____ dejar sitio para las dos neveras. Y no olvidéis que (6)_____ quede todo preparado para las seis de la tarde. (7)_____ terminar la fiesta antes de las doce de la noche para que los vecinos no protesten.

7 Completa las frases con las siguientes expresiones. Hay más de una opción.

> (no) hay que • (no) es necesario que
> (no) es conveniente que

1 *Es conveniente que* la gente hable mas bajo en los bares.
2 _____ poner la música muy alta después de las doce de la noche.
3 _____ tener cuidado para no molestar a los vecinos.
4 _____ que compremos refrescos; no tenemos suficientes.
5 _____ que avisemos a Juan. Ya sabe la hora de la fiesta.
6 _____ denunciar a los locales que no cumplan sus horarios.
7 _____ poner el bozal al perro para que no ladre.
8 _____ cojas el coche para ir al centro. Puedes ir en autobús.
9 _____ estar bien informado antes de opinar.
10 _____ que me llames. Mándame un correo.

Pronunciación y ortografía

QU, Z, C

> /K/ que, qui, ca, co, cu
> *cama, cuatro, quién*
>
> /θ/ za, zo, zu, ce, ci
> *azul, cine, hace*

1 Completa las frases con qu, z y c.

1 Es conveniente ____e los bares __ierren a las on__e.
2 En las __onas de o__io hay mucho ruido.
3 Di__en ____e van a fabri__ar __oches más silen__iosos.
4 Greenpeace es una organi__a__ión dedi__ada a defender la naturale__a.
5 Las denun__ias que ha__en los ve__inos son inútiles.

2 🔊 **Escucha y comprueba.**

Leer

1 Lee el texto y señala si las afirmaciones son verdaderas o falsas.

Vandana Shiva

Una de las ecologistas, feministas y filósofas de la ciencia más prestigiosas a escala internacional que luchan activamente a favor de los derechos de los pueblos.

Nació en la India, a los pies del Himalaya. Hija de una familia dedicada a la agricultura, Shiva pronto desarrolló un profundo respeto por la naturaleza.

Debido a su formación en física y su amor por la naturaleza, Shiva comenzó a preocuparse por el impacto de la tecnología científica sobre el medioambiente y fundó Navdanya, que significa "nueve semillas", para proteger la diversidad de las semillas de su tierra natal. Esta organización anima a los agricultores a rechazar las presiones políticas y económicas que pueden poner en peligro la biodiversidad de la India.

Shiva participó en el movimiento pacífico Chipko de los años 70. Este movimiento, encabezado principalmente por mujeres, adoptaba la táctica de abrazar a los árboles para evitar que los talaran.

Autora de varios libros y más de 300 ensayos, Shiva ha combatido públicamente la "revolución verde" de los años 70, con la que se pretendía solucionar el problema del hambre mejorando los cultivos con el uso de irrigación, fertilizantes, pesticidas y mecanización. Ella afirma que "la revolución verde" pretendía usar la tecnología occidental para ayudar a los agricultores del Tercer Mundo. Pero, en vez de riqueza, las nuevas semillas trajeron más pobreza que riqueza y la "destrucción ambiental". Además de la crítica a la "revolución verde", Shiva continúa con la campaña internacional contra los alimentos transgénicos. Ha colaborado con varias organizaciones en África, Asia, América Latina, Irlanda, Suiza y Austria en sus campañas contra la ingeniería genética.

Ha recibido más de 15 premios nacionales e internacionales por su contribución a la conciencia ecológica y la preservación ambiental, entre ellos un premio tan importante como el Right Livelihood Award (también conocido como el Premio Nóbel alternativo).

1 Sus padres trabajaban el campo. ☑

2 Estudió el efecto negativo del clima en la agricultura de su país. ☐

3 La organización Navdanya lucha por el uso de las semillas propias de su país. ☐

4 En los años 70, las mujeres no participaban en el movimiento ecologista de la India. ☐

5 Shiva estaba a favor de la "revolución verde". ☐

6 La "revolución verde" pretendía ayudar a los agricultores del Tercer Mundo con nuevas tecnologías. ☐

Vocabulario

2 Completa las frases con el vocabulario del recuadro.

> cordillera • mar • continente • océano
> desierto • selva • ~~río~~ • país • isla • cañón

1 El Nilo es un <u>río</u>.
2 El Pacífico es un _____.
3 Los Alpes son una _____.
4 Turquía es un _____.
5 El Sahara es un _____.
6 El Mediterráneo es un _____.
7 Mallorca es una _____.
8 La Amazonía es una _____.
9 Asia es un _____.
10 El Colorado es un _____.

Gramática

<table>
<tr><td colspan="4">COMPARATIVOS</td></tr>
</table>

Comparación con adjetivos

Superioridad:	**más**	+ adjetivo	+ **que**
Inferioridad:	**menos**	+ adjetivo	+ **que**
Igualdad:	**tan**	+ adjetivo	+ **como**

*Esta organización ecologista es **más** importante **que** la otra.*

Comparación con nombres

Superioridad:	**más**	+ nombre	+ **que**
Inferioridad:	**menos**	+ nombre	+ **que**
Igualdad:	**tanto/a/os/as**	+ nombre	+ **como**

*Antes no había **tantas** guarderías **como** ahora.*

Comparación con verbos

Superioridad:	verbo	+ **más que**
Inferioridad:	verbo	+ **menos que**
Igualdad:	verbo	+ **tanto como**

*Ella estudió **más que** sus compañeros.*

Comparativos irregulares

grande	➡	**mayor**
pequeño	➡	**menor**
bueno	➡	**mejor**
malo	➡	**peor**

*Juan es **menor que** su hermano.*

3 Completa las siguientes frases con el comparativo correspondiente.

1 Cada día trabajo más. Este año trabajo _más_ horas que el año pasado.
2 Este año hay sequía. Ha llovido _____ _____ el año pasado.
3 Las temperaturas son muy altas. Esta primavera hace _____ calor _____ los dos últimos años.
4 La energía solar es _____ contaminante _____ la energía nuclear.
5 Mis vecinos son igual de ruidosos: el de la derecha hace _____ ruido _____ el de la izquierda.
6 La cantidad de contaminación es _____ en las ciudades _____ en el campo.
7 En muchos países, las mujeres están discriminadas. Con iguales trabajos, ellas ganan _____ _____ los hombres.
8 Se han talado muchos árboles en la Amazonía. Ahora no hay _____ árboles _____ antes.

<table>
<tr><td>SUPERLATIVOS</td></tr>
</table>

*China es el país **más** poblado **del** mundo.*

*El Premio Livelihood Award es un premio important**ísimo**.*

*Venezuela es **el mayor** exportador de petróleo del continente americano.*

4 Pon el adjetivo entre paréntesis en la forma más adecuada (comparativo o superlativo).

1 Es la historia _más increíble_ que nunca he oído. (increíble)
2 Etiopía es uno de los países _____ del mundo. (lluvioso)
3 La capa de ozono cada día está _____. (dañada)
4 Noruega es _____ como Suecia. (fría)
5 Los países del Tercer Mundo tienen el _____ índice de mortalidad infantil. (grande)
6 El español es una de las lenguas _____ en el mundo. (habladas)
7 Europa es un continente _____ África. (pequeño)
8 El río Nilo es el _____ del mundo. Es _____. (largo)
9 El calentamiento de la tierra es uno de los _____ desastres naturales. (malo)
10 Ante la situación actual lo _____ es apoyar a una asociación ecologista. (bueno)

Hablar

5 Compara tus gustos con los de tu compañero.

1 hamburguesa - verduras.
   A mí me gustan más las verduras que las hamburguesas.
   Las verduras son más sanas que las hamburguesas.
2 música clásica - hip-hop.
3 cine de terror - comedias.
4 quedar con los amigos - navegar por internet.
5 el mar - la montaña.
6 el tren - el avión.

Hablar y escuchar

Protestar ante una situación

1 🔊31 Escucha el diálogo.

Periodista: Estamos en la plaza Mayor de Villanueva, donde tiene lugar en estos momentos una manifestación. Para Radio 1, en directo, ¿puede decirnos por qué se están manifestando?

Fernando: Estamos protestando porque quieren instalar una central nuclear en nuestro pueblo.

Periodista: ¿Y por qué piensa que esto puede ser negativo?

Fernando: Nos preocupa que haya un accidente en la central. Creemos que la energía nuclear es muy peligrosa y por eso no queremos tenerla cerca de nuestras casas.

Periodista: Pero dicen que van a crear muchos puestos de trabajo. Habrá gente que esté a favor…

Fernando: Sí, pero la mayoría de los habitantes del pueblo pensamos que es más importante nuestra salud.

Periodista: Concretamente, ¿qué quieren conseguir con esta protesta?

Fernando: Esperamos que paralicen las obras de la central y nos gustaría que los representantes de los vecinos puedan negociar con el gobierno para alcanzar una solución.

Comunicación

- ¿Por qué se están manifestando?
- ¿Por qué piensan que esto es negativo?
- Pero habrá otra gente que esté a favor…
- ¿Qué quieren conseguir?
- Estamos protestando porque…
- Nos preocupa que…
- Esperamos que …
- Nos gustaría que…

2 Lee el diálogo y completa con las palabras del recuadro.

conseguir • explicarme • recojan • reciclemos recogerla

- ¿Les importa (1) _____ para qué están reunidos?
- Nos preocupa que solo (2) _____ la basura un día a la semana.
- ¿Qué esperan (3) _____?
- Creemos que es necesario (4) _____ con más frecuencia. También es conveniente que (5) _____ correctamente nuestra basura.

3 Pregunta y responde a tu compañero como en el ejemplo. Utiliza las frases del recuadro.

- *¿Por qué estáis protestando?*
- *Nos preocupa que vayan a construir una autopista al lado de nuestro pueblo.*
- *¿Por qué piensas que esto es negativo?*
- *Creemos que van a destruir el paisaje y además habrá mucha contaminación.*

- Cerrar el cine de nuestro barrio
- Abrir una discoteca en nuestro edificio
- Aumentar los precios de los alimentos
- Disminuir las inversiones en sanidad

4 Practica un nuevo diálogo con tu compañero como en el ejercicio 1. Puedes utilizar alguna de las situaciones del ejercicio anterior.

5 🔊32 Escucha la entrevista y contesta a las preguntas.

1 ¿Dónde se está celebrando la manifestación?
2 ¿Cuánta gente hay aproximadamente en la plaza?
3 ¿Cuál es el objetivo de la manifestación?
4 ¿Hacia dónde se dirige la manifestación?
5 ¿Qué les piden a los políticos?

Leer

Ciudades españolas Patrimonio de la Humanidad

1 Lee el texto y señala si las afirmaciones son verdaderas o falsas. Corrige las falsas.

Ciudades españolas de ensueño

Su solo nombre evoca miles de sueños. Pero lo mejor de todo es que sus piedras están vivas y en ellas permanecen las huellas de fenicios, romanos, visigodos, árabes… De entre estas Ciudades Patrimonio de la Humanidad españolas, vamos a hacer un rápido paseo por tres de ellas: Mérida, Córdoba y San Cristóbal de la Laguna.

MÉRIDA

Mérida, capital de Extremadura, fue declarada Patrimonio de la Humanidad por la UNESCO en el año 1993. La ciudad fue fundada en el año 25 después de Cristo, con el nombre de Emerita Augusta, por Cesar Augusto. Durante siglos y hasta la caída del Imperio Romano de Occidente, Mérida fue un importantísimo centro jurídico, económico, militar, cultural y una de las poblaciones más florecientes en la época romana.

Es imprescindible visitar su Teatro romano, así como el Museo Nacional de Arte Romano.

CÓRDOBA

Córdoba es una ciudad de Andalucía, situada a orillas del río Guadalquivir y al pie de Sierra Morena. Aún podemos contemplar edificaciones con elementos arquitectónicos de cuando Córdoba fue capital durante el Imperio romano o del Califato de Córdoba. Según los testimonios arqueológicos, la ciudad llegó a contar con alrededor de un millón de habitantes hacia el siglo X, siendo la ciudad más grande, culta y opulenta de todo el mundo.

Las mezquitas, las bibliotecas, los baños y los zocos abundaron en la ciudad. Todo ello contribuyó a la gestación del Renacimiento europeo.

Su casco histórico fue declarado Patrimonio de la Humanidad por la Unesco en 1994,

La Mezquita, en la actualidad Catedral de culto católico, y sus numerosos palacios merecen una atenta visita. No olvidemos pasear por el barrio judío con sus calles estrechas y sus patios con fuentes y flores.

SAN CRISTÓBAL DE LA LAGUNA

Conocida popularmente como La Laguna, es una ciudad canaria situada en la isla de Tenerife. Fue fundada entre 1496 y 1497. En ella fueron asentándose la élite y aristocracia de la época, así como el poder religioso.

El casco histórico de la ciudad fue declarado Patrimonio de la Humanidad por la Unesco en 1999. Esta declaración se debió en gran parte a su constitución como primera ciudad de paz (sin murallas) y a que conserva prácticamente intacto su trazado original del siglo XV. La conformación de la ciudad, sus calles, sus colores, y su ambiente son elementos que comparte con ciudades coloniales del continente americano como La Habana, en Cuba, Lima, en Perú y Cartagena de Indias, en Colombia.

Sus iglesias y conventos de estilo colonial bien merecen una visita.

1 En estas ciudades quedan restos de distintas civilizaciones. **[V]**

2 Mérida fue fundada por los árabes. ☐

3 Durante el Imperio Romano, Mérida no tuvo ningún interés cultural. ☐

4 En el siglo X, Córdoba fue una de las ciudades mas pobladas del mundo. ☐

5 La Mezquita se utiliza, en la actualidad, exclusivamente como centro de oración musulmana. ☐

6 La Laguna pertenece a las Islas Baleares. ☐

7 La arquitectura de La Laguna es similar a la de algunas ciudades de la América colonial. ☐

Escribir

Cartas al director

1 ¿Para qué se escriben cartas al director? Señala las funciones más adecuadas.

- Para dar una opinión sobre un tema actual.
- Para expresar rabia, dolor, sorpresa, ante un acontecimiento…
- Para informar de un nacimiento, una boda…
- Para agradecer algo a alguien.
- Para corregir una información.
- Para contestar a otra carta.
- Para felicitar a alguien en su cumpleaños.

2 ¿Cuál es el mensaje principal de los autores de las siguientes cartas al director?

Cartas al director

Contaminación acústica

Acabo de llegar de unas vacaciones en Alemania, en donde, a pesar de una población mayor y un tráfico más denso que en España, disfruté de un verdadero descanso acústico. Los ruidos de mi ciudad me parecen ahora más fuertes que nunca.

En mi opinión, una de las causas mayores de esta contaminación son las motos con libre escape, un fenómeno desconocido o sancionado en otros países más concienciados. Este ruido desagradable obliga a cortar conversaciones, molesta en la realización de trabajos e impide dormir.

Es por esto que escribo esta carta, para agradecerles la publicación del artículo del domingo pasado, en el que se trataba el problema del ruido en nuestras ciudades, esperando que todos nos concienciemos de la necesidad de controlar nuestros ruidos. – **Carmen Sánchez**

---

3 Ordena los párrafos de la siguiente carta. Después completa el párrafo D expresando tu opinión sobre el tema.

A ☐
Pero es que además su columna es muy peligrosa por lo que significa de apología del maltrato a los niños.

B ☐ 1
Estoy sorprendido después de haber leído su columna del lunes sobre el cachete a los niños.

C ☐
Su argumentación es penosa porque hace ya muchos años que se demostró que la violencia física contra los niños genera un enorme sufrimiento y puede dejar graves daños.

D ☐
Trabajo como… (psiquiatra infantil, ama de casa, profesor…) y opino que…

Cartas al director

Mi barrio

Señor alcalde, quiero contarle el porqué de mi pena, rabia e indignación. Hace unos años mi barrio era normal, con gente normal, con las ventajas y los inconvenientes de un barrio céntrico de una gran ciudad.

Últimamente cada vez está peor. Las calles que antes estaban llenas de comercios hoy se han convertido en unas calles sucias y con aceras intransitables.

Algunas veces siento náuseas cuando voy por la calle o cojo el metro para ir a trabajar.

Señor alcalde, qué pena de mi ciudad. Haga el favor de quitarle el título de la ciudad más sucia del país. – **Isabel Martínez**

---

1 Completa las frases con *para* o *para que* y con uno de los verbos del recuadro en su forma correcta.

> jugar • adelgazar • ~~no entrar~~ • hacer • ver
> no tener • haber • venir • no salir • comprar

1 Cierra la ventana *para que no entre* frío.
2 Llama al restaurante _____ una reserva.
3 No debemos tomar pastillas _____.
4 Cambia la bombilla _____ luz.
5 Ponte la bufanda _____ frío en la garganta.
6 Trae el juego nuevo _____ los niños.
7 Dame dinero _____ leche.
8 He cerrado el grifo _____ el agua.
9 ¿Vienes a mi casa _____ el partido?
10 Llama a tus amigos _____ a tu fiesta.

2 Completa el texto con las palabras del recuadro.

> manos • dedos • pecho • brazos • piernas
> pies • rodillas • caderas • ~~cabeza~~ • espalda

EL CUERPO HUMANO está formado por: (1) *cabeza*, tronco y extremidades. Las extremidades superiores son los (2) _____, que terminan en las (3) _____, y las inferiores son las (4) _____, que terminan en los (5) _____.
Cada una de las extremidades tiene cinco (6) _____.
Para poder flexionar las extremidades inferiores utilizamos las (7) _____.
Las extremidades inferiores se unen al tronco en las (8) _____. En la parte delantera del tronco tenemos el (9) _____ y en la parte trasera la (10) _____.

3 Escribe las frases en imperativo.

1 Decir la verdad (tú).
   Afirmativa: ¡Di la verdad!
   Negativa: ¡No digas la verdad!
2 Ir al dentista (tú).
   Af.: _____
   Neg.: _____
3 Salir de uno en uno (vosotros).
   Af.: _____
   Neg.: _____
4 Apagar la luz, por favor (usted).
   Af.: _____
   Neg.: _____
5 Hacer lo que te han dicho (tú).
   Af.: _____
   Neg.: _____
6 Poner la televisión, por favor (tú).
   Af.: _____
   Neg.: _____
7 Bajar el volumen, por favor (ustedes).
   Af.: _____
   Neg.: _____
8 Seguir los consejos (usted).
   Af.: _____
   Neg.: _____

4 Completa las frases con el verbo entre paréntesis.

1 Me preocupa que mi hijo *no quiera* seguir estudiando. (no querer)
2 ¿Te molesta que _____ el volumen de la tele? (subir, yo)
3 Me molesta que mis hijos _____ en las tareas de la casa. (no ayudar)
4 A mi madre le gusta que _____ reuniones familiares. (hacer, nosotros)
5 Espero que _____ una casa que no sea muy cara. (encontrar, ellos)
6 No entendemos que _____ tan difícil encontrar ayuda. (ser)
7 ¿No te preocupa que el problema _____ solución? (no tener)
8 ¿Te importa que _____ primero a recoger los paquetes? (ir, nosotros)
9 Me molesta que los vecinos _____ la música tan alta. (poner)
10 A ellos no les preocupa en absoluto lo que _____ los demás. (pensar)

5 Completa las frases con el verbo en su forma correcta.

1 Es necesario que _vayamos_ unidos. (ir, nosotros)
2 Es conveniente que _____ temprano para ir a la reunión. (levantarse, tú)
3 Hay que _____ paciencia con los niños. (tener)
4 Es importante que todo _____ preparado para la hora de la reunión. (estar)
5 No funciona el ordenador. Hay que _____ al técnico. (llamar)
6 Es conveniente que _____ usted de fumar. (dejar)
7 Hay que _____ que cumplan los objetivos. (conseguir)
8 Es necesario que _____ la corbata para hacer la entrevista. (ponerse, tú)
9 Es importante que _____ este libro antes del examen. (leer, vosotros)
10 Hay que _____ el proyecto antes del jueves. (terminar)

6 Lee el artículo de prensa y señala si las siguientes afirmaciones son verdaderas o falsas.

1 Solo unas pocas ciudades sufren cortes de agua. [F]
2 Muchos agricultores no han recogido sus cosechas. ☐
3 El último año ha sido el más seco desde que se realizan mediciones de las lluvias. ☐
4 Los últimos estudios aseguran que lloverá en los próximos tres meses. ☐
5 Las sequías no suelen durar más de dos años. ☐

La SEQUÍA
afecta a media ESPAÑA

Los cortes de agua, que ya sufren más de cien pueblos y ciudades, se extenderán si sigue sin llover.

La sequía comienza a producir víctimas. Desde Huesca a Granada, desde Madrid a Cataluña, media España se prepara para sufrir la falta de agua si sigue sin llover. Más de un centenar de pueblos sufren ya problemas con el agua; se han ordenado cortes en el suministro y, en algunos casos, dependen de camiones de reparto. Los agricultores han perdido cosechas enteras que no han recogido, y muchos no saben si deben plantar para la próxima temporada. El último año ha sido el más seco desde que en 1947 comenzaron a registrarse las lluvias en España, y no hay sistemas fiables para saber si en los próximos tres meses lloverá. La situación es delicada y puede resultar dramática. Las últimas sequías duraron entre cuatro y seis años, aunque no todos los años fueron tan secos como el pasado.

Extraído de *El País*

¿Qué sabes?

☺ ☻ ☹

· Hablar de diferentes tipos de alimentación. ☐ ☐ ☐
· Expresar finalidad (*para + infinitivo / para que + subjuntivo*). ☐ ☐ ☐
· Hablar de enfermedades y terapias alternativas. ☐ ☐ ☐
· Dar consejos con imperativo. ☐ ☐ ☐
· Opinar sobre los problemas del medioambiente. ☐ ☐ ☐
· Expresar obligación y necesidad. ☐ ☐ ☐
· Hacer valoraciones y recomendaciones. ☐ ☐ ☐
· Comparar. ☐ ☐ ☐
· Escribir una carta al director de un periódico. ☐ ☐ ☐

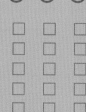

Trabajo y profesiones

7

·· Condiciones laborales
·· Oraciones temporales
·· Hablar de condiciones poco probables
·· **Cultura:** Refranes

Hablar

1 ¿Cuál crees que es el trabajo ideal?
En la lista siguiente, señala las
características de un buen trabajo. Luego
piensa en una profesión que las reúna y
coméntalo con tus compañeros.

a Se gana mucho.
b Se tienen muchas vacaciones.
c Hay que hablar con gente.
d Se trabaja solo.
e Se trabaja de noche.
f Hay que viajar.
g Hay que hablar idiomas.
h Se trabaja con las manos.
i No hay que estudiar mucho.
j Se trabaja al aire libre.
k Hay que trabajar en equipo.
l Tiene un buen horario.
   Yo creo que el trabajo ideal es el de…

2 Mira las imágenes y completa la tabla
con los nombres de los profesionales que
aparecen. Añade otros nombres. ¿Cuál es la
forma femenina de cada nombre?

MASCULINO	FEMENINO
el *futbol*ista	la *futbol*ista

3 Piensa en alguien que trabaja (puede ser
de tu familia o un amigo). Responde a estas
preguntas sobre el trabajo que hace. Luego
habla con tu compañero sobre él o ella.

1 ¿Qué profesión tiene?
2 ¿Dónde trabaja?
3 ¿En qué consiste su trabajo?
4 Condiciones: horario, sueldo, vacaciones.
5 Opinión personal: aspectos positivos y aspectos
   negativos.

■ *Te voy a hablar de mi amigo Álex.*
● *¿A qué se dedica?*
■ *Es fontanero…*

4 Las empresas de trabajo temporal (ETT) son
agencias intermediarias entre las empresas
y las personas que buscan trabajo. Vamos a
escuchar una entrevista con el director de
recursos humanos (RR. HH.) de una ETT. Lee
las preguntas antes de escuchar.

1 ¿En qué consiste la actividad de las empresas de
   trabajo temporal?
2 ¿Qué ventajas tiene para las empresas contratar personal por medio de una ETT?
3 ¿Qué posibilidades hay de encontrar un trabajo estable a través de una ETT?
4 ¿En qué meses canalizan más ofertas de empleo?
5 ¿Cuánto pagan las empresas de trabajo temporal?
6 ¿Se queda la ETT una parte del salario de los trabajadores que cede?
7 ¿Utilizan las empresas de trabajo temporal pruebas psicotécnicas para seleccionar personal?

Escuchar

5 🔊33 Ahora escucha la entrevista y señala si las afirmaciones son verdaderas (V) o falsas (F).

1 Las ETT contratan trabajadores para empresas que necesitan trabajadores eventuales. ☐

2 La función principal de las ETT es seleccionar al candidato más adecuado. ☐

3 Según el responsable de RR.HH., después del trabajo temporal los trabajadores pasan a trabajar en la ETT de forma estable. ☐

4 Todos los meses del año son buenos para encontrar trabajo a través de una ETT. ☐

5 El trabajador tiene derecho a cobrar lo mismo que un trabajador fijo de la plantilla. ☐

6 La ETT se queda un 10% del salario de cada trabajador. ☐

7 Las ETT realizan todas las pruebas necesarias para encontrar a la persona adecuada. ☐

6 Completa el siguiente texto con las palabras del recuadro. Sobran dos.

> paro (x 2) • contrato • horario • sueldo
> anuncio • empresa • currículo • despidieron
> extra • firmar • entrevista • fijo

Víctor estaba en (1) _paro_ y se puso a buscar trabajo. Leyó en el periódico un (2) _____ en el que pedían un diseñador gráfico y envió su (3) _____.

Dos días después le llamaron para hacerle una (4) _____. En la sala de espera había otras seis personas para el mismo puesto, pero él no se desanimó, salió contento de la entrevista.

A los pocos días le llamaron para (5) _____ un (6) _____ temporal de seis meses y al día siguiente empezó a trabajar. Al principio tenía que hacer horas (7) _____, pero estaba contento porque el (8) _____ era muy bueno. Él pensaba que después de los seis meses firmaría otro contrato (9) _____. Pero no fue así. Al terminar el contrato, lo (10) _____ y se quedó otra vez en (11) _____.

Leer

7 Lee los anuncios siguientes y responde.

1 ¿En qué anuncio piden experiencia?

2 ¿En qué anuncios se pide capacidad de comunicación hablada?

3 ¿En qué anuncio no piden estudios universitarios?

4 ¿Crees que en el puesto de cocinero es necesario saber trabajar en equipo?

GLOBAL train | 1

Experto en RR.HH.
Salario: 1000 euros / Jornada de 8 horas.
Aptitudes deseadas:
* Titulación superior y/o de posgrado.
* Especialización en el sector de RR.HH.
* Idiomas.
* Buenas dotes de comunicación.
* Capacidad de gestión de grupos multiculturales.
Para acceder a la oferta de trabajo introduce el JOB IP: 1235210 en el buscador de empleo.lanación.com.

GLOBOMEDIA | 2

Redactor con idiomas
El gabinete de estudios del grupo Globomedia busca un redactor con idiomas.
Su trabajo consistirá en redactar informes diarios y estar al día de las novedades de las televisiones de diferentes países.
Requisitos:
• Licenciado en Periodismo o Comunicación Audiovisual.
• Buen nivel hablado de italiano, francés y español.
• Capacidad de trabajar en equipo.
Para acceder a la oferta de trabajo introduce el JOB IF: 1763 en el buscador de empleo.lanación.com

EMPRESA MULTINACIONAL SECTOR SERVICIOS | 3

UBICACIÓN
Población: Madrid.

DESCRIPCIÓN
Puesto vacante: Cocinero.
Categorías: Turismo y restauración.
Departamento: Producción.
Nivel: Especialista.
Personal a cargo: 6 - 10
Número de vacantes: 2
Empresa líder en el sector del _catering_, busca dos cocineros con experiencia y formación en:
-Planificar y organizar.
-Responsable de la entrada de materias primas.
-Supervisión del cumplimiento de los procedimientos de higiene, calidad y seguridad alimentaria.

REQUISITOS
Estudios mínimos:
Formación Profesional Grado Medio - Hostelería y Turismo.
Experiencia mínima:
Al menos 3 años.
Requisitos mínimos:
Titulado en cocina con al menos 3 años de experiencia.
-Capacidad de liderazgo. Capacidad de trabajo bajo presión.

CONTRATO
Tipo de contrato:
De duración determinada:
3+6 meses.
Jornada laboral: Completa.
Horario: Rotativo

Leer

1 Vas a leer una columna del periódico que habla sobre el teletrabajo. Antes de leerla, señala si estás de acuerdo (V) o no (X) con las siguientes afirmaciones.

a Trabajar en casa es más cómodo porque no tienes que sufrir los problemas del tráfico. ☐

b Los medios de comunicación modernos nos hacen la vida más cómoda. ☐

c Los medios de comunicación modernos nos permiten una mayor comunicación personal. ☐

d El teletrabajo puede llevar a la soledad y a la depresión. ☐

2 Lee el texto y comprueba tus hipótesis.

3 Relaciona estas palabras con su significado.

1 humano	a crecimiento
2 aparato	b desventajas
3 aumento	c elegir
4 insoportable	d máquina
5 rumor	e de las personas
6 inconvenientes	f de la mente
7 optar	g no se puede soportar
8 mental	h ruido confuso

EL **TELE**TRABAJO

Hace una semana, estaba en casa escribiendo mi artículo semanal para este periódico, cuando llamaron a la puerta. Abrí y me encontré con mi amiga Ángela, a quien no veía personalmente desde hacía dos años. Aunque estamos en permanente comunicación a través del móvil y del correo, lo cierto es que en los dos últimos años no hemos encontrado ni una tarde libre para quedar a tomar un café o ver una película en el cine.

Mi amiga tenía mala cara, entró y lo primero que dijo fue: "Tienes que ayudarme a encontrar un trabajo en una empresa, no puedo seguir trabajando sola, en casa". "Yo pensaba que estabas contenta de trabajar en casa, sin necesidad de coger el coche o el autobús ni de soportar el mal humor del jefe", le dije. "Bueno, sí, al principio me gustaba. No tenía que madrugar ni tomar el metro lleno de gente. Mientras trabajaba, escuchaba música, veía vídeos y charlaba por internet. También me llamaba alguna gente por teléfono. Pero ahora este tipo de vida me resulta insoportable. En la casa solo se oye el

rumor del ordenador, del equipo de música y de otros aparatos. Ni una voz humana. La verdad es que me siento muy sola, ni siquiera voy a la compra porque la hago por internet y me la traen a casa".

"¿Pero no chateas o hablas por internet?", le pregunté.

"Sí, claro, tengo un montón de conocidos a los que veo en la pantalla, que me envían chistes y recetas de cocina, comentamos las noticias… Pero lo que yo quiero es hablar con personas de carne y hueso, no con una máquina".

Mi amiga Ángela es una de las miles de personas en todo el mundo que han optado por una nueva forma de trabajo que le permite quedarse en casa sin someterse a horarios ni a los inconvenientes del tráfico o de los cambios de humor de unos compañeros de trabajo. También tiene la ventaja de que el trabajador puede vivir donde quiera, por ejemplo, en el campo, con una buena calidad de vida.

Como contrapartida, este tipo de trabajo puede conducir al aislamiento y a la soledad, debido a la falta de contacto humano y de intercambio de ideas con los compañeros. Es obvio que el contacto real (no solo a través de las máquinas) con los demás es necesario para una buena salud mental. Parece contradictorio que cuanto más comunicados estamos a través de la tecnología, más alejados estamos en la realidad unos de otros.

Para despedirse, Ángela me pidió ayuda para encontrar un trabajo en una oficina.

"No te preocupes, cuando sepa algo, te avisaré", le prometí.

4 Señala V o F. Corrige las afirmaciones falsas.

1 La autora del artículo no se comunicaba con su amiga desde hacía dos años. ☐
2 Ángela está harta de trabajar en casa. ☐
3 Ángela no se comunica por internet. ☐
4 Ángela no tiene que soportar a sus compañeros de trabajo. ☐
5 El teletrabajo tiene algunas ventajas. ☐
6 El teletrabajo puede llevar a la depresión. ☐
7 El contacto humano es necesario para todos. ☐

Hablar

5 Elabora con tu compañero una lista de las ventajas y desventajas del teletrabajo.

Ventajas	Desventajas
No hay que madrugar.	

6 Comenta el artículo con tus compañeros. ¿Te gustaría trabajar en esas condiciones? ¿Por qué?

Gramática

ORACIONES TEMPORALES CON *CUANDO*

● En las oraciones subordinadas temporales con *cuando* se utiliza el indicativo:

– Cuando hablamos del pasado.
*Cuando **abrí** la puerta, me encontré con Ángela.*

– Cuando hablamos en presente.
*Todos los días, cuando **me levanto**, lo primero que **hago** es encender el ordenador.*

● Se utiliza subjuntivo:

– Cuando hablamos del futuro.
*Cuando **sepa** algo, **te avisaré**.*
*Tráeme el informe cuando lo **termines**.*
*Cuando **veas** a Carmen, dale recuerdos.*
*Cuando **pueda**, tengo que ir a ver a mi tía.*
*Cuando **tenga** dinero, voy a hacer un viaje largo.*

● En el caso de las oraciones interrogativas en futuro se utiliza el verbo en el tiempo futuro:
*¿Cuándo **empezarás** / **vas a empezar** tu trabajo?*

7 Forma frases en futuro, como en el ejemplo. Compara con tu compañero.

1 Llamar a Rosa / llegar a casa.
Llamaré a Rosa cuando llegue a casa.
2 Ir a verte / ir a Valencia.
3 Poner la tele / terminar este trabajo.
4 Salir de compras / el jefe pagar (a mí).
5 Comprar un piso / tener un trabajo fijo.
6 Volver a mi pueblo / tener vacaciones.
7 Limpiar el piso / tener tiempo.
8 Comprar un coche / tener dinero.
9 Casarme / encontrar mi media naranja.
10 Empezar a trabajar / terminar los estudios.

8 Subraya el verbo adecuado.

1 Cuando <u>sea</u> / *seré* mayor, seré bombero.
2 Cuando *tendré* / *tenga* tiempo, le escribiré un correo electrónico a Javier.
3 Los viernes, cuando *salimos* / *salgamos* de la oficina, nos vamos a tomar un aperitivo al bar de al lado.
4 David, manda este documento por fax cuando *puedes* / *puedas*.
5 Cuando *trabajaba* / *trabaje* en la otra empresa, el jefe no nos permitía chatear por internet.
6 Cuando Miguel *llevaba* / *lleve* tres meses en la empresa, le subieron el sueldo y le hicieron un contrato fijo.
7 Cuando *tienes* / *tengas* más experiencia en este trabajo, te subiré el sueldo.
8 Cuando *terminaré* / *termine* este curso, voy a hacer un máster de relaciones laborales.

Hablar

9 Responde a estas preguntas y luego intercambia las preguntas y respuestas con tu compañero. Responde siempre con *cuando* + subjuntivo.

1 ¿Cuándo vas a ir otra vez al cine?
Cuando haya una película interesante.
2 ¿Cuándo vas a hacer la redacción de español?
3 ¿Cuándo vas a llamar por teléfono a tus padres?
4 ¿Cuándo vas a ordenar tu dormitorio?
5 ¿Cuándo vas a ir a España?
6 ¿Cuándo vas a devolver los libros a la biblioteca?
7 ¿Cuándo vas a salir con tus amigos?
8 ¿Cuándo vas a comprarte otro móvil?

Hablar

1 En parejas, pregunta y responde a tu compañero.

¿Eres honrado? ¿Qué harías si...

1 ... encontraras una cartera con 6000 € en un taxi?
- **a** Se la daría al taxista. ○
- **b** Me la quedaría. ○

2 ... en una tienda, el dependiente te devolviera más dinero del adecuado?
- **a** Se lo diría. ○
- **b** No diría nada. ○

3 ... en el hotel donde te alojas hubiera unas toallas maravillosas?
- **a** Me llevaría una. ○
- **b** Las dejaría. ○

4 ... vieras al novio de tu amiga con otra chica?
- **a** Se lo diría a mi amiga. ○
- **b** No le diría nada. ○

5 ... tus jefes te pagaran en la nómina 100 euros de más?
- **a** Informaría al responsable. ○
- **b** No informaría a nadie. ○

Gramática

ORACIONES CONDICIONALES

Si yo **encontrara** una cartera con *6000 € en un taxi, se la* **daría** *al taxista.*

Si yo **encontrara** una cartera con *6000 € en un taxi, me la* **quedaría**.

- Usamos esta estructura cuando hablamos de condiciones poco probables o imposibles de cumplir.

  En el ejemplo, es casi imposible que yo encuentre una cartera en un taxi, pero puedo imaginarlo.

- La oración que empieza por *Si* lleva el verbo en pretérito imperfecto de subjuntivo. El verbo de la otra oración va en forma condicional.

PRETÉRITO IMPERFECTO DE SUBJUNTIVO

REGULARES

hablar	comer	vivir
hablara	comiera	viviera
hablaras	comieras	vivieras
hablara	comiera	viviera
habláramos	comiéramos	viviéramos
hablarais	comierais	vivierais
hablaran	comieran	vivieran

IRREGULARES

- Generalmente tienen la misma irregularidad que el pretérito indefinido.

  decir: dijera, dijeras, dijera, dijéramos...

  estar: estuviera, estuvieras, estuviera, estuviéramos...

  hacer: hiciera, hicieras, hiciera, hiciéramos...

  ir / ser: fuera, fueras, fuera, fuéramos...

Escribir

2 Relaciona.

1 Si me subieran el sueldo, ☐
2 Si yo hablara bien inglés, ☐
3 Óscar no trabajaría ahí ☐
4 Si Luisa supiera informática, ☐
5 Saldría más ☐
6 Roberto estudiaría Medicina ☐

a si no tuviera que estudiar.
b podría entrar a trabajar en mi empresa.
c si tuviera otro trabajo mejor.
d me iría a una empresa multinacional.
e si tuviera mejores notas.
f me cambiaría de piso.

3 En las oraciones condicionales anteriores, subraya los verbos que aparecen en pretérito imperfecto de subjuntivo.

4 Escribe las formas correspondientes de pretérito imperfecto de subjuntivo de los siguientes verbos.

1 VIVIR, ellos _vivieran_.
2 SER, nosotros _____.
3 TENER, yo _____.
4 PONER, él _____.
5 ESTAR, ellos _____.
6 VER, yo _____.
7 VENIR, tú _____.
8 LEER, Uds. _____.

5 Completa las frases con el verbo en la forma adecuada.

1 Si no _tuviera_ tanto trabajo, _____ más a menudo a ver a mis padres. (tener, ir)
2 Si mi novio _____ rico, (nosotros) _____ el mes próximo. (ser, casarse)
3 Si los jóvenes _____ más libros y _____ menos la tele, _____ más cultos. (leer, ver, ser)
4 Si _____ más, _____ unas verduras. (llover, plantar)
5 Si mi marido _____ más joven, _____ una nueva carrera en la universidad. (ser, empezar)
6 Si _____, yo me _____ de vacaciones contigo. (poder, ir)
7 Si tú _____, (nosotros)_____ un crucero por el Mediterráneo. (querer; hacer)

6 ¿Qué harías en las siguientes situaciones?

1 Tú eres ministro de Educación.
Si yo fuera ministro de Educación, prohibiría las películas violentas en la televisión.
2 Tienes un millón de euros.
3 Eres actor/actriz.
4 Puedes vivir donde quieras.
5 Un/a hombre/mujer rico/a te pide que te cases con él/ella.
6 Encuentras al presidente del gobierno en una fiesta.

7 Completa las frases.

1 Si no existieran los móviles, _____.
2 Si viajar fuera gratis, _____.
3 Si pudiera vivir en otro país, _____.
4 Si la gente fuera más solidaria, _____.

Pronunciación y ortografía

Acentuación: ¿futuro o pretérito imperfecto de subjuntivo?

1 🔊34 Escucha las frases y subraya la sílaba tónica de los verbos en cursiva. Escribe la tilde donde corresponda.

1 Si no _estuviera_ cansada, iría a verte esta tarde.
2 María _estara_ en casa a las ocho.
3 Luis _terminara_ el informe mañana.
4 Elena te llamaría si tú _fueras_ más amable con ella.
5 Si tú _hablaras_ con Pablo, quizás dejaría de fumar.
6 Mañana _vendran_ tus abuelos.
7 Si _vinieras_ a casa en Navidad, tus abuelos se alegrarían mucho.

2 🔊34 Escucha otra vez, repite y comprueba.

3 🔊35 Escucha los verbos y escríbelos en la columna correspondiente. Atiende a la sílaba tónica.

Futuro	Imperfecto de subjuntivo
beberá	_lloviera_

4 🔊35 Escucha otra vez y repite.

5 Escribe algunas frases con estos verbos y díctaselas a tu compañero.

Hablar y escuchar

Buscando trabajo

1 🔊 36 Escucha el diálogo.

Encargada de Personal: Hola, buenas tardes. Usted está interesado en el puesto vacante de cocinero. ¿Ha trabajado alguna vez en la cocina de un restaurante?

Antonio: Cuando acabé mis estudios de cocina, hice prácticas en la cocina de la Escuela de Hostelería.

Encargada de Personal: ¿Durante cuánto tiempo estuvo de prácticas?

Antonio: Durante seis meses, y cuando terminé, me fui a París para hacer un curso de cocina francesa.

Encargada de Personal: ¿Y qué es lo que más le gusta de este trabajo?

Antonio: Me gusta la cocina en general, pero mi especialidad son los postres.

Encargada de Personal: Tenemos dos turnos: de mañana y de tarde. ¿En qué horario le gustaría trabajar?

Antonio: Hombre, si pudiera trabajar por la mañana, continuaría mis estudios por la tarde.

Encargada de Personal: ¿Y qué está estudiando?

Antonio: Estoy estudiando inglés y haciendo un curso de cocina.

Encargada de Personal: Bien, pues como ya sabe, tenemos varios candidatos. Cuando tomemos una decisión definitiva, nos pondremos en contacto con usted.

Comunicación

- ¿Ha trabajado alguna vez en…?
- ¿En qué horario le gustaría trabajar?
- Cuando acabé mis estudios…
- Si pudiera trabajar…
- Cuando tomemos una decisión…

2 Lee el diálogo y completa con las palabras del recuadro.

encontré • gustaría • terminé • trabajado pudiera

- ¿Has (1) _____ alguna vez?
- Cuando (2) _____ mis estudios, (3) _____ trabajo en una oficina, pero ahora estoy en paro. ¿Y tú?
- No, aún no he empezado a trabajar. Pero si (4) _____, me (5) _____ trabajar en una peluquería.

3 Pregunta y contesta a tu compañero sobre los trabajos que más os gustaría realizar.

- *Si pudieras elegir, ¿en qué te gustaría trabajar?*
- *Si pudiera, trabajaría de jardinero, porque me gusta estar al aire libre. ¿Y tú?*
- *Si me dejaran elegir, sería pianista, porque me gusta mucho la música.*

4 Practica un nuevo diálogo con tu compañero como en el ejercicio 1. Proponed nuevas situaciones con distintas profesiones.

5 🔊 37 Juan ha estado en una entrevista de trabajo. Escucha el diálogo y contesta a las preguntas.

1 ¿Por qué está preocupado Juan?
2 ¿Para qué necesita el trabajo?
3 ¿Cuánto cobraría si le contrataran?
4 ¿Cuándo empezaría a trabajar?
5 ¿Si trabajara en ese restaurante, qué tendría que aprender a cocinar?

Leer

Refranes

1 En todas las lenguas existen refranes, fragmentos de sabiduría popular. Aquí tienes algunos. Léelos y relaciónalos con su explicación.

1 *A quien madruga Dios le ayuda.*

2 *A CABALLO REGALADO NO LE MIRES EL DIENTE.*

3 *En boca cerrada no entran moscas.*

4 *MUCHO RUIDO Y POCAS NUECES.*

5 *Quien mal anda, mal acaba.*

6 *CONTIGO, PAN Y CEBOLLA.*

7 *Más vale pájaro en mano que ciento volando.*

8 *CUANDO EL RÍO SUENA, AGUA LLEVA.*

a Cuando hay rumores de un acontecimiento es que hay algo de verdad. ☐

b Hay que ser realista y aceptar lo que se tiene, sin esperar lo inalcanzable. ☐

c Algo que se había presentado como muy importante (con ruido), resulta que no tiene ninguna importancia. ☐

d Cuando dos personas están muy enamoradas no necesitan dinero, se conforman con poco. ☐

e Las personas trabajadoras (madrugadoras) tienen suerte y consiguen sus objetivos. ☐

f No hay que despreciar nada de lo que nos regalen. ☐

g Las personas que no siguen el camino correcto moralmente acabarán su vida de mala manera. ☐

h No se debe hablar demasiado para no cometer errores. ☐

2 Con tus compañeros, piensa cuál es la equivalencia de estos refranes en tu lengua.

3 ¿Estás de acuerdo con la filosofía que encierran? Coméntalo con tus compañeros y tu profesor/a.

Escribir

Carta de motivación

1 Lee el anuncio.

AGENCIA HISPANOTOURS, S.L.

Agente de Viajes

Será el responsable de la oficina en Varsovia.

Requisitos:
- Graduado en Turismo.
- Imprescindible nivel alto de inglés, polaco y alemán.
- Capacidad de organización y buena comunicación con clientes.
- Experiencia en el mismo puesto.

Se ofrece:
- Contrato de seis meses.
- Buen salario.

Enviar CV a hispanotours@españolenmarcha.es y carta de motivación a: Paseo de la Andaluza, 130, 3.º Izda. 28046 Madrid

---

2 Para solicitar este trabajo, Luis ha escrito esta carta de motivación. Léela y contesta a las preguntas.

1 ¿Es una carta formal o informal?
2 ¿Cómo se dirige al destinatario?
3 ¿Cómo se despide?

3 Ahora fíjate en la carta de motivación y ordena los apartados de la misma.

1 Decir dónde se ha visto el anuncio. ☐
2 Razones para solicitar el puesto. ☐
3 Información personal y profesional relevante. ☐
4 Datos del remitente. ☐
5 Firma. ☐
6 Datos del destinatario. ☐
7 Fecha ☐
8 Despedida ☐

4 Elige un anuncio de la página 75 y escribe una carta de solicitud de trabajo.

Luis Castro Rojo
San Fernando, 17
28015 Madrid
Tel.: 91 123 45 67 / 666 666 666
Email: luis.castro@presentación.es

Sr. D. Jaime Goded Rosales
Director
AGENCIA HISPANOTOURS, S.L.
Paseo de la Andaluza, 130 – 3.º Izda.
28046 Madrid

Madrid, 30 de marzo de 2014

Asunto: Solicitud para el puesto de Agente de Viajes para la zona de Centroeuropa

Estimado señor:

Le escribo en respuesta al anuncio publicado por su empresa en el diario *La nación* del pasado 28 de marzo, en el que solicitan un Agente de Viajes especializado en la zona de Centroeuropa.

Soy Técnico Especialista en Agencias de Viajes, he hecho mis estudios en la Escuela Internacional de Turismo, tengo un nivel B2 de inglés y además hablo con fluidez polaco y alemán. Les adjunto mi CV, no obstante, me gustaría destacar los siguientes aspectos:

Tengo 2 años de experiencia en Agencias de Viajes, tanto en España como en Alemania, donde desarrollé varios proyectos de promoción de lugares turísticos de países como Alemania, Polonia y Croacia.

He colaborado con la Editorial Travel en la redacción de una nueva edición de la Guía Turística de Polonia. Este trabajo me ha dado mucha experiencia y me ha permitido especializarme en ese país concreto.

Si lo considera oportuno, tendría mucho gusto en proporcionarles más detalles sobre mi currículum vítae durante una entrevista con ustedes.

En espera de su respuesta, le saluda atentamente,

Luis Castro Rojo

Firma

Tiempo de ocio

8

Marc Márquez | Juan Martín del Potro | Mireia Belmonte | Neymar da Silva

1 ¿Conoces a estos deportistas? ¿Qué deportes practican? ¿De dónde son?

Leer

2 Lee la entrevista con Teresa Perales, campeona paralímpica de natación y relaciona las preguntas con las respuestas.

TERESA PERALES

A los 19 años quedó parapléjica. Probó suerte en la piscina y ahora, a sus 36 años, es la discapacitada con más medallas de la historia: 22, tantas como Michael Phelps.

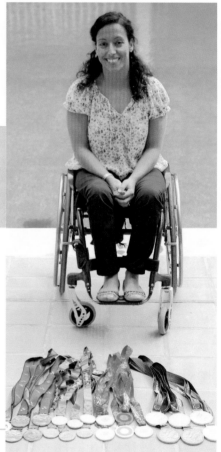

1 Teresa, ¿cómo fueron tus inicios después de quedarte parapléjica? ___

2 ¿Por qué elegiste la natación? ___

3 ¿Cómo reaccionaste cuando te dijeron que ibas a ser la abanderada de España en Londres? ___

4 Han sido tus cuartos Juegos, ¿te han resultado especiales? ___

5 ¿Cuántas medallas has conseguido en Londres? ___

6 Has ganado por ahora 22 medallas olímpicas, las mismas que Michael Phelps, sin embargo no tienen la misma repercusión mediática… ___

7 ¿Cuánto hay que entrenar para lograr esos resultados? ___

8 ¿Y cómo compaginas todas estas horas de esfuerzo con tus obligaciones? ___

9 ¿Qué tratas en tu libro *Una vida sobre ruedas*? ___

10 ¿Cuáles son tus planes para el futuro? ___

a Al principio fueron muy duros, pero enseguida, con el apoyo de mi familia, logré salir adelante.

b Fueron únicos, porque estaba mi hijo en la grada y le pude entregar mi medalla de plata.

c Sobre todo es complicado cuando estás concentrada. De hecho, lo más duro para mí en este último año ha sido no poder ver ni a mi hijo ni a mi marido durante las concentraciones, ya que un niño de dos años no entiende por qué su madre se va de casa durante unos días. Eso es lo más duro.

d Depende de lo que el cuerpo aguante, pero no descarto ir a las olimpiadas de Río.

e Seis de seis: un oro, tres platas y dos bronces.

f El libro destaca que lo más importante es transmitir un mensaje de superación: tenemos que aprender a querernos a nosotros mismos y descubrir que tenemos muchas posibilidades en esta vida.

g Nunca había pensado en la posibilidad de nadar, de hecho, nadaba muy mal, pero empecé con un chaleco salvavidas y poco a poco fui teniendo una sensación de libertad que no había sentido antes.

h Sí es cierto: entrenamos las mismas horas, tenemos la misma organización, pero la situación económica del deporte paralímpico es mucho más precaria.

i Sentí una gran emoción y una gran responsabilidad. Al entrar en el estadio, estaba lleno de público y jamás olvidaré esa sensación.

j En los últimos tres meses solo he descansado un día entero. El resto me ha tocado entrenar, descansando un par de tardes por semana. En total son unas seis horas al día entre piscina y gimnasio.

Extraído de *El País Semanal*

Vocabulario

3 Localiza en el texto las palabras que corresponden a las siguientes definiciones.

1 Mujer que logra ser la número uno en su deporte: _____

2 Máximo premio al que opta un deportista olímpico: _____

3 Deportistas que llevan la bandera de su país: _____

4 Deportistas olímpicos discapacitados: _____

5 Prepararse físicamente para una prueba deportiva: _____

6 Aislamiento de un deportista antes de una competición: _____

7 Lugar donde se sientan los espectadores en un estadio: _____

8 Prenda que se utiliza para flotar en el agua: _____

4 Completa los textos con las palabras del recuadro.

> campeona • récord • árbitro • batir • ganador
> ~~atleta~~ • aficionado • medalla

Oro de Conde

El (1) _atleta_ paraolímpico Javier Conde consiguió la (2) _____ de oro en los 5 000 metros de los Mundiales de Atletismo celebrados en Nueva Zelanda.

Polonia venció

Polonia volvió a ganar el título femenino de (3) _____ europea de voleibol al (4) _____ en la final a Italia (campeona mundial) por 3-1.

Nuevo récord para David Meca

El nadador David Meca fue el (5) _____ por sexta vez consecutiva de la travesía de Barcelona, batiendo su propio (6) _____ del año 2000.

Más violencia

El (7) _____ Antonio Rama denunció ayer a un (8) _____ que el sábado pasado le arrojó una bicicleta cuando acababa de suspender un partido de juveniles en La Coruña.

Escuchar

5 🔊38 Marina Alabau fue campeona olímpica de windsurf en las Olimpiadas de Londres. Escucha y completa la información.

1 Marina Alabau nació en _____.

2 Fue campeona del mundo en _____.

3 Ha ganado cinco campeonatos de _____.

4 Preparó las Olimpiadas de Londres en _____.

5 En Londres ganó _____.

6 Probablemente en las próximas olimpiadas eliminen la prueba de _____.

7 En los próximos campeonatos de Europa, Marina va a competir junto a _____ .

8 Además de windsurf, practica _____ y _____.

9 El _____, el _____ y el puchero andaluz son sus comidas favoritas.

10 Le gusta pasar sus vacaciones en _____ y en _____.

Vocabulario

6 Coloca las siguientes palabras en la columna correspondiente.

> ~~natación~~ • guantes • casco • fútbol
> raqueta • pista • botas • palos • tenis
> ring • ciclismo • ~~piscina~~ • boxeo
> pista de hierba • pista batida • balón
> bicicleta • golf • ~~bañador~~
> estadio • campo • carretera

DEPORTE	LUGAR	EQUIPAMIENTO
natación	piscina	bañador

■ *Concertar una cita*
■ *Estilo indirecto*

1 ¿A cuál de estos espectáculos has ido últimamente? Relaciona cada palabra del recuadro con su fotografía.

1 CIRCO ☐
2 CONCIERTO DE ROCK ☐
3 ÓPERA ☐
4 CINE ☐
5 EXPOSICIÓN DE PINTURA ☐

A

B

C   D   E

Escuchar

2 🔊39 Escucha la conversación entre Ana y Pedro y contesta a las preguntas.

1 ¿Para cuándo están quedando?
2 ¿Adónde van a ir?
3 ¿A qué hora quedan?
4 ¿Dónde se van a encontrar?
5 ¿Adónde van a ir antes del espectáculo?

3 🔊39 Escucha de nuevo y completa las preguntas y respuestas.

SUGERENCIAS
• ¿Qué _____ esta tarde?
• ¿Y si _____?
• ¿Qué te parece _____?
• ¿Dónde _____?
• ¿A qué hora _____?
• Nos vemos _____ , entonces.

RESPUESTAS
• Podemos _____.
• ¡Ah, vale, _____!
• Podemos quedar _____.
• ¿Qué tal a _____?
• Bien, _____.

Hablar

4 Piensa en algo interesante que hacer el próximo fin de semana. Invita a tu compañero. Sigue el esquema de la actividad anterior para quedar a una hora en un sitio determinado.

¿Qué te parece si el sábado vamos a ...?

5 Pregunta a tu compañero utilizando el vocabulario del ejercicio 1.

- ¿Cuándo fue la última vez que fuiste a...?
- Fui a... el fin de semana pasado.
  La última vez que fui a... fue hace un año.
  Nunca he ido a...

Escribir

6 Elige uno de los sitios a los que fuiste y escribe algunas frases. Incluye las respuestas a las siguientes preguntas.

> ¿Dónde fuiste? • ¿Con quién fuiste?
> ¿Cuándo fuiste? • ¿Te gustó?
> ¿Qué viste / escuchaste?

La última vez que fui a _____
fue _____ .
Fui con _____ .
Vi / escuché _____ .
Me pareció _____ .

Gramática

ESTILO DIRECTO

- Reproduce las palabras del hablante exactamente igual a como fueron dichas. Gráficamente va escrito con dos puntos, comillas y mayúscula.
  Juan dijo: *"Esa película es muy buena".*

ESTILO INDIRECTO

- Reproduce la información del primer hablante pero no sus palabras textuales y requiere de adaptaciones en las estructuras (verbos, pronombres, posesivos, expresiones de tiempo...).
  Juan me dijo que *esa película era muy buena.*

ESTILO DIRECTO ... *DIJO:*...

*"Esta película **es** muy buena".*
*"La exposición **fue** muy interesante".*
*"Mi abuela **tenía** muchos hermanos".*
*"La actuación **ha sido** impresionante".*
*"**Voy** a reservarlo por internet".*
*"Mañana **compraré** su último disco".*
*"Ya **habíamos visto** esta película".*

ESTILO INDIRECTO (ME) DIJO QUE...

*...esta película **es** / **era** muy buena.*
*...la exposición **fue** / **había sido** muy interesante.*
*...su abuela **tenía** muchos hermanos.*
*...la actuación **había sido** / **fue** impresionante.*
*...**iba** a reservarlo por internet.*
*...al día siguiente **compraría** su último disco.*
*...ya **habían visto** esa película.*

7 Escribe las siguientes frases en estilo indirecto.

1 El concierto empezó a las siete y media.
  Dijo que el concierto había empezado / empezó a las siete y media.
2 Sacaremos las entradas mañana por la tarde.
3 Vamos a ir en coche.
4 Hace dos años que no voy al teatro.
5 Iremos todos juntos.
6 Ese concierto ha sido muy caro.
7 No me gustó nada la película.
8 Lo he oído por la radio.
9 Me habían regalado las entradas.
10 Voy a leer la novela de Andrés.

8 Transforma las siguientes preguntas de estilo directo a estilo indirecto, como en los ejemplos.

1 ¿Dónde quedamos?
  Dijo que / Quería saber dónde quedábamos.
2 ¿Venís al cine esta tarde?
  Preguntó si / Quería saber si íbamos al cine esa tarde.
3 ¿Cuánto costaron las entradas?
4 ¿A qué hora habéis llegado?
5 ¿Nos vemos a la salida del trabajo?
6 ¿Comeréis con nosotros?
7 ¿Cuándo has vuelto?
8 ¿Viniste en metro?
9 ¿Dónde los escuchaste la última vez?
10 ¿Te gustaría venir con nosotros?

1. Penélope Cruz

2. Alejandro Amenábar

3. Herbert von Karajan

4. Pablo Picasso

5. León Tolstoi

6. Federico García Lorca

7. Mick Jagger

8. Guissepe Verdi

Hablar

1 ¿A qué se dedican o se dedicaron estas personas? Elige la palabra correspondiente del recuadro.

Pablo Picasso era...

> cantante • poeta • actriz
> director de orquesta • escritor • compositor
> pintor • director de cine

2 ¿Qué sabes de ellos? Escribe dos frases para cada uno.

Penélope Cruz es una actriz española. Creo que ha trabajado en alguna película de Almodóvar.

3 Escribe el nombre del músico que toca el instrumento.

1 violonchelo: *violonchelista*
2 violín: _____
3 piano: _____
4 guitarra: _____
5 saxofón: _____
6 batería: _____
7 flauta: _____

4 ¿De qué rama de arte crees que se está hablando?

1 La rima no tiene por qué ser perfecta. *Poesía*
2 La puesta en escena fue espléndida. _____
3 La fotografía era buena, pero con demasiados primeros planos. _____
4 El arte abstracto es difícil de entender. _____
5 La orquesta hizo vibrar al público. _____

Leer

5 Busca la respuesta a estas preguntas en la sección de sugerencias de nuestro periódico.

1 ¿Qué espectáculo trata sobre los problemas de unos vecinos?
2 ¿Qué espectáculo se puede ver en Cádiz?
3 ¿Cuál está basado en un texto de García Lorca?
4 ¿Cuál podrías ir a ver el viernes?
5 ¿En cuál de ellos podrás escuchar música moderna?
6 ¿En cuál podrás oír música y ver baile?
7 ¿A cuál se va a poder asistir durante más días?
8 ¿Cuál empieza más tarde?
9 ¿Cuál es el más caro?
10 ¿Cuáles son los más baratos?

HISTORIA DE UNA ESCALERA, EN CÓRDOBA

EL GRAN TEATRO DE CÓRDOBA acoge la obra *Historia de una escalera*, de Antonio Buero Vallejo. José Sacristán y MERCEDES Sampietro son los protagonistas de esta gran obra de teatro que narra los problemas personales de los vecinos de una escalera.

Sábado y domingo: 21.00 h.
Entradas: de 5 a 18 €.

EL ROCK JOVEN ANDALUZ EN GRANADA

Granada acogerá esta noche el **FESTIVAL DE MÚSICA DE ANDALUCÍA.** En él actuarán los granadinos Veronica's Aggressive State, los jienenses Dogma, y los cordobeses Superfly. Además, actuará Malú, como cabeza de cartel.
CARPA DEL RECINTO FERIAL.

Sábado: 22.00 h.
Entradas: 20 €.

HOYOS LLEVA *YERMA* A SAN FERNANDO

La Compañía de la bailaora **CRISTINA HOYOS** presenta en San Fernando (Cádiz) su espectáculo *Yerma*, basado en el texto de García Lorca. El montaje explora los conflictos de una mujer casada que busca sin éxito la maternidad.
REAL TEATRO DE LAS CORTES.
Sábado y domingo: 21.00 h.
Entrada gratuita.

MUESTRA DE PINTURA ESPAÑOLA CONTEMPORÁNEA EN JAÉN

Unas trescientas obras de los principales pintores españoles del siglo XX se dan cita en una exposición que ofrece además la posibilidad de comprar las últimas creaciones de estos autores.
SALA DE EXPOSICIONES DE LA DIPUTACIÓN.
Viernes, sábado y domingo.
Entrada libre.

Leer y escuchar

6 Este es un extracto desordenado de la obra *Historia de una escalera*, de Buero Vallejo. Completa el texto colocando en el lugar correspondiente las intervenciones de Fernando.

Fernando: *Buenos días*.
Generosa: Hola, hijo. ¿Quieres comer?
Fernando: _____
Generosa: Muy disgustado, hijo. Como lo retiran por la edad… Y es lo que él dice: "¿De qué sirve que un hombre se deje los huesos conduciendo un tranvía durante cincuenta años, si luego le ponen en la calle?". Y si le dieran un buen retiro… Pero es una miseria, hijo; una miseria. ¡Y a mi Pepe no hay quien lo encarrile! (Pausa) ¡Qué vida! No sé cómo vamos a salir adelante.
Fernando: _____
Generosa: Carmina es nuestra única alegría. Es buena, trabajadora, limpia… Si mi Pepe fuese como ella…
Fernando: _____
Generosa: Sí. Es que se me había olvidado la cacharra de la leche. Ya la he visto. Ahora sube ella. Hasta luego, hijo.
Fernando: _____

FERNANDO:

1 Gracias, que aproveche. ¿Y el señor Gregorio?
2 No me haga mucho caso, pero creo que Carmina la buscaba antes.
3 (Generosa sube. Fernando la saluda muy sonriente) Buenos días.
4 Hasta luego.
5 Lleva usted razón. Menos mal que Carmina…

7 🔊 40 Escucha y comprueba.

8 Contesta a las siguientes preguntas sobre el texto del ejercicio anterior.

1 ¿Qué dos personajes se encuentran en la escalera?
2 ¿De qué tres personajes habla Generosa?
3 ¿A quién jubilan?
4 ¿Cuál era su profesión?
5 ¿Qué problema tiene Generosa con su hijo Pepe?
6 ¿Cómo es Carmina?
7 ¿Con quién compara Generosa a Pepe?

Hablar y escuchar

Opinar sobre una película

1 🔊·41 Escucha el diálogo.

Daniel: ¿Has visto últimamente alguna película que te haya gustado?

Alicia: Ayer vi en la televisión *Chico y Rita*. Me dio mucha rabia no verla cuando la estrenaron. Yo prefiero ver las películas en el cine siempre que puedo.

Daniel: ¿De quién es?

Alicia: De Fernando Trueba y Javier Mariscal.

Daniel: ¿Y qué te pareció?

Alicia: Ya sabes que es una película de animación. No son mis preferidas, pero los directores han hecho un trabajo extraordinario. Es muy romántica y la música es fantástica. Ganó el premio Goya a la mejor película de animación y también estuvo nominada para los Óscar.

Daniel: ¿Y qué es lo que más te gustó?

Alicia: El argumento y la música. Es un homenaje al *jazz* latino. Se desarrolla en La Habana, París y Nueva York.

Daniel: Entonces, ¿me la recomiendas?

Alicia: Claro, con lo que te gusta el *jazz*…, estoy segura de que te va a encantar.

Fotograma de *Chico y Rita*

Comunicación

- ¿Has visto últimamente alguna película que te haya gustado?
- ¿De quién es?
- ¿Quién trabaja?
- ¿Qué te pareció?
- ¿Qué es lo que más te gustó?
- Entonces, ¿me la recomiendas?
- Me dio mucha rabia…
- Yo prefiero…
- Estoy segura de que…

2 Lee el diálogo y completa con las palabras del recuadro.

> trabaja • aburrida • última
> extraordinaria • pareció

- ¿Qué película es la (1) _____ que has visto?
- *Blancanieves*.
- ¿Quién (2) _____?
- Maribel Verdú.
- ¿Y qué te (3) _____?
- Los críticos dicen que es (4) _____, pero a mí me pareció muy (5) _____.

3 Pregunta y responde a tu compañero como en el ejemplo. Utiliza las ideas del recuadro.

- ¿Viste ayer el partido de fútbol de España contra Alemania?
- Sí, lo vi por la tele. Me dio mucha rabia no poder ir al campo.
- Yo también prefiero verlo en directo.

> - El concierto de… (pensar en un concierto u otro espectáculo reciente de tu ciudad: ópera, recital, obra de teatro…)
> - La exposición de…
> - El partido de… contra… (fútbol, baloncesto, etc.)
> - El último capítulo de… (una serie…)

4 Practica un nuevo diálogo con tu compañero, como en el ejercicio 1. Puedes utilizar alguna de las ideas del ejercicio anterior.

5 🔊·42 Escucha las dos entrevistas y contesta a las preguntas.

1 ¿Qué tipo de película es *REC*?
2 ¿Qué le pareció a Carlos?
3 ¿A quién se la recomendaría?
4 ¿Qué tipo de película es *Torrente 4*?
5 ¿Qué le pareció a Susana?
6 ¿A quién se la recomendaría?

Leer

El flamenco

1 ¿Has escuchado alguna vez música flamenca? ¿Te ha gustado?

2 Lee la información sobre este arte y contesta a las preguntas.

El arte flamenco

El arte flamenco es el resultado de una suma de culturas musicales que se desarrollaron en Andalucía y se han transmitido de generación en generación.

Sus orígenes son muy antiguos, pero no existe información escrita sobre el flamenco hasta el siglo XVIII. En esta música se pueden encontrar huellas de la música judía, árabe, castellana y gitana, es decir, de todos los pueblos que han pasado por Andalucía. Los que más influyeron sobre el folclore andaluz para el nacimiento del flamenco fueron los gitanos. Estos llegaron a España a principios del siglo XV, aunque hasta mediados del siglo XIX no aparece la palabra flamenco en referencia a los cantes y bailes de la región andaluza en España.

A mediados del siglo XX, el flamenco llegó al gran público sin perder su esencia a través de festivales al aire libre. El crecimiento del turismo contribuyó a la creación de tablaos, donde el baile y el cante son la base del espectáculo.

Nunca en su historia el arte flamenco ha gozado de la popularidad de la que disfruta hoy en día. Las universidades españolas ofrecen conciertos de música flamenca, y algunos artistas han sido premiados por las academias de las artes, entre ellos destaca el guitarrista Paco de Lucía.

UN GUITARRISTA UNIVERSAL

Paco de Lucía nació en Algeciras, Cádiz, en 1947. A los veinte años grabó su primer disco y tuvo su primer gran éxito popular en 1974, con su tema *Entre dos aguas*. Compuso bandas sonoras para distintas películas, entre las que destaca su colaboración con el director de cine español Carlos Saura. En octubre de 2004 recibió el premio Príncipe de Asturias de las Artes. En 2009 fue nombrado Doctor Honoris Causa por la Universidad de Cádiz, y en 2010 por el Berklee College of Music.

Paco de Lucía hoy está considerado como uno de los "catedráticos" de este arte. La obra del guitarrista gaditano supuso un hito en la historia de la música flamenca y le ha convertido en un referente indiscutible de la música española.

Murió en la ciudad mexicana de Playa del Carmen el 25 de febrero de 2014.

1 ¿Qué antigüedad tiene la historia del flamenco?

2 ¿Qué culturas musicales son la base de esta música?

3 ¿Quiénes tuvieron un papel más importante en su nacimiento?

4 ¿Cuándo se utiliza por primera vez el término "flamenco"?

5 ¿Qué es un tablao?

6 ¿Qué instrumento tocaba Paco de Lucía?

7 ¿Cuál fue su primer triunfo artístico?

8 ¿Cómo está considerado actualmente Paco de Lucía?

9 ¿Dónde murió?

Escribir

Solicitar algo por escrito

1 Lee el anuncio de una exposición en el Museo del Prado de Madrid.

MUSEO NACIONAL DEL **PRADO**

Las pinturas negras de **Goya**

Descubra las obras más sobrecogedoras del pintor español

Del 1 de abril al 15 de mayo

Visita a la exposición: 6 €.
(descuentos especiales para grupos).
Horario: todos los días de 10 a 20 horas.
Lunes cerrado.

2 Imagina que eres un guía turístico y tienes que llevar a un grupo de turistas a ver la exposición anterior al Museo del Prado. Antes de ir, escribe un correo al departamento de reservas del museo para organizar la visita de un grupo de 30 personas.

a Solicita información sobre los siguientes temas:
 ✓ Precio para grupos.
 ✓ Posibilidad de visita guiada en el idioma de los turistas.
 ✓ Uso de cámaras de fotos y vídeo.
b Organiza el correo en los siguientes párrafos:
 ✓ Presentación.
 ✓ Explica cuál es el motivo de tu escrito.
 ✓ Solicita la información que necesitas (precio, cámaras…).
 ✓ Despedida.
c Utiliza el recuadro siguiente como ayuda.

Comunicación

- Muy señores míos:
- Me llamo… y me dirijo a ustedes como… (profesor, guía turístico, organizador de…)
- El motivo de este correo es…
- Me gustaría saber…
- ¿Sería posible…?
- ¿Hay posibilidad de…?
- ¿Podríamos…?
- Muy agradecido/a, a la espera de su respuesta se despide atentamente.

3 Puedes añadir la aclaración de nuevas dudas que se te ocurran como:

- Posibilidad de plaza de aparcamiento para el autocar.
- Posibilidad de pagar con tarjeta de crédito.
- Posibilidad de utilizar de forma gratuita el guardarropa para bolsas y macutos.
- Puerta de entrada especial para grupos.
- Posibilidad de comer en la cafetería.

1 Completa los microdiálogos con las palabras correspondientes.

1
- Buenos días, llamo por el *anuncio* del periódico donde piden un camarero.
- Sí, aquí es, ¿tienes _____?
- Sí, trabajé dos años en un restaurante de la Costa Brava.

2
- ¿Qué tal el nuevo trabajo?
- Regular, no estoy contento porque trabajo mucho y _____ poco dinero.

3
- Hola, Elena, ¿qué tal te va?
- Bueno, regular. Yo estoy bien, pero mi marido está en el _____ y estamos preocupados porque no encuentra trabajo.
- Vaya, ¿y qué hace entonces?
- Pues entrega el _____ en muchas empresas, a veces le llaman para alguna _____, pero al final nunca lo contratan.

2 Completa las frases con el verbo en la forma adecuada.

1 Cuando *vaya* a México, iré a ver a mi amigo Pancho. (ir)
2 Cuando Luis _____ la carrera, se fue a vivir a Praga. (terminar)
3 Cuando _____ de casa para el trabajo, siempre me olvido de las llaves. (salir)
4 Cuando Cristina y Quique _____, decidieron que tendrían dos hijos. (casarse)
5 Pablo se irá de la casa de sus padres cuando _____ un trabajo. (encontrar)
6 Cuando _____, tráeme el libro que te presté. (poder)
7 Cuando _____ este ejercicio, llamo por teléfono a Andrés. (terminar)
8 María, cuando _____ a la compra, compra el periódico. (ir)
9 Roberto, cuando _____ mal, no va al médico, llama a su madre. (estar)
10 Nos compraremos el piso cuando _____ suficiente. (ahorrar)

3 Una chica ha expresado sus deseos en una revista. Completa con los verbos en la forma adecuada.

saber (x 2) • regalar • encontrar • tener
tocar • poder (x 2)

Sería feliz si…
1 *supiera* cocinar.
2 _____ un armario lleno de ropa elegante.
3 alguien me _____ un ordenador portátil.
4 _____ un novio culto y dulce.
5 _____ comer de todo sin engordar.
6 _____ ir a un balneario a descansar.
7 _____ qué regalarles a mis amigos.
8 me _____ un millón de euros en la lotería.

4 Relaciona.

1 Cuando salgas del trabajo
2 Si salieras pronto del trabajo
3 Cuando tenga dinero
4 Si tuviera dinero
5 Cuando vea a Juan
6 Si viera a Juan
7 Cuando vaya a Brasil
8 Si fuera a Brasil

a cambiaré de coche.
b le preguntaría por su hermana.
c iría a ver las cataratas de Iguazú.
d le daré el dinero que me prestó.
e pásate por mi casa.
f no trabajaría tanto.
g iré a ver a Mario.
h podríamos ir al cine.

5 ¿Qué palabras corresponden a sus definiciones?

aficionado • atleta • piloto • raqueta
ganador • récord • natación • árbitro

1 Quien gana una prueba deportiva: *ganador*.
2 Quien cuida de la aplicación del reglamento en una competición deportiva: _____.
3 Persona que sigue con interés un deporte. _____.
4 La mejor marca en un deporte: _____.
5 Persona que practica el atletismo: _____.
6 Persona que practica el automovilismo: _____.
7 Deporte que se practica en el agua: _____.
8 Se utiliza para jugar al tenis: _____.

6 Cuando Rosa se trasladó a su piso nuevo, era necesario hacer algunos cambios. El dueño la llamó por teléfono y le dejó el siguiente mensaje.

"Ahora estoy ocupado, pero me pasaré por allí esta tarde o mañana. El tejado lo arreglaré el viernes y llevaré un sofá nuevo la semana próxima. Comprobé el funcionamiento de la calefacción el mes pasado y he comprado una lavadora nueva recientemente. Las alfombras están en el tinte. Tendrías que llamar por teléfono para que te las lleven a casa. Si tienes algún problema, llámame esta noche a casa".

Un mes más tarde, el propietario no había hecho ninguna de las cosas que había prometido. Rosa le está contando a una amiga lo que él le dijo, utilizando el estilo indirecto. Completa el texto.

Cuando me llamó, me dijo que estaba ocupado, pero que se pasaría por aquí esa tarde o al día siguiente. También me dijo que…

7 Completa la entrevista con las palabras que faltan.

> Debuté • hacer • era • fundé • dio • ~~nací~~
> son • retiré • vivo

E.: ¿Quién es Julio Bocca?

J.B.: (1) <u>Nací</u> en 1967 en Buenos Aires. Mis primeras clases de danza me las (2)_____ mi mamá. (3)_____ a los 14 años. (4)_____ el Ballet Argentino en 1990. Me (5)_____ como bailarín profesional en Buenos Aires en diciembre de 2007. Actualmente (6)_____ en Uruguay y soy el director del Cuerpo de Baile del SODRE (Servicio Oficial de Difusión y Espectáculos) del país. Hago pilates y me gusta el buen vino.

E.: ¿Qué es bailar?

J.B.: Viene a ser como (7)_____ el amor: algo siempre diferente, único, incluso con la misma persona…

E.: ¿El fútbol y el tango (8)_____ una religión en Argentina?

J.B.: El fútbol más que el tango. El tango casi más fuera.

E.: ¿Boca o River?

J.B.: ¡Boca, claro! (9)_____ el equipo de mi abuelo.

¿Qué sabes?

☺ ☺ ☹

· Hablar de las condiciones de trabajo.   ☐ ☐ ☐

· Expresar condiciones poco probables de cumplir, utilizando el pretérito imperfecto del subjuntivo.   ☐ ☐ ☐ ☐ ☐ ☐

· Situar una acción en el futuro utilizando la estructura *cuando* + presente de subjuntivo.   ☐ ☐ ☐

· Escribir una carta de motivación.   ☐ ☐ ☐

· Hablar de deportes y espectáculos.   ☐ ☐ ☐

· Quedar con alguien para salir.   ☐ ☐ ☐

· Transmitir una información en estilo indirecto.   ☐ ☐ ☐

· Solicitar algo por escrito.   ☐ ☐ ☐

Noticias

9

·· Leer y escuchar noticias
·· Transmitir órdenes, peticiones y sugerencias
·· Expresar deseos
·· **Cultura:** Atapuerca

Leer

1 ¿Te gusta estar informado de las noticias? ¿Qué medio prefieres: prensa, radio, televisión, internet...? ¿Qué tipo de noticias te interesan? Coméntalo con tus compañeros.

2 Lee los titulares de prensa.

> La policía detiene a dos jóvenes por bañarse de noche en una piscina municipal. **A**

> **Robaron un coche y tres bares en hora y media.** **B**

> Un hombre apuñala a su compañero de piso en Ávila. **C**

3 ¿Cuál de las tres noticias crees que es más grave? ¿Por qué crees que actuaron así los protagonistas de las noticias?

Yo creo que la menos grave es la de los...

4 Mira la siguiente lista de palabras. ¿Qué palabras crees que pertenecen a cada noticia? Utiliza tu diccionario. Hay más de una posibilidad.

1 agentes	☐	8 agresor	☐
2 persecución	☐	9 puñalada	☐
3 suceso	☐	10 detener	☐
4 madrugada	☐	11 navaja	☐
5 asaltar	☐	12 huir	☐
6 heridas	☐	13 barrio	☐
7 discutir	☐	14 detenido	☐

5 En parejas, mira los titulares de nuevo. Lee el principio de cada noticia y relaciónalo con los distintos textos.

1. La policía nacional detuvo el lunes por la noche, tras una espectacular persecución, a tres hombres...

2. Dos jóvenes, de dieciocho años, fueron descubiertos por agentes municipales...

3. Un hombre terminó con dos puñaladas una discusión con su compañero de piso...

☐ ...que en poco más de hora y media robaron un coche en Madrid y asaltaron dos bares en la capital y un restaurante en Alcobendas. Los detenidos robaron un BMW blanco a las 23.00 horas y fueron detenidos cerca de la 1.00 horas tras una espectacular persecución en la que intervinieron varias unidades policiales, incluido un helicóptero. Los tres detenidos, que chocaron con coches de policía, tienen antecedentes policiales.

☐ ...Los hechos ocurrieron el viernes en Ávila. Sobre las 7.30 horas el agresor, de 28 años, cogió una navaja y dio dos puñaladas a su compañero, una en el pecho y otra en el cuello. Ambos compartían un piso de alquiler. Tras atacar a su amigo, huyó del lugar. El agresor fue detenido dos horas más tarde por la Guardia Civil. La víctima fue trasladada al hospital, donde se le atendió de sus heridas.

☐ ...mientras se bañaban de madrugada en una piscina municipal en el barrio de Ríos Rosas de Madrid. Los hechos ocurrieron sobre la una de la madrugada del pasado sábado. Los muchachos, ambos vecinos de ese barrio, entraron en la piscina con la única intención de darse un baño. Ambos fueron trasladados a la comisaría y tras el susto y el baño regresaron a sus domicilios.

6 Lee otra vez las noticias y contesta a las siguientes preguntas.

1 ¿Qué medio de transporte utilizaron los ladrones para robar?
2 ¿Cómo fueron detenidos?
3 ¿Habían sido detenidos con anterioridad?
4 ¿Qué arma utilizó el agresor de Ávila?
5 ¿Cuántas puñaladas recibió el agredido?
6 ¿Murió la víctima?
7 ¿Quién detuvo a los jóvenes bañistas?
8 ¿Qué pretendían hacer en las instalaciones municipales?
9 ¿Qué castigo recibieron?

Gramática

VOZ PASIVA

- La voz pasiva en español se utiliza especialmente en los textos periodísticos e históricos.

  La catedral de León **fue construida** *en el siglo XII.*

- El hablante utiliza la voz pasiva cuando no le interesa decir quién es el sujeto agente de la acción o cuando este sujeto es obvio. También se usa cuando al hablante le parece más importante enunciar el objeto directo que el sujeto. Compara:

  <u>*La Guardia Civil*</u> *detuvo* <u>*al agresor.*</u>

  sujeto agente   **objeto directo**

  <u>*El agresor*</u> **fue detenido** <u>*por la Guardia Civil.*</u>

  sujeto pasivo   **complemento agente**

- La voz pasiva se forma con el verbo *ser* y el participio del verbo correspondiente en el mismo género y número que el sujeto pasivo.

  Hoy **ha sido encontrado** *el coche que desapareció en la ríada del lunes.*

  Los ladrones **fueron detenidos** *dos horas más tarde.*

  La víctima **fue trasladada** *al hospital.*

  Las pinturas descubiertas en el sótano del museo **han sido restauradas** *recientemente.*

7 Completa las frases con un verbo del recuadro.

> han sido encontrados • ha sido elegido
> fue inaugurada • fue detenido
> ~~serán clausurados~~ • fueron detenidos
> fueron elogiadas • serán elegidos

1 Mañana *serán clausurados* los Juegos Olímpicos de este año.
2 Ayer _____ una nueva autopista que une Madrid y Valencia.
3 _____ restos de mamuts de hace más de diez mil años.
4 Los atracadores _____ por la policía antes de salir del banco.
5 Ayer _____ el constructor acusado de corrupción.
6 Ricardo Pérez _____ presidente de la Compañía Nacional de Papelería.
7 Mañana _____ los mejores dibujos del concurso infantil de pintura.
8 Las nuevas pinturas de Rosa León _____ por la crítica.

Escuchar

8 🔊 43 Escucha la noticia radiofónica y di si las afirmaciones son verdaderas o falsas.

1 A Diego le han tocado las quinielas. ☐
2 Cuando le tocó la lotería, Diego había iniciado ya los trámites de separación con su mujer. ☐
3 Diego y Juani se pusieron de acuerdo para repartirse el premio. ☐
4 La decisión de repartir el premio la han tenido que tomar los jueces. ☐
5 Diego había rellenado el boleto en su pueblo. ☐
6 El premio no era una cantidad muy importante de dinero. ☐

Escribir

9 En grupos de cuatro. Pensad en una noticia de actualidad que haya ocurrido en vuestra ciudad, en vuestro país o en el mundo. Escribid la historia y dad alguna información errónea. Cuando hayáis terminado, leed la noticia en voz alta. El resto de la clase tiene que decir dónde está el error.

1 Relaciona las frases con los dibujos.

1 No coma grasa. ☐
2 ¡Cásate conmigo! ☐
3 Hola, soy Ana, ven a buscarme al aeropuerto, por favor. ☐
4 No compres este producto, no es bueno. ☐
5 ¡Hoy haz tú la comida, por favor! ☐
6 David, saca tú las entradas para el concierto, yo no puedo. ☐

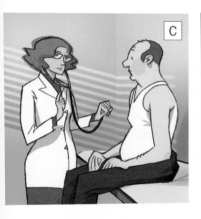

2 Relaciona las dos partes para formar el mensaje en estilo indirecto.

1 ¿Sabes? Sergio me ha pedido
2 Paola me ha dicho
3 La médica me ha prohibido
4 Ana me ha pedido
5 Mi vecina me aconseja
6 David me ha pedido

a que haga yo la comida.
b que vaya a buscarla al aeropuerto.
c que coma grasas.
d que saque las entradas.
e que me case con él.
f que no compre ese producto.

3 ¿En qué tiempo y modo están las oraciones en estilo indirecto?

Gramática

ESTILO INDIRECTO: ÓRDENES, PETICIONES Y SUGERENCIAS

- Cuando presentamos una orden o sugerencia en estilo indirecto, el verbo de la oración subordinada va en subjuntivo.
  María: *Pablo, ven a verme.*
  Pablo: *María me ha pedido que **vaya** a verla.*

- Además de cambiar la forma verbal, se producen otros cambios de acuerdo con el contexto de cada momento y lugar del habla.
  – Verbos: ***ir > venir, traer > llevar.***
  – Pronombres, adverbios de lugar: ***aquí > allí.***

- Si el verbo introductor está en presente o pretérito perfecto, la oración de estilo indirecto lleva el verbo en presente de subjuntivo.
  *Mis padres siempre me dicen que **vuelva** pronto.*

- Si el verbo introductor está en pretérito imperfecto, indefinido o pluscuamperfecto, la oración de estilo indirecto lleva el verbo en pretérito imperfecto de subjuntivo.
  *Me pidió que **sacara** las entradas.*

4 Completa con uno de los verbos del recuadro en el tiempo adecuado.

> hablar • venir • dormir • llamar • leer
> ir (x 2) • dejar • comprar • ~~hacer~~

1 Mi madre dice que no _hagamos_ tanto ruido, que le duele la cabeza.
2 La profesora nos ha pedido que _____ más bajo.
3 Julia me ha dicho que la _____ (tú) cuando puedas.
4 Le he dicho a Paco que no _____ aquí antes de las nueve.
5 Todos los días le encargo a Goyo que _____ el periódico.
6 Le he sugerido al taxista que no _____ tan rápido.
7 El médico me ha aconsejado que _____ la siesta todos los días.
8 El técnico de la lavadora me ha recomendado que _____ bien las instrucciones.
9 La policía nos ha prohibido que _____ el equipaje en esa sala.
10 Mis padres me han prohibido que _____ a la discoteca los miércoles.

5 Pasa a estilo indirecto.

1 Abróchense los cinturones.
  La azafata ha ordenado que nos abrochemos los cinturones.
2 Recojan la documentación en el mostrador 25.
  El policía nos ha dicho que _____ .
3 Cierra la puerta, pero no eches la llave.
  Mi padre me ha pedido que _____ .
4 Buscad en el diccionario las palabras que no conozcáis.
  La profesora siempre dice que _____ .
5 Hace frío, coge el abrigo.
  Paloma te ha dicho que _____ .
6 Empezad a comer vosotros.
  Carlos nos ha dicho que _____ .
7 No llegues tarde.
  María me ha pedido que _____ .
8 Recoge al niño del colegio a las cinco.
  Mi mujer me ha pedido que _____ .
9 No te olvides del cumpleaños de Óscar.
  Susana me ha dicho que _____ .
10 No pruebe el alcohol ni las grasas.
  El médico me ha prohibido que _____ .

Escuchar

6 🔊44 Escucha y completa la historia.

Mensaje nuevo	_ ↗ ✕
Destinatarios	
Asunto	

Ya estamos en Berlín. Estamos bien pero, _____ (1), en el aeropuerto del Prat pasamos un mal momento. Eran _____ (2) y estábamos esperando la salida del avión. Cuando fuimos a facturar el equipaje, nos pidieron _____ (3) nuestros pasaportes. Y Sergio no lo encontraba. La azafata nos _____ (4) que fuéramos rápidamente a la _____ (5). de policía del aeropuerto. Allí le pidieron que rellenara un impreso y _____ (6) Se las hizo en una máquina que había allí mismo. Cuando entregó la documentación, le prometieron que tendría _____ (7) en 30 minutos. Con el tiempo muy justo y el susto en el cuerpo, conseguimos coger _____ (8) en el último momento.

Enviar   A 🔗 +   🗑 ▾

Hablar

7 En grupos de cuatro: uno da una orden en voz baja al compañero de su derecha. Este transmite la orden al grupo. Te damos algunas sugerencias.

- Cerrar los libros
- *Cerrad los libros.*
- *Me ha dicho que cerréis los libros.*

> darle una moneda • cantar una canción
> abrir la ventana

Leer

1 ¿Cómo es tu ciudad? ¿Te parece cómoda? ¿Y bonita?

2 Lee la carta de una lectora a su periódico y contesta a las preguntas.

CARTAS DEL LECTOR

Demasiadas obras en el camino

La semana pasada iba caminando por mi barrio con unas amigas cuando una de ellas tropezó con un ladrillo, se cayó y se rompió el hombro. La culpa fue de unas obras que están haciendo en la acera desde hace más de tres meses.

Yo creo que la mayoría de los madrileños deseamos que nuestras autoridades nos hagan la vida más cómoda y agradable, no más difícil, a causa de las obras.

¿Cuáles son las cosas sencillas que desean los ciudadanos?

• Que las calles estén limpias, que las aceras no sean peligrosas para las personas mayores o los invidentes.

• Que los transportes públicos funcionen normalmente, sobre todo, los autobuses.

• Que nuestra ciudad esté bonita y podamos presumir de ella ante nuestros visitantes.

• Que las obras municipales no se eternicen…

Espero que cuando terminen las obras que hay actualmente en marcha se cumplan mis deseos.

Isabel Camino Vila. Madrid

---

1 ¿Qué le pasó a la amiga de la autora de la carta?

2 ¿Cuáles son los deseos de la autora con respecto a su ciudad?

3 ¿En qué tiempo verbal aparecen expresados esos deseos? Subráyalos.

Gramática

EXPRESAR DESEOS

Las oraciones subordinadas dependientes de verbos de deseo y necesidad (*espero, quiero, deseo, necesito, me gustaría*) pueden llevar el verbo en **infinitivo** o **subjuntivo**.

● En infinitivo. Cuando el sujeto de las dos oraciones es el mismo.
*Deseo **vivir** tranquilo.*
  (yo) (yo)
*Espero **aprobar** este curso.*
*Me gustaría **viajar**.*

● En subjuntivo. Cuando el sujeto de las dos oraciones es diferente.
*Yo deseo que tú **vivas** tranquila.*
*Me gustaría que **vinieras** a mi casa.*

3 Completa las frases con el verbo en el tiempo adecuado.

1 Quiero que le *digas* a Rosa que iré a verla pronto. (decir, tú)

2 Deseamos que _____ un buen día de cumpleaños. (pasar, vosotros)

3 Espero que Ángel _____ pronto un trabajo, está bastante decaído. (encontrar)

4 María espera que _____ a verla el fin de semana. (ir, nosotros)

5 Todos los padres desean que sus hijos _____ felices. (ser)

6 A Julio le gustaría _____ un negocio de compra venta de coches. (poner)

7 Necesito que me _____. (ayudar, tú)

8 Óscar quiere que le _____ un perrito. (comprar, yo)

9 Mario, no quiero que _____ con esa gente, no me gusta nada. (salir, tú)

10 Es tardísimo, espero _____ a tiempo a la reunión. (llegar)

Hablar

4 Escribe cinco deseos en un papel. No escribas tu nombre y entrégale el papel a tu profesor. Alguien puede leer los papeles con los deseos y el resto de la clase debe adivinar quién lo ha escrito.

5 🔊45 Vas a escuchar a varias personas expresar sus deseos para el año que está empezando. Completa la información.

1 **MARCOS, 34 años**
Quiero que _____
de Navidad y _____
la hipoteca de mi casa.

2 **ANDREA**
Quiero _____
y pasarme allí _____
_____
_____.

3 **RAQUEL**
Yo quiero _____
_____.
Me gustaría _____
_____.

4 **ALBERTO, 9 años**
Yo quiero que _____
_____
_____.

5 **ÓSCAR**
Quiero _____ bueno y
que mi novia _____
y que _____
los precios de los pisos.

6 **ALEJANDRA**
Solo deseo _____
_____.
Me gustaría
_____.

Pronunciación y ortografía

Oposición /p/–/b/

1 🔊46 Escucha y repite las palabras.

pala padre **rápido** poco **poder** pena
ópera piscina

boda vino **baño** ambulancia **vela**
vida Buda **bolso** verde

abuelo robo **avión** ave **pavo** Ávila **robó**

2 🔊47 Escucha y señala la palabra que oyes.

1	pela	vela	6	vuelvo	pueblo
2	pava	baba	7	Japón	jabón
3	pueblo	bobo	8	jarabe	jarapa
4	apio	avión	9	ávido	rápido
5	bala	pala	10	ropa	roba

3 🔊47 Escucha y repite.

4 Completa las frases con una palabra de las anteriores.

1 ¿Adónde vas con esa *ropa* tan elegante?
2 A Luis le gusta mucho poner _____ en la ensalada.
3 Mi padre necesita la _____ para trabajar en el jardín.
4 Ese chico es _____, ahora resulta que no sabe multiplicar.
5 ¿Te has tomado el _____ para la tos?
6 Me encanta este _____, huele estupendamente.
7 Este tren es muy _____.

5 🔊48 Escucha y comprueba.

Hablar y escuchar

¿Qué te gustaría hacer?

1 🔊·49 Escucha el diálogo.

Tutor: Buenos días, Laura. Siéntate, por favor.

Laura: Buenos días.

Tutor: Como sabes estoy hablando con todos vosotros para saber qué os gustaría hacer al acabar vuestros estudios en el instituto. ¿Qué planes tienes para el próximo curso?

Laura: Estoy un poco dudosa. Por una parte, me gustaría ir a la universidad y estudiar Arquitectura. Me encanta dibujar, pero a veces pienso que es un poco difícil. Por otra parte, también me gustan mucho los niños pequeños.

Tutor: ¿Y tus padres qué piensan?

Laura: Dicen que es mejor que estudie algo práctico que me sirva para encontrar trabajo y poder ayudar en casa.

Tutor: ¿Por ejemplo?

Laura: Escuela Infantil o algún curso de formación profesional de Diseño Gráfico o algo así. Todavía no he tomado una decisión y me gustaría tener su opinión.

Tutor: Yo en tu lugar estudiaría lo que más me gustara. Siempre puedes hacer formación profesional y ampliar tus estudios más adelante, cuando estés trabajando. Estoy seguro de que no te equivocarás. Eres una chica inteligente y acertarás en tu elección.

Comunicación

- ¿Qué planes tienes para el próximo curso / año?
- Por una parte, me gustaría…, por otra parte…
- ¿Y tus padres / amigos, qué piensan?
- Dicen que…
- Todavía no he tomado una decisión y me gustaría tener su opinión.
- Yo, en tu lugar…
- Estoy seguro de que…

2 Lee el diálogo y completa con las palabras del recuadro.

> novia • encontrar • busquemos • año encantaría

- ¿Qué planes tienes para el próximo (1) _____?
- Por una parte, me gustaría (2) _____ trabajo pero, por otra parte, me (3) _____ viajar al extranjero.
- ¿Y tu (4) _____, qué piensa?
- Dice que es mejor que (5) _____ trabajo.

3 Pregunta y responde a tu compañero, como en el ejemplo. Utiliza las frases del recuadro.

- No sé si estudiar francés o alemán. ¿Y tú qué harías?
- Yo en tu lugar estudiaría los dos. Estoy seguro de que te ayudarán a encontrar trabajo.

> - Visitar Madrid o Barcelona.
> - Ir al cine o al teatro.
> - Comprar carne o pescado.
> - Ir en metro o en autobús.

4 Practica un nuevo diálogo con tu compañero, como en el ejercicio 1. Puedes utilizar alguna de las ideas del ejercicio anterior.

5 🔊·50 Escucha la entrevista de Ricardo e Inés con su tutor y contesta a las preguntas.

1 ¿Qué quiere estudiar Ricardo en la universidad?

2 ¿Por qué ha elegido esa carrera?

3 ¿Qué planes tiene su padre para el futuro?

4 ¿Qué quiere hacer Inés el próximo curso?

5 ¿Por qué?

6 ¿Qué opinan sus padres?

Leer

Atapuerca

1 ¿Te interesa la arqueología?

2 Lee el siguiente texto. Completa los huecos con las palabras del recuadro. Utiliza el diccionario, si lo necesitas.

> excavaciones • científicos • fósiles • esqueletos
> clima • herramientas • arqueólogos • ~~yacimientos~~

Museo de la Evolución Humana

ATAPUERCA
LOS ORÍGENES DEL SER HUMANO

Atapuerca se encuentra en la provincia de Burgos, en Castilla y León, en la cordillera Ibérica. En ella se han descubierto (1) _yacimientos_ con restos de homínidos, que se remontan a un millón de años, y numerosos indicadores climáticos que dan a conocer un (2) _____ cambiante durante el último millón de años.

En 1978 se iniciaron las (3) _____ que han dado importantes frutos. En Atapuerca se han encontrado los (4) _____ de los europeos más antiguos que se conocen, que se han catalogado como una nueva especie: el *Homo antecesor*. Hasta el año 92 no se empezaron a encontrar los primeros fósiles, que se encuentran en el estrato inferior de uno de los yacimientos encima de los cuales había más de 180 (5) _____ de

osos, por lo que es fácil imaginar que las condiciones de trabajo para los (6) _____ son muy difíciles. El yacimiento también alberga numerosas (7) _____ y fósiles de animales y polen, así como los restos óseos que pertenecen a un grupo de 30 individuos de la especie *Homo erectus*.

En 1997 el equipo de (8) _____ que estudia el yacimiento, dirigido por Juan Luis Arsuaga, recibió el Premio Príncipe de Asturias. Los yacimientos de Atapuerca han sido incluidos por la UNESCO en la lista del Patrimonio Mundial en el año 2000.

En 2010 se inauguró en la ciudad de Burgos el Museo de la Evolución Humana. En él se pueden ver los restos arqueológicos encontrados en Atapuerca.

Yacimiento de Atapuerca.

Juan Luis Arsuaga

3 Comprueba con tu compañero.

4 Lee el texto otra vez y contesta a las preguntas.

1 ¿Qué antigüedad tienen los restos encontrados en Atapuerca?
2 ¿Cuándo comenzaron las excavaciones?
3 ¿Qué es un *Homo antecesor*?
4 ¿Debajo de qué estaban sepultados los primeros fósiles humanos que fueron encontrados en Atapuerca?

5 Además de restos humanos, ¿qué otras cosas se han encontrado?
6 ¿Quién es el responsable de las excavaciones?
7 ¿Cómo se ha reconocido internacionalmente la importancia de estos yacimientos?
8 ¿Cómo se llama el museo que alberga los restos encontrados?

Escribir

Notas y recados

1 ¿Escribes notas y recados normalmente? ¿A quién escribes? ¿Para qué? Coméntalo con tu compañero.

2 Lee los mensajes y contesta a las preguntas.

Felipe:

¡Urgente! ¡Llama a tu padre cuando llegues a casa! Te espero en la puerta del cine. Si hay problemas, llámame al móvil.

Un beso

Jorge:

No queda comida para el gato.
He dejado mi parte del dinero para el alquiler en tu habitación. Nos vemos a la vuelta del fin de semana.

Juanjo

Sara:

Te dejo los papeles del informe en el cajón. Hay que entregarlos el jueves. Si acabas pronto, tomamos café juntas.

Loli

Carlos:

Llama tú al colegio de Pablo, su profesora quiere hablar con nosotros.

Un beso

¿Te importaría no aparcar tu coche tan cerca del mío? Tengo serios problemas para poder entrar en mi coche.

Gracias

Julia, han llamado de la óptica y han dicho que ya puedes recoger las gafas. Son 310 euros.

Tu madre

1 ¿Cuál es la situación y el propósito de cada uno de los mensajes?
2 ¿Cuál crees que es la relación entre las dos personas en cada mensaje?

3 Con los datos siguientes, redacta las notas apropiadas. Compara con tu compañero.

❶ Charo avisa a Belén de que su novio ha llamado diciendo que llega al aeropuerto a las diez de la noche y que tiene que ir a buscarle con el coche.

❷ María le recuerda a su marido, Manolo, que no se olvide de sacar dinero del banco para pagar el alquiler, porque el casero viene a cobrarlo a las cinco de la tarde.

❸ El presidente de la comunidad de vecinos convoca a una reunión urgente a los vecinos de la comunidad porque ha habido una rotura en las cañerías que obliga a hacer una revisión urgente en todos los pisos y es necesario dejar las llaves a los porteros.

❹ Necesitas con urgencia un libro que le has prestado a tu compañero de piso, al que no puedes ver durante toda la semana por horarios de trabajo.

Escuchar

4 🔊51 Escucha los mensajes del contestador automático y escribe las notas correspondientes para tus compañeros de piso.

Tiempo de vacaciones

10

1. Islas Galápagos 2. Cádiz 3. Tarragona 4. Perito Moreno

Escuchar

1 ¿Qué planes tienes para tus vacaciones? Comenta con tu compañero.

¿Te gusta viajar fuera de tu país?
¿Vas solo, con tu familia o con amigos?
¿Prefieres viajes culturales o de descanso?
¿Dónde te gustaría ir?

2 🔊52 Escucha los planes de verano de las siguientes personas y completa la información.

1 Alejandra está montando _____ y seguramente irá _____.
2 A Eduardo le gustaría ir a _____, pero quizás coja la mochila y _____.
3 María desearía recorrer durante un año _____, pero a lo mejor se va unos días _____.
4 A Rodrigo le gusta ir todos los veranos a _____, probablemente vaya primero a _____ y "...después quizás_____."

Comunicación

Expresión de la conjetura

Para expresar nuestras dudas y planes sin definir (conjeturas) podemos utilizar las siguientes expresiones:

- *A lo mejor* + presente de indicativo
  A lo mejor voy a Málaga en vacaciones, pero no estoy seguro.

- *Seguramente* + futuro / presente de subjuntivo
  Seguramente iré / vaya en tren; ya veremos.

- *Quizás* + presente de subjuntivo
  Quizás vayamos a Canarias, pero aún no lo sabemos con seguridad.

- *Probablemente* + futuro / presente de subjuntivo
  Probablemente compraremos los billetes por internet.
  Probablemente ya sea tarde para salir.

3 Construye correctamente las siguientes frases.

1 Quizás / llegar (yo) / antes de comer.
2 A lo mejor / comer (nosotros) / en un restaurante chino.
3 Seguramente / visitar (ellos) / los museos más importantes.
4 A lo mejor / ir (nosotros) / este verano a tu pueblo.
5 Quizás / hacer (ellos) / un curso de vela.
6 Probablemente / venir (él) / a esquiar con nosotros.
7 Seguramente / visitar (nosotros) / la catedral.
8 Quizás el viaje / ser / demasiado largo.
9 Probablemente / hacer / buen tiempo.
10 A lo mejor / no haber / cajero automático en ese pueblo.

4 Lee el texto "Españoles en el mundo" y contesta a las preguntas.

1 ¿De qué trata el programa que dirige Carmen de Cos?
2 ¿Qué motivos llevan a los protagonistas de *Españoles en el mundo* a dejar su país?
3 ¿Por qué el programa invita a conocer mundo?
4 ¿Qué cosas puede sugerir el programa?
5 ¿Qué características comunes tienen los emigrantes?
6 ¿Por qué a los jóvenes de ahora les resulta más sencillo emigrar?
7 ¿Por qué hay algunos países a los que es más difícil emigrar?
8 ¿Qué desea Carmen de Cos para estos países?

5 Por parejas, imaginad que cada uno de vosotros queréis viajar a un país extranjero. Preparad la entrevista para preguntar al compañero dónde quiere viajar, los motivos, con quién va a viajar, los planes…

6 Realiza la entrevista a tu compañero.

Españoles en el mundo

Carmen de Cos es la directora del programa de televisión *Españoles en el mundo*. Tres millones de espectadores de media siguen el programa cada semana, para conocer las historias y experiencias vitales de muchos españoles que decidieron dejar atrás sus vidas en España para adentrarse en otros lugares, por amor, trabajo o simplemente por curiosidad.

Carmen: ¿Cuál crees que ha sido la aportación principal de este programa?
Nuestro programa es una forma directa y fresca de acercarnos a la vida de los españoles que viven fuera de nuestras fronteras. A través de sus historias hemos viajado por distintos países y hemos mostrado que es posible encontrar tu lugar en el mundo, y que los españoles llevan mucho tiempo haciéndolo.

¿Crees que *Españoles en el mundo* invita a la gente a conocer mundo, a buscarse la vida más allá de nuestras fronteras?
Al mostrar cómo se vive en otros países, otras culturas y otras formas de vida, seguramente el programa estimulará la curiosidad y el deseo de salir a conocer otros lugares.

En tiempos de dificultades económicas quizás algunos destinos parezcan soluciones perfectas.
Nosotros presentamos una serie de opciones de vida. Cada espectador encontrará en estas historias cosas diferentes. Algunos, ideas para irse a trabajar, otros, lugares paradisíacos donde retirarse, o simplemente destinos para su próximo viaje.

¿Qué diferencias habéis encontrado entre los emigrantes más antiguos y los jóvenes que se van de España ahora?
Probablemente tengan mucho en común. Son personas con coraje, arriesgados, aventureros… Sí es cierto que, con la crisis, hay cada vez más jóvenes que emigran por trabajo. Pero quizás la diferencia es que ahora lo tengan más fácil, las comunicaciones son mejores, tienen más formación, saben idiomas…

¿Cuáles son los nuevos retos y destinos?
Me gustaría que países a los que en la actualidad no podemos viajar, por conflictos, inseguridad, falta de libertades…, fuesen muy pronto lugares de paz donde, no solo los españoles, sino cualquier ciudadano pudiera vivir felizmente.

1 Mira las fotografías y comenta con tu compañero.

¿Cuál de estos tres alojamientos preferirías para pasar unos días?
¿Por qué?
Haz una lista de cuatro o cinco cosas que te gustaría que tuviera un
alojamiento para que te resultase agradable.

Hotel en Cancún (México)

Parador de turismo de León (España)

Camping en la Costa del Sol (España)

Vocabulario

2 Mira las dos listas de servicios del hotel "El jardín de los sueños" de Almería. La primera lista se refiere a las instalaciones que ofrece el hotel. La segunda lista se refiere a los servicios que encontrarás en las habitaciones.

1 Elige los cinco servicios de cada lista que consideras más importantes.
2 Elige otros cinco servicios de los que podrías prescindir.
3 ¿Hay algún servicio que no aparezca en las listas y consideres imprescindible?

Hotel
El jardín de los sueños

INSTALACIONES

Piscina • Sala de reuniones
Gimnasio • Sauna • Restaurante
Servicio de plancha • Cuidado de niños
Aparcamiento • Lavandería
Prensa gratuita • Telefax

LAS HABITACIONES DISPONEN DE

Radio / Televisión • Teléfono
Albornoz • Secador de pelo
Minibar • Baño privado
Servicio de habitaciones 24 h
Cafetera y tetera • Terraza
Aire acondicionado • Escritorio

3 🔊53 Vas a oír cuatro conversaciones en diferentes lugares. Escucha y completa.

1 (EN UN HOTEL, POR TELÉFONO)
   - ¿ _____ que me subieran el desayuno a la habitación?
   - Sí, señor, _____ .

2 (EN LA RECEPCIÓN DE UN ALBERGUE)
   - ¿ _____ dejarnos alguna manta más para nuestra habitación?
   - ¡_____! ¿Cuántas necesitáis?

3 (POR TELÉFONO)
   - ¿ _____ despertarme a las siete de la mañana?
   - _____, señora.

4 (EN LA RECEPCIÓN DEL HOTEL)
   - ¿ _____ pedir a alguien que nos revisara el aire acondicionado?
   - Sí, _____. ¿Cuál es el problema?

Comunicación

Pedir un servicio de forma educada

Formal

¿Le importaría…?
¿Sería posible…?   } + infinitivo
¿Sería / Serían tan amables de…?

Informal

¿Te importaría…?   } + infinitivo
¿Podrías…?

Respuestas

Sí, cómo no.   Por supuesto.
Sí, ahora mismo.   Claro que sí.
Lo siento, pero…

Escribir

4 Por parejas, preparad tres diálogos para las siguientes situaciones, después practicadlo con vuestro compañero.

- No funciona la calefacción en la habitación.
- Preferiríais una habitación más tranquila.
- Necesitáis un enchufe especial (adaptador) para vuestro cargador de móvil.

Hablar

5 Por parejas, el estudiante A le pide al estudiante B tres cosas de la siguiente lista. El estudiante B contesta afirmativa o negativamente.

pasar la sal • prestar su coche
hacer la cena • sacar al perro a pasear
prestar un libro • hablar más bajo

Pronunciación y ortografía

Diptongos, triptongos e hiatos

- Dos o tres vocales juntas forman diptongo o triptongo, de forma que se pronuncian en una sola sílaba.

vacaciones (va-ca-**cio**-nes)   viaje (**via**-je)
familia (fa-mi-**lia**)   buey (**buey**)
continuáis (con-ti-n**uái**s)

- No se considera diptongo la unión de dos vocales abiertas.

aéreo (a-é-re-o)   leo (le-o)

- Cuando el acento recae en la vocal cerrada, se rompe el diptongo y se produce un hiato.

María (Ma-**rí-a**)   río (**rí-o**)
país (pa-**ís**)   Raúl (Ra-**úl**)

1 🔊54 Escucha y repite.

diez / **Díez**   secretaria / **secretaría**
sería / **seria**   hacia / **hacía**   río / **rio**
guío / **guio**   sabia / **sabía**   estudio / **estudió**
cantara / **cantaría**

2 🔊55 Escucha y escribe las tildes necesarias.

1 Angel se rio mucho de los chistes de Rosa.
2 Mañana no vendra la secretaria.
3 Roberto estudio en Valencia.
4 El rio Ebro pasa por Zaragoza.
5 Luisa se cree muy sabia.
6 Moises guio a su pueblo por el desierto.
7 Ayer no sali porque hacia frio.
8 Le pidieron que cantara otra canción.
9 Yo no estudio mucho, no me gusta.
10 Yo creo que ella no sabia nada.

Leer

1 🔊56 Lee y numera los párrafos del 1 al 8. Después escucha y comprueba.

JÚZGUELO USTED MISMO

a ○ Después de escuchar a las dos partes del conflicto, el juez dijo que parecía que estaban hablando de dos hoteles diferentes.

b ○ Pero, cuando regresaron, lo primero que hicieron fue ir a su agencia de viajes para quejarse.

c ○ Sin embargo, los responsables del hotel negaron todas las críticas, y en la agencia de viajes les dijeron que fueran a juicio si lo deseaban.

d ○ En el juicio los responsables del hotel llevaron a varios testigos que dijeron que habían disfrutado mucho durante su estancia en el hotel y pidieron al juez que viera un vídeo para demostrar lo agradable que era.

e ○ También se quejaron del mal servicio, dijeron que la bañera estaba en muy malas condiciones y que había un olor horrible en el baño. Aseguraron que se parecía más a una cárcel que a un hotel, y pidieron 6000 € de compensación.

f ○ Al final, el juez decidió que era imposible decir quién estaba diciendo la verdad; así que solo se podía hacer una cosa: ir a ver el hotel por sí mismo.

g ○ Los señores Blanco iban entusiasmados a pasar sus vacaciones en un hotel de tres estrellas en la playa.

h ○ Sus vacaciones habían sido una pesadilla. Dijeron que su estancia había resultado desastrosa porque el hotel estaba muy sucio, con cucarachas en los dormitorios y en el restaurante.

2 Lee la historia otra vez y completa las frases con la forma correcta del verbo.

1 *Fueron* (Ir) a su agencia de viajes nada más regresar.
2 Los testigos aseguraron que _____ (disfrutar) mucho en el hotel.
3 Las instalaciones de la habitación _____ (estar) en muy malas condiciones.
4 Los testigos querían que el juez _____ (ver) un vídeo del hotel.
5 Los señores Blanco _____ (quejarse) del mal servicio del hotel.
6 Les aconsejaron que _____ (ir) a juicio.

Escuchar

3 🔊57 Escucha a Paloma contando sus experiencias en su viaje a Nueva York y ordena los dibujos según la historia.

☐

☐

☐

☐

☐

☐

4 🔊57 Escucha de nuevo la historia de Paloma y completa estas frases.

1 Me di cuenta de que _____ mi tarjeta de embarque.
2 Oí mi nombre pidiendo que _____ en el mostrador de Iberia.
3 Me dijeron que una niña la _____ junto a la puerta del servicio.
4 El policía me pidió que _____.
5 El señor me dijo que _____ mi maleta por error.

Hablar

5 En parejas, utiliza las frases del ejercicio 4 y los dibujos para volver a contar la historia.

6 En grupos de tres. Habla con tus compañeros sobre las anécdotas que te han ocurrido en alguno de tus viajes. Contestad entre otras a las siguientes preguntas.

- ¿Alguna vez te has puesto enfermo en un viaje?
- ¿Te han robado?
- ¿Has perdido alguna maleta?
- ¿Ha salido tu vuelo con retraso?
- ¿Te has dejado algo en un hotel?

Escribir

7 Escribe una historia que te ocurriera en algún viaje que no salió del todo bien. Léesela al resto de la clase.

Vocabulario

8 Observa el mapa. ¿qué tiempo está haciendo en Galicia?

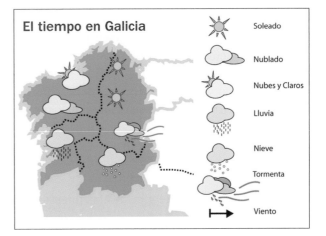

El tiempo en Galicia
- Soleado
- Nublado
- Nubes y Claros
- Lluvia
- Nieve
- Tormenta
- Viento

9 🔊58 Completa el siguiente texto con las palabras del recuadro. Después escucha y comprueba.

nubes • lloviendo • frío • sol • niebla
paraguas • nubló • viento

Viaje a *Galicia*

Mi primera experiencia de lo que es un verano lluvioso la tuve el pasado mes de julio cuando decidí ir de fin de semana con mi novio a Galicia.

Nosotros vivimos en Sevilla, donde casi no llueve y el (1) _____ brilla todo el año. Nada más bajar del coche tuvimos que sacar el (2) _____, porque empezó a llover. El resto de la gente caminaba por la calle tranquilamente, mientras nosotros buscábamos refugio en el hotel. Al día siguiente, cuando íbamos a salir hacia nuestra primera excursión, tuvimos que cambiar de planes, porque estaba (3) _____ a cántaros. A mediodía se retiraron las (4) _____ y apareció el sol. Muy contentos, nos preparamos para bajar a la playa. A la media hora de estar sentados al sol (el agua estaba bastante fría y era imposible bañarse), el cielo se (5) _____, empezó a lloviznar y tuvimos que volvernos al hotel. Al día siguiente nos dirigimos al cabo de Finisterre, para ver sus bonitas vistas. Nos tuvimos que llevar la chaqueta porque hacía bastante (6) _____ y allí soplaba un (7) _____ muy fuerte. Pero lo peor fue que, al llegar al mirador, no se veía absolutamente nada porque había una (8) _____ muy espesa. Eso sí, comimos el plato de pulpo más rico que habíamos probado en nuestra vida.

Hablar y escuchar

Expresión de la probabilidad

1 🔊59 Sara quiere conocer las islas Canarias y pide información en una agencia de viajes. Escucha el diálogo.

> **Sara:** ¡Hola, buenos días! Quería visitar las islas Canarias. ¿Sería tan amable de informarme?
>
> **Agente:** Sí, ¿cómo no? ¿Cuándo le gustaría viajar?
>
> **Sara:** Probablemente vaya en el mes de julio, que hace buen tiempo.
>
> **Agente:** Bueno, ya sabe usted que en las islas Canarias hace buen tiempo en todas las estaciones del año. ¿Qué islas le gustaría conocer?
>
> **Sara:** Quiero ir a Lanzarote y me gustaría conocer Fuerteventura, pero quizás sea un poco caro, ¿no?
>
> **Agente.** Todo depende del tipo de alojamiento que elija.
>
> **Sara:** ¿Sería posible un hotel de tres estrellas cerca de la playa?
>
> **Agente:** Sí, tenemos varios hoteles de esas características. ¿Cuántos días quiere estar allí?
>
> **Sara:** Quisiera estar diez días. ¿Cuánto me costaría?
>
> **Agente:** Si se aloja siete días en Lanzarote y tres días en Fuerteventura, el precio aproximado sería de 1200 €.
>
> **Sara:** ¿Este precio incluye la comida?
>
> **Agente:** No, solo el viaje, alojamiento y desayuno.
>
> **Sara:** Seguramente iré, pero tengo que pensármelo. Volveré la semana que viene. Muchas gracias por la información.

Comunicación

- Probablemente vaya en …
- Quizás sea un poco caro…
- ¿Sería posible…?
- Seguramente iré, pero….
- Sí, ¿cómo no?
- Todo depende

2 Lee el diálogo y completa con las palabras del recuadro.

> haga • paraguas • semana
> seguramente • vayamos

- ¿Sabes qué tal tiempo va a hacer la (1) _____ que viene?
- No estoy seguro, pero probablemente (2) _____ calor. Estamos en agosto.
- Ya. Lo digo porque quizás (3) _____ a Galicia y allí, ya sabes... (4) _____ tengamos que llevar el (5) _____.

3 Pregunta y responde a tu compañero como en el ejemplo. Utiliza las ideas del recuadro.

- *Todos los veranos vamos a Alicante, pero quizás este año cambiemos de planes. ¿Podrías recomendarme alguna zona interesante para conocer?*
- *Claro que sí. El año pasado estuvimos en Tenerife y nos gustó mucho. Probablemente volvamos este verano otra vez.*

> - sábados / ir al cine / obra teatro.
> - vacaciones / leer novelas policíacas / novela de aventuras.
> - fines de semana / montar en bicicleta / jugar un partido de fútbol.
> - noches / cenar verduras / menú diferente.

4 Practica un nuevo diálogo con tu compañero, como en el ejercicio 1. Puedes utilizar alguna de las ideas del ejercicio anterior.

5 🔊60 Escucha la conversación entre Enrique y Elena y contesta a las preguntas.

1 ¿Con quién quiere viajar Enrique este fin de semana?
2 ¿A qué zona de España quieren ir?
3 ¿Qué les puede hacer cambiar de idea?
4 ¿Para qué le pide Enrique a Elena que le recomiende un página de internet?
5 ¿Por qué quiere Elena ir a Salamanca?

Leer

Guatemala

1 Lee el siguiente texto y marca si las afirmaciones son verdaderas o falsas.

¿QUIERES VIAJAR A…?

Guatemala

Antes de iniciar tu viaje es imprescindible que sepas

CLIMA: La temperatura media anual es de 20 ºC. En la costa puede llegar hasta los 37 ºC, mientras que en las zonas montañosas más altas pueden llegar a temperaturas bajo cero. Por lo general, las noches son bastante frescas en cualquier época del año.

INDUMENTARIA: La indumentaria aconsejable es ropa ligera, de tejidos naturales, durante todo el año. Un jersey o alguna prenda de abrigo te serán útiles para las noches y para cuando entres en locales con aire acondicionado.

GASTRONOMÍA: Los restaurantes de la capital (Guatemala) ofrecen una amplia variedad de platos de cocinas tan diversas como la china, francesa, italiana o estadounidense, a precios muy asequibles. La comida nativa ofrece especialidades a base de mariscos, carne de pollo, de ternera o de cerdo, acompañados de arroz, frijoles fritos, tortillas de maíz, café y frutas tropicales.

GUATEMALA CIUDAD: La capital del país no solo muestra la arquitectura colonial, sino que también es moderna y cosmopolita, y en ella se mezclan las tradiciones y la moderna vida de sus habitantes. Sus museos ofrecen una amplia muestra de la historia y de la cultura nacional.

LOS MAYAS: El viajero que llegue a este país no tardará en descubrir que los mayas tuvieron el centro de su imperio en lo que es la actual Guatemala. Pero del esplendor del Imperio maya no solo quedan sus ruinas; más de la mitad de la población actual guatemalteca se puede considerar descendiente de esta antigua civilización.

1 En Guatemala las noches son muy calurosas. ☐

2 En la alta montaña hiela. ☐

3 Si vas a Guatemala, no necesitas llevar ropa de abrigo. ☐

4 En la capital podemos comer en un restaurante chino. ☐

5 La comida guatemalteca se suele servir con arroz, frijoles y maíz. ☐

6 En la capital podemos encontrar edificios que recuerdan su época como colonia española. ☐

7 En Guatemala ciudad es difícil encontrar edificios modernos. ☐

8 La huella de los mayas no es muy visible en este país. ☐

9 Quedan una gran cantidad de ruinas de la época del Imperio maya. ☐

10 La mayoría de los habitantes de Guatemala tienen ascendencia europea. ☐

Escribir

Una tarjeta postal

1 Lee la siguiente tarjeta y contesta a las preguntas.

Querido Jorge:

Estamos de vacaciones en Galicia. Hoy hemos estado en la ciudad de La Coruña. Hemos recorrido su paseo marítimo de más de diez kilómetros que bordea la ciudad, con unas vistas preciosas sobre el océano Atlántico. Luego hemos visitado la Torre de Hércules, el faro romano más antiguo del mundo en funcionamiento.

Lo estamos pasando muy bien y además... ¡no llueve y hace sol!

Muchos besos.

Laura y Sara

JORGE GUTIÉRREZ

C/ IBIZA, 56; 3° E

28010 - MADRID - ESPAÑA

1 ¿Quién envía la tarjeta?
2 ¿Desde qué ciudad la envía?
3 ¿A quién va dirigida?
4 ¿Cuáles son los principales atractivos turísticos de La Coruña?
5 ¿Qué tiempo hace?

2 Relaciona cada palabra con su abreviatura.

1 calle
2 plaza
3 paseo
4 avenida
5 izquierda
6 derecha

a p.º
b dcha.
c avda.
d c/
e izda.
f pza.

Comunicación

Para hablar del tiempo
- hace mucho frío / calor / viento / sol
- llueve sin parar / a cántaros
- está nublado / está nevando

Para hablar del paisaje
- esto es precioso / impresionante / muy bonito

Para hablar de la gente
- la gente es amable / antipática / acogedora

Para despedirte
- Saludos / Recuerdos / Un abrazo / Besos /
- ¡Hasta pronto!

3 Ordena los siguientes datos para escribir las direcciones correctas. Escribe las abreviaturas y las mayúsculas donde sea necesario. Fíjate en la postal de la actividad 1.

1 príncipe / barcelona / 30029 / españa / 2.º D / 90 / calle
2 madrid / 4.º E / plaza / 28045 / peñuelas / 5
3 de la paz / toledo / avenida / 12005 / 128 / 3.º izquierda
4 paseo / valencia / imperial / 16 / 35004 / 5.º dcha.

4 Escribe el texto de dos postales.

a. Piensa en una ciudad de tu país, en la que estás de vacaciones. Escribe una postal a un amigo y cuéntale qué estás viendo, qué tal lo estás pasando, qué tal tiempo hace...

b. Estás pasando unos días en la montaña, hace muy mal tiempo y el hotel no es muy bueno. Escribe una tarjeta a tus padres.

1 Los siguientes titulares de periódico han sido separados de sus noticias. Relaciona cada titular con su texto.

1 La fiesta de la bicicleta en Madrid.

2 Cinco millones de personas se enfrentan al hambre en África.

3 El juez encarcela a los detenidos por agresiones a dos policías.

4 El atasco de la A-3.

5 El tifón amaina y el partido se podrá disputar sin problemas.

☐ a La sequía del año pasado y las consecuencias de una grave plaga de langostas enfrentan a Níger, Malí, Burkina Faso y Mauritania a una de las mayores emergencias alimentarias de los últimos años.

☐ b El encuentro entre el Júbilo Iwata y el Real Madrid no corre peligro. A pesar de las malas condiciones meteorológicas, todo hace indicar que este se celebrará.

☐ c La circulación por el centro de la capital quedará cortada mañana por la mañana debido al popular acontecimiento deportivo.

☐ d Se abrió un carril adicional, se recomendaron itinerarios alternativos, se restringió la circulación de camiones y hubo escalonamiento; así y todo, ha habido retenciones.

☐ e Los tres jóvenes arrestados el sábado en Málaga tras los enfrentamientos con las fuerzas del orden público ingresaron ayer en prisión.

2 Busca palabras en los textos anteriores relacionadas con las siguientes definiciones.

1 Tráfico de vehículos: _____
2 Periodo de escasez de lluvia de larga duración: _____
3 Huracán del mar de la China: _____
4 Embotellamiento, congestión de vehículos en la carretera: _____
5 Cárcel: _____

3 Transforma las siguientes frases de estilo directo a estilo indirecto.

1 El doctor me dice: "Haga mas ejercicio".
El doctor me dice que
_____

2 Antonio siempre me dice: "No me esperes a comer".
_____

3 Mis amigos me dicen: "Ven a vernos los fines de semana".
_____

4 Todos los días le digo a mi marido: "Espérame a la salida de la oficina".
_____

5 En la Administración siempre te dicen: "Vuelva usted mañana".
_____

4 Transforma a estilo indirecto los consejos que la profesora da a su alumno.

● *Mira, Raúl, atiende en clase, haz los deberes, pregunta si tienes dudas, no molestes a tus compañeros y estudia para los exámenes.*
■ *Raúl, ¿qué te ha dicho la profesora?*
● *Un montón de cosas: que atienda en clase....*

5 Transforma las siguientes frases de estilo indirecto a estilo directo.

1 Me pidió que me fuera con él.
_____
2 Me ha dicho que vaya mañana.
_____
3 Me dijo que lo leyera en voz alta.
_____
4 Me dice siempre que no haga ruido.
_____
5 Nos pidieron que fuésemos puntuales.
_____
6 Nos dijo que terminásemos pronto.
_____
7 Me pidió que hiciera la cena.
_____
8 Les dijo a los niños que se lavasen las manos.
_____

6 Subraya el verbo adecuado.

1 Espero que *seas* / *eres* muy feliz.

2 No quiero que *sales* / *salgas* de casa tan tarde.

3 Necesito que me *decir* / *digas* el número de teléfono de Marta.

4 Mis padres quieren que *estudie* / *estudio* Medicina.

5 Rosa no quiere *salir* / *salga* esta tarde.

6 A nosotros nos gustaría *comprarnos* / *que compráramos* un piso, pero están muy caros.

7 Aunque no he estudiado nada, espero *tener* / *que tengas* suerte en el examen de matemáticas.

8 Me gustaría que ellos *vinieran* / *venir* más a mi casa.

9 ¿Necesitas que te *ayude* / *ayudar*?

10 ¿Quieres que te *acompañe* / *acompañarte*?

11 ¿Esperas que Miguel *viene* / *venga* a la boda?

12 Me gustaría *tener* / *que tuviera* más vacaciones, estoy muy cansada.

7 Escribe la palabra correspondiente para cada uno de los símbolos del hotel.

1 _____ 2 _____ 3 _____

4 _____ 5 _____ 6 _____

7 _____ 8 _____ 9 _____

8 Completa el siguiente correo con el tiempo correspondiente de los verbos entre paréntesis.

Mensaje nuevo _ ↗ ×

Querido Carlos:

Ayer (1)_____ (llegar, yo) de Caracas y aún no me he recuperado de lo mal que lo (2)_____ (pasar, yo).

Despegamos dos horas tarde a causa del mal tiempo y luego, mientras (3)_____ (cruzar) el océano, (4)_____ (empezar) a soplar un viento muy fuerte. El capitán nos dijo que (5)_____ (abrocharse, nosotros) los cinturones. Todos (6)_____ (asustarse, nosotros) muchísimo, y durante más de media hora (7)_____ (atravesar) una terrible tormenta. Aún estaba lloviendo y (8)_____ (hacer) mucho viento cuando llegamos a Caracas. No sabes qué feliz me sentí cuando la azafata nos anunció que el avión ya (9)_____ (aterrizar) y nos pidió que (10)_____ (quitarse, nosotros) el cinturón de seguridad. Por fin podíamos respirar tranquilos. Afortunadamente, el tiempo ha mejorado desde entonces y espero que el viaje de vuelta sea mejor.

Un abrazo, Elena

Enviar A 📎 +   🗑 ▾

9 Escribe un párrafo sobre qué desean los habitantes de tu país de sus autoridades.

Los habitantes de mi país esperan que los gobernantes piensen más en los problemas que tenemos...

En primer lugar... queremos / deseamos que...

¿Qué sabes?

☺ ☺ ☹

· Leer y redactar titulares de prensa. ☐ ☐ ☐

· Transmitir una petición, consejo, recomendación en estilo indirecto. ☐ ☐ ☐

· Expresar deseos con *espero, deseo, me gustaría que...* ☐ ☐ ☐

· Escribir notas y recados. ☐ ☐ ☐

· Hacer conjeturas. ☐ ☐ ☐

· Pedir un servicio formalmente. ☐ ☐ ☐

· Hablar del tiempo atmosférico. ☐ ☐ ☐

· Escribir una postal. ☐ ☐ ☐

· Contar anécdotas. ☐ ☐ ☐

Tiempo de compras

11

- ·· Comprar ropa
- ·· Expresar cantidades indefinidas
- ·· Hablar de economía
- ·· Escribir un carta de reclamación
- ·· **Cultura:** Las líneas de Nazca

1 camisa	5 pantalones	9 zapatos
2 traje	6 jersey	10 chándal
3 corbata	7 camiseta	11 zapatillas de deporte
4 sombrero	8 botas	12 calcetines

1 chaqueta	7 pendientes	13 gorro
2 bolsillos	8 pañuelo (de cuello)	14 abrigo
3 botones	9 cinturón	15 guantes
4 falda	10 medias	16 sombrero
5 blusa	11 zapatos (de tacón)	
6 bufanda	12 bolso	

Vocabulario

1 Comenta con tus compañeros.

- *¿Te gusta ir de compras?*
- *¿Dónde sueles comprar la ropa: en centros comerciales, en las tiendas de tu barrio, en las del centro...?*
- *¿Te gusta comprar en los mercadillos?*

Comunicación

Para hablar de ropa y complementos

● Algunas prendas de ropa tienen un nombre en plural:

Unos pantalones, unas gafas, unos calcetines, unas medias, unas botas, unos pendientes...

*Estas **gafas** no me quedan bien, voy a probarme aquellas.*

● También puede decirse:

Un par de zapatos, un par de medias.

*Ayer Juanjo se compró **tres pares** de calcetines.*

2 Completa las frases con el vocabulario adecuado. Hay más de una opción.

1 María decidió ponerse una <u>falda</u> y una _____ en vez de un vestido.
2 Jesús se probó un _____; la chaqueta le estaba bien, pero los _____ le estaban cortos.
3 Me he comprado unos _____ de piel, pero me hacen daño en un dedo.
4 Para que no se me queden las manos heladas me he comprado unos _____.
5 Como hacía mucho calor en la oficina, me quité la _____.
6 Clara, hoy tienes Educación Física, tienes que ponerte el _____, no los vaqueros.
7 Este invierno están de moda las _____ Yo me he comprado unas altas, hasta la rodilla.
8 En mi oficina, los viernes no es obligatorio llevar _____, podemos llevar una camisa deportiva, sin _____.
9 A mi marido le gustan las chaquetas con muchos _____ para guardar las llaves, el móvil...
10 Por favor, ¿cuánto cuestan esas _____ de licra?

Gramática

PRONOMBRES DE OBJETO DIRECTO E INDIRECTO

Pronombres de objeto directo

	singular	plural
1.ª persona:	**me**	**nos**
2.ª persona:	**te**	**os**
3.ª persona:	**lo (le) / la**	**los (les) / las**

- En 3.ª persona el uso de los pronombres *le / les* está aceptado para personas masculinas.
  - *¿Dónde están tus hermanos? **Los / Les** hemos estado esperando toda la tarde.*

Pronombres de objeto indirecto

	singular	plural
1.ª persona	**me**	**nos**
2.ª persona	**te**	**os**
3.ª persona	**le (se)**	**les (se)**

- *¿**Les** has comprado unas camisetas a los niños?*
- *No, todavía no **se** las he comprado, no he podido, **se** las compraré mañana.*

- Cuando es necesario utilizar los dos pronombres (directo e indirecto), el indirecto va en primer lugar.
  - *¡Qué jarrón tan bonito! ¿**Me lo** puede enseñar?*

- Cuando al pronombre *le* (objeto indirecto) le sigue un pronombre de objeto directo de 3.ª persona (*lo, la; los, las*), el objeto indirecto se convierte en *se*.
  - *Aquí tiene las zapatillas, señora. Pruébe**selas**, si quiere.*

- Los pronombres de objeto directo e indirecto van siempre delante del verbo, excepto cuando el verbo va en imperativo, infinitivo o gerundio.
  - *¡Qué jarrón tan bonito! ¿**Lo** puedo ver?*
  - *Sí, señora. Cója**lo**.*

3 Sustituye los nombres subrayados por los pronombres correspondientes.

1 ¿Dónde has comprado <u>ese jarrón</u>?
  ¿Dónde lo has comprado?
2 ¿Quién te ha regalado <u>ese libro</u>?
3 Lleva <u>las llaves a Ángel</u>.
4 He dado <u>el recado a Pedro</u>.
5 ¿Me has traído <u>los pantalones</u>?
6 He perdido <u>el paraguas</u>.
7 Le compraron todos <u>sus cuadros</u>.
8 Acércame <u>la jarra</u>, por favor.
9 Virginia ha invitado <u>a sus amigos</u> a su cumpleaños.
10 Llamé a <u>Alejandro</u> ayer por la tarde.
11 Lee <u>las cartas a tus padres</u>.
12 Compré <u>a mis hijos un ordenador</u>.
13 ¿Has leído <u>a los niños los cuentos</u>?

Escuchar

4 🔊 61 Vas a escuchar tres conversaciones en un mercadillo. Completa las frases con las palabras y expresiones del recuadro. Luego, escucha y comprueba.

> le queden • nos lo llevamos • talla • probador
> un par • barato • se las dejo • Tiene usted • caro

A 1 Es un poco _____. Nos lo dejará usted un poco más _____.
  2 Vale, _____. ¿Nos lo podría envolver para regalo?

B 1 ¿_____ esas zapatillas de color naranja en el número 38?
  2 Aquí tenemos _____. Pruébeselas si quiere.
  3 Si se lleva las dos cosas, _____ en 50 €.

C 1 Venía a ver si tiene una _____ más.
  2 Pase por aquí, que tenemos un _____.
  3 Lo que hace falta es que _____ bien.

Vocabulario

1 Comenta con tus compañeros.

- *¿Está el ir de compras entre tus actividades favoritas?*
- *¿Te gusta ir de compras solo o acompañado?*
- *¿Cuánto tiempo utilizas al mes para ir de compras?*
- *¿Con qué frecuencia vas de compras?*
- *¿Te gusta ir de rebajas?*

2 Lee el siguiente texto y contesta a las preguntas.

¿Te apetece ir de compras?

Para algunas personas el ir de compras es un placer, mientras que para otras se convierte en un auténtico suplicio. ¿Se encuentra usted entre alguna de ellas? Cuatro ciudadanos nos han contestado a esta pregunta.

Natalia, 19 años, soltera.
Natalia vive con su madre en Barcelona y confiesa que le encanta la moda. Todas las semanas se da un paseo por sus tiendas preferidas y reconoce gastarse bastante dinero en ropa. Se define como una compradora compulsiva. "Veo las revistas de moda pero no las sigo al pie de la letra. Entre los amigos no hablamos mucho de moda. Yo creo que a mí me gusta más que a la mayoría".

Ana, 39 años, casada.
"Me gusta mucho ir de compras, pero depende de con quién vaya. Cada vez que lo intento con mis hijos es una auténtica pesadilla. Tampoco me gusta ir de compras con mi marido, porque siempre tiene prisa y todo le parece un poco caro. Prefiero ir con mis amigas o sola".

Juan, 31 años, casado.
Juan trabaja como agente de seguros en Bilbao y es un comprador de comportamiento racional. "Trabajo de comercial, y la imagen es muy importante". A la hora de comprar, Juan no compra mucho, solo lo que necesita. Aprovecha las rebajas para comprar y no le importa buscar hasta que encuentra lo que quiere. "Si necesito unos vaqueros, puedo recorrer cinco tiendas hasta dar con lo que quiero".

Alberto, 56 años, casado.
"La verdad es que no me gusta demasiado ir de tiendas. Suelo hacer una compra en primavera y otra en otoño". Alberto prefiere ir a establecimientos donde le conozcan. Se deja aconsejar por su mujer y rara vez va a comprar solo. Las marcas, asegura, no le interesan mucho y se fija sobre todo en la calidad.

1 ¿Con qué frecuencia suele ir Natalia de compras?
2 ¿Cuánto se gasta en ropa?
3 ¿Qué tipo de compradora se considera a sí misma? ¿Por qué?
4 Como comprador, ¿cómo se define Juan a sí mismo? ¿Por qué?

5 ¿Cuándo suele ir de compras Juan?
6 ¿Es un comprador paciente? ¿Por qué?
7 ¿Con quién no le gusta a Ana ir de compras?
8 ¿Le gusta a Alberto ir de compras?
9 ¿En qué época del año suele comprar Alberto?
10 ¿Qué busca Alberto en la ropa que compra?

Gramática

INDEFINIDOS

Poco / un poco

- **Poco, poca, pocos, pocas + nombre.**
  *Tengo **poco dinero** para ir de compras. Mejor lo dejamos para más adelante.*

- **Un poco de + nombre.**
  *He ahorrado **un poco de dinero** y me quiero comprar un coche.*

- **Poco + adjetivo.**
  *Clara es **poco aficionada** a ir de compras. Prefiere gastarse el dinero en otras cosas.*

- **Un poco + adjetivo.**
  *Todo le parece **un poco caro**. No me deja comprar nada.*

Mucho

- **Mucho / -a / -os / -as + nombre.**
  *A **mucha gente** no le gusta ir de compras.*

- **Mucho (adverbio).**
  *A mí no me gusta **mucho**.*

Bastante / demasiado

- **Bastante / demasiado + adjetivo.**
  *Estas rebajas son **bastante buenas**.*
  *Esa tienda es **demasiado cara**.*

- **Bastante, -s / demasiado, -a, -os, -as + nombre.**
  *Me compro **bastantes libros**.*
  *Hay **demasiados clientes** en esta tienda.*

3 Elige el indefinido correcto.

1 He comprado <u>bastante</u> / *bastantes* ropa.
2 Tengo *pocos* / *un poco* pantalones.
3 Creo que son *demasiado* / *demasiados* caros.
4 No tengo *mucho* / *muchos* dinero.
5 Te voy a preparar una mermelada muy rica.
  He traído un *poco de* / *poco* fruta de mi pueblo.
6 Casi gano la carrera, pero los otros corredores corrían *muchos* / *mucho* más.
7 Los exámenes han sido *demasiados* / *demasiado* difíciles.
8 Hay *mucha* / *muchas* gente en este establecimiento.
9 Cierra la ventana. Hace un *poco de* / *poca* corriente.

4 Completa las frases con un elemento de cada columna.

A	B
bastante	huevos
bastantes	dinero
demasiado	horas
demasiada	agua
demasiados	responsabilidad
demasiadas	tiempo
	ropa
	estudiantes

1 Estoy contento, no he gastado <u>demasiado dinero</u> estas vacaciones.
2 Me duele la cabeza. He dormido _____.
3 No tengo _____, pero puedo esperar un rato.
4 ■ Dime si las plantas están bien regadas.
  ● Sí, tienen _____.
5 No puedo hacer la tortilla. No hay _____.
6 _____ en el trabajo es mala para la salud.
7 En mi clase hay _____, así no se aprende bien.
8 ¡Que te compre otros pantalones! Ni hablar, tienes _____.

Leer

1 Lee el texto y señala V o F. Corrige las que no sean V.

AMANCIO ORTEGA
el millonario dueño de ZARA

Tienda Zara en Beijing

Amancio Ortega fundó, junto a su mujer, Rosalía Mera, el imperio Zara. Actualmente, según la revista FORBES, está entre los hombres más ricos del mundo.

La firma Zara nació en 1963 con la apertura de su primera fábrica, y en 1975 inauguró la primera tienda. Actualmente ocupa las principales áreas comerciales de las ciudades más importantes de los cinco continentes.

Amancio Ortega nació en Busdongo de Arbas (León), en 1936, y llegó a A Coruña cuando era un niño, junto con sus tres hermanos. Empezó a trabajar muy joven. A los 14 años entró como repartidor en una camisería, y poco después fue contratado en una mercería, donde ya estaban sus hermanos y la que fue su primera esposa. En esta tienda, además de adquirir conocimientos básicos sobre tejidos, tuvo las primeras ideas para su primer negocio: las *batas guateadas*[1]. A Ortega se le ocurrió fabricarlas con menos costes, distribuirlas y venderlas directamente. Esta idea fue el origen de Zara.

Con el aumento de la producción y ventas, en 1985 se crea el grupo Inditex, que incluye firmas como *Pull and Bear, Bershka, Oysho, Massimo Dutti* y *Stradivarius*. Los años 90 fueron cruciales en el ascenso de la empresa, que se expandió internacionalmente. A partir de 2000 Ortega ha diversificado sus inversiones y se ha introducido en el sector inmobiliario, el financiero, los concesionarios de automóviles o la gestión de fondos de inversión.

En el campo de la moda, destaca su concepto de moda "muy actual a poco precio". Zara tiene una asombrosa capacidad de dar respuesta a los cambios de los gustos de los consumidores. En pocas semanas es capaz de hacer llegar a sus tiendas en todo el mundo las nuevas tendencias de moda.

En enero de 2011 Amancio anunció a sus trabajadores a través de una carta que abandonaba la presidencia del grupo Inditex y nombraba como sucesor a Pablo Isla, aunque él sigue siendo propietario de la mayoría de las acciones.

En agosto de 2013 murió, a los 69 años de edad, Rosalía Mera, cofundadora de Zara, dejando como heredera a su hija, Sandra Ortega.

[1] *Bata guateada:* prenda de vestir que se usa para estar en casa.

1 Amancio Ortega es el fundador de Zara.   ☑

2 Amancio Ortega nació en 1963   ☐

3 Zara vende su ropa en casi todo el mundo.   ☐

4 Amancio Ortega tuvo su primer trabajo en una mercería.   ☐

5 Conoció a su mujer en su trabajo.   ☐

6 Inventó un tipo de vestimenta para la mujer.   ☐

7 Uno de los aciertos de Zara es la distribución lenta del producto. ☐

Vocabulario

2 Relaciona las definiciones con las palabras.

a presidente	[1]	f empleado	☐
b empresario	☐	g fábrica	☐
c mercería	☐	h millonaria	☐
d precio	☐	i director	☐
e distribuir	☐	j consumidor	☐

1 Persona que tiene a su cargo una empresa.
2 Tienda donde se venden hilos y botones.
3 Persona que consume productos.
4 El propietario de una empresa.
5 Cantidad que se paga por algo.
6 Repartir en el destino conveniente.
7 Persona elegida formalmente para un puesto de trabajo.
8 Lugar donde se fabrica una cosa.
9 Persona que posee mucho dinero.
10 Quien dirige una empresa.

Pronunciación y ortografía

Trabalenguas

1 🔊 62 **Dicta estos trabalenguas a tu compañero. Después escucha la grabación y apréndelos de memoria.**

1 Pablito clavó un clavito.
   ¿Qué clavito clavó Pablito?

2 Pancha plancha con cinco planchas.
   Con cinco planchas Pancha plancha.

3 Perejil comí
   perejil cené
   y de tanto perejil
   me emperejilé.

4 Tres tristes tigres
   comen trigo en un trigal.

Gramática

USO DE LOS ARTÍCULOS

Artículos determinados (*el, la, los, las*)

● Cuando hablamos de algo que conocemos.
   Voy a la tienda de mi hermana.

● Con el verbo *gustar* y con todos los verbos que llevan *le*.
   Le gustan los juegos de ordenador.

● Con nombres de partes del cuerpo, objetos personales o ropa, en lugar del posesivo.
   Me duele la (mi) cabeza.
   Clara, lávate las (tus) manos.

● A veces se puede eliminar el sustantivo y dejar el artículo.
   ■ *¿Quién es el presidente?*
   ● *El (hombre) de la barba.*

Artículos indeterminados (*un, una, unos, unas*)

● Cuando se habla de algo por primera vez.
   Me he comprado un vestido nuevo.

● Para hablar de una cantidad aproximada.
   Había unas mil personas.

No se usa artículo

● Cuando se habla de una profesión, excepto si va con un adjetivo.
   Mi vecino es escritor. Es un escritor muy famoso.

● Tras las preposiciones *de, con, sin*:
   Tengo dolor de estómago.

3 Selecciona el artículo correcto (Ø es ausencia de artículo).

1 Ayer fui de (la / una / Ø) visita a casa de (los / unos / Ø) compañeros que tú no conoces.
2 Fernando Alonso es (un / el / Ø) piloto de Fórmula 1. Es (un / el / Ø) piloto muy conocido en todo el mundo.
3 ¿Sabes que Ángel juega muy bien a (el / un / Ø) tenis?
4 A (unos / los / Ø) niños les gustan mucho (las / unas / Ø) golosinas.
5 Alrededor de (unas / las / Ø) diez mil personas acudieron a (el / un / Ø) partido del Real Madrid.

Hablar y escuchar

Cambiar algo en una tienda

1 🔊63 Escucha el diálogo.

> **Dependienta:** ¡Hola, buenos días! ¿Puedo ayudarla en algo?
>
> **Clienta:** Sí, buenos días. Mire, mi hijo me regaló estos pendientes por el día de la Madre y me parecen demasiado largos. ¿Podría cambiarlos por otra cosa?
>
> **Dependienta:** Sí, señora, por supuesto. Mire usted y busque algo que le guste y se los cambio sin ningún problema.
>
> **Clienta:** Ya he estado mirando y me gustaría llevarme este pañuelo.
>
> **Dependienta:** Muy bien. ¿Desea algo más?
>
> **Clienta:** Sí, he visto una camisa blanca que me gusta, pero la prefiero de color rosa.
>
> **Dependienta:** Sí, aquí la tiene.
>
> **Clienta:** ¡Ah, sí! Esta me gusta más. ¿Me la puedo probar?
>
> **Dependienta:** ¡Cómo no! El probador está al fondo a la izquierda.
> …
> **Dependienta:** ¿Cómo le queda?
>
> **Clienta:** Bien, me gusta mucho cómo me queda. Me la llevo también. ¿Puedo pagar la diferencia con la tarjeta?
>
> **Dependienta:** No hay ningún problema. Deme, por favor, el *ticket* de los pendientes y así le cobro la diferencia.
>
> **Clienta:** Muchas gracias. Muy amable.

Comunicación

- ¿Puedo ayudarla/le en algo?
- ¿Podría cambiarlos por otra cosa?
- Busque algo que le guste y se los cambio sin ningún problema.
- ¿Desea algo más?
- ¿Me la puedo probar?
- ¿Cómo le queda?
- Me queda muy bien.
- Me la llevo también.

2 Lee el diálogo y completa con las palabras del recuadro.

> algo • los • estos • me • lo

- (1) ___ han regalado este CD y ya (2) _____ tengo. ¿Puedo cambiarlo por otra cosa?
- Sí, por supuesto. Busque (3) _____ que le guste y se lo cambio sin ningún problema.
- Lo quiero cambiar por (4) _____ dos libros. ¿Me (5) _____ envuelve, por favor?

3 Pregunta y responde a tu compañero, como en el ejemplo. Utiliza las ideas del recuadro.

- *Me gusta mucho la chaqueta gris del escaparate. ¿Me la puedo probar? (…)*
- *¿Qué tal le está? / ¿Cómo le queda?*
- *Me queda muy bien pero es demasiado cara. Ya buscaré otra cosa.*

> Guantes / pequeños • Bolso / grande
> Zapatillas de deporte / incómodas
> Falda / estrecha • Cinturón / moderno

4 Practica un nuevo diálogo con tu compañero, como en el ejercicio 1. Puedes utilizar alguna de las ideas del ejercicio anterior.

5 🔊64 Escucha el anuncio radiofónico de las rebajas y contesta a las preguntas.

1 ¿Qué están más rebajados, los lavavajillas o las toallas?
2 ¿Qué puedes comprar con la oferta de dos por uno?
3 ¿Qué puedes comprar a mitad de precio?
4 ¿Qué puedes comprar por 25 €?
5 ¿Qué descuento tienen los uniformes?

Leer

Nazca

1 Mira las fotos y comenta con tus compañeros.

- ¿Has visto alguna vez las imágenes que representan las fotografías?
- ¿Sabes de qué se trata?
- ¿Has oído alguna opinión lógica que explique la existencia de las mismas?

2 Lee el texto y contesta a las preguntas.

1 ¿Qué son las líneas de Nazca?
2 ¿En qué país están?
3 ¿Quién las encontró por primera vez?
4 ¿Quién ha sido la principal investigadora del fenómeno?
5 ¿Qué opina ella sobre el significado de las líneas?
6 ¿Qué opina el equipo de científicos e informáticos que ha estudiado todos los dibujos en conjunto?
7 ¿Qué distintas teorías existen sobre la forma en la que los nazcas realizaron las figuras?

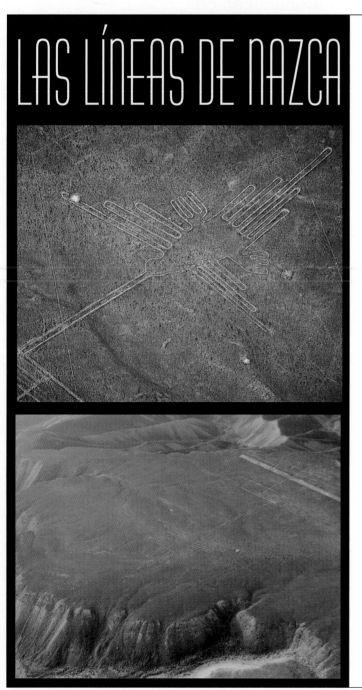

LAS LÍNEAS DE NAZCA

En Perú, a 400 kilómetros al sur de Lima y a 50 kilómetros de la costa del Pacífico, se extiende la meseta desértica de Nazca, cubierta de gran cantidad de dibujos y figuras geométricas que solo pueden apreciarse desde el aire.

Fue en 1927 cuando un piloto peruano descubrió casualmente la increíble red dibujada en el suelo.

En 1939 el arqueólogo americano Paul Kosok comenzó los estudios sobre las excavaciones. Las líneas de Nazca están formadas por marcas de tres tipos diferentes: líneas rectas, en zig-zag o dibujos espirales que pueden alcanzar hasta unos 5 km de largo; figuras geométricas en forma de franjas de gran tamaño parecidas a "pistas de aterrizaje", y representaciones de animales que sobrepasan los 150 metros de largo.

Las figuras resurgieron en todo su esplendor gracias al trabajo de una matemática alemana llamada María Reiche.

¿Pero qué significan las líneas de Nazca? María Reiche piensa que las líneas rectas, que forman generalmente motivos solares que se entrecruzan, constituyen una especie de calendario astronómico que permite calcular fechas y estaciones. Sin embargo, un equipo de científicos e informáticos, que han estudiado el plan del conjunto de figuras geométricas y de representaciones de seres vivos, afirma que se trata de un calendario meteorológico.

¿Cómo pudieron los nazcas trazar dibujos tan perfectos sin verlos? María Reiche afirmó que lo hicieron agrandando "maquetas", de las que encontró huellas cerca de algunas figuras animales. El aeronauta inglés Julin Nott intentó probar que los nazcas sabían fabricar globos aerostáticos para supervisar el trazado de las figuras. Hipótesis osada, pero más sensata que la del suizo Erich von Daniken, para quien las "pistas" serían un aeropuerto rudimentario para extraterrestres que vinieron a visitar nuestro planeta en el pasado.

Escribir

Una carta de reclamación

1 ¿Has necesitado alguna vez escribir una carta de reclamación? ¿Cuál fue el motivo? Coméntalo con tus compañeros.

2 Lee la carta.

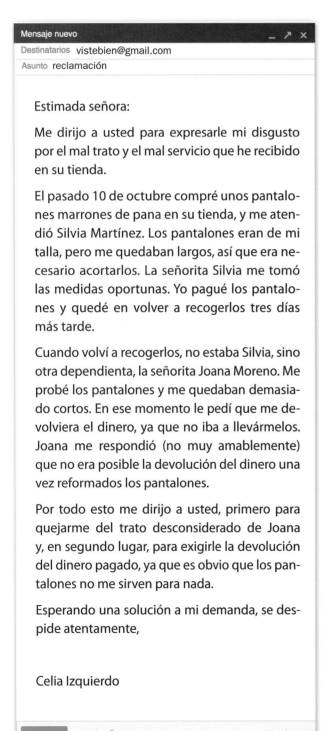

Mensaje nuevo   — ↗ ×

Destinatarios   vistebien@gmail.com

Asunto   reclamación

Estimada señora:

Me dirijo a usted para expresarle mi disgusto por el mal trato y el mal servicio que he recibido en su tienda.

El pasado 10 de octubre compré unos pantalones marrones de pana en su tienda, y me atendió Silvia Martínez. Los pantalones eran de mi talla, pero me quedaban largos, así que era necesario acortarlos. La señorita Silvia me tomó las medidas oportunas. Yo pagué los pantalones y quedé en volver a recogerlos tres días más tarde.

Cuando volví a recogerlos, no estaba Silvia, sino otra dependienta, la señorita Joana Moreno. Me probé los pantalones y me quedaban demasiado cortos. En ese momento le pedí que me devolviera el dinero, ya que no iba a llevármelos. Joana me respondió (no muy amablemente) que no era posible la devolución del dinero una vez reformados los pantalones.

Por todo esto me dirijo a usted, primero para quejarme del trato desconsiderado de Joana y, en segundo lugar, para exigirle la devolución del dinero pagado, ya que es obvio que los pantalones no me sirven para nada.

Esperando una solución a mi demanda, se despide atentamente,

Celia Izquierdo

Enviar   A   0   +   🗑   ▾

3 Ordena las afirmaciones según aparecen en el texto.

a La señorita Joana no se portó correctamente. ☐

b La clienta está muy enfadada. ☐ 1

c Los pantalones no estaban bien arreglados. ☐

d La señorita Silvia le tomó las medidas para acortarlos. ☐

e La clienta espera que le devuelvan el dinero de la compra. ☐

Comunicación

Cuando escribimos cartas de reclamación hay que tener en cuenta varios consejos.

- Utiliza un lenguaje formal y educado, aunque estés muy enfadado.
- Explica claramente cuál es el motivo de la queja.
- Di qué esperas conseguir exactamente.

4 Completa los huecos de este fragmento de una carta de reclamación.

> habitación • exijo • en • importe • que indemnización • estrellas

En la agencia nos dijeron que nos alojaríamos (1)_____ un hotel de cuatro (2)_____, pero cuando llegamos al hotel Marina Alta encontramos (3)_____ no teníamos en la (4)_____ nevera ni aire acondicionado y, además, las ventanas daban al patio de la cocina.

Por esta razón le (5)_____ que nos devuelvan el (6)_____ del hotel, más una (7)_____ por las molestias.

5 Escribe una carta de reclamación a una fábrica de mermelada porque en uno de sus productos has encontrado un insecto.

Fiestas y tradiciones

12

·· Hablar de fiestas tradicionales
·· Pedir favores y ofrecer ayuda
·· Responder un cuestionario
·· **Cultura:** Los aztecas

1 Mira las fotos y contesta.

- ¿En qué país se celebran estas fiestas?
- ¿Qué están celebrando?

Hablar

2 En grupos de cuatro, comenta con tus compañeros.

- ¿Cuáles son las tres fiestas más importantes en tu país o en tu región?
- ¿Qué se celebra en cada una de ellas?
- ¿Son tradicionales o modernas?
- ¿Qué se suele hacer en cada una de ellas?
- ¿Hay regalos, desfiles militares, bailes, canciones...?

Leer

3 En la página siguiente tienes un texto sobre una fiesta peruana. Léelo y contesta a las preguntas.

1 ¿Cuándo se celebra?
2 ¿Qué se celebra?
3 ¿Dónde se celebra?
4 ¿En qué consiste la fiesta?
5 ¿Desde cuándo se celebra?
6 ¿En qué idioma se representa el Inti-Raymi?
7 ¿Qué tipo de cosas se venden?

4 ¿Qué título corresponde a cada párrafo?

1 Una fiesta popular. ☐
2 Un rito. ☐
3 Fiesta en Sacsayhumán, la fortaleza inca. ☐

INTI RAYMI: CULTO AL SOL

EL 24 DE JUNIO, EN EL SOLSTICIO DE INVIERNO EN EL HEMISFE-
RIO SUR, LOS PERUANOS HONRAN AL SOL, FUENTE DE VIDA.

A Todos los cuzqueños esperan lle-
nos de alegría el Inti Raymi o fiesta
del sol. Se celebra en Sacsayhua-
mán, una antigua fortaleza inca a
dos kilómetros de Cuzco. En las ruinas hay ese día una representación
teatral donde un millar de actores
recuerdan el culto de los incas a su
dios. A las once de la mañana llegan los turistas y peruanos a la fortaleza y se instalan con su comida
sobre las antiguas piedras. Los turistas que han pagado tienen derecho a un asiento.

B En el escenario se desarrolla la
representación en un ambiente co-
lorista y variado. El momento más
importante se produce cuando el
inca arranca el corazón de una llama y se lo ofrece al Inti (el sol). (El
corazón es de trapo, claro). Mirando el estado del corazón, se sabrá
lo bueno y lo malo que le espera al
pueblo. Toda la obra se desarrolla
en quechua, la lengua de los incas.
Este rito fue prohibido por los españoles, y los peruanos lo han recuperado después, en 1944.

C Pero, además de la celebración
de ese rito, el Inti Raymi es una fiesta popular donde todos se reúnen
para comer, beber y divertirse. Los
cuzqueños cavan unos hornos en
la tierra, en los que se quema leña
para asar papas. Y muchos hacen
negocio vendiendo platos de arroz
con cui (conejo de indias), mazorcas
de maíz, algodón de azúcar, refrescos, llamas de trapo…, en fin, una
fiesta.

Gramática

ORACIONES IMPERSONALES CON *SE*

Se quema leña para asar papas.
*En mi pueblo el día del Corpus Christi se hacen
alfombras de flores.*

- Se utiliza esta estructura cuando el sujeto
agente no se conoce o no interesa para el
mensaje.
Se venden casas.

- Cuando conocemos el sujeto pasivo, el verbo
concuerda con él en número.
Se dan clases particulares de piano
(= las clases particulares son dadas).

- Se utiliza en textos informativos impersonales,
en textos de instrucciones, como recetas de
cocina, y también para hablar de normas y
costumbres.
Se habló mucho del tema.
Se echa sal y pimienta y se sirve en el plato.

5 Completa con el pronombre *se* + verbo en 3.ª
persona del singular o plural.

vender (x 2) • terminar • escribir • hacer (x 3)
oír • arreglar • vivir • trabajar

1 Lo siento, esta casa no *se vende*.
2 Lo siento, señora, aquí no _____ relojes
de pared antiguos.
3 Las obras de la autopista _____ en mayo
del año que viene.
4 Aquí no _____ fotocopias de libros.
5 Oiga, ¿puede hablar más alto? Aquí, al final, no
_____ nada.
6 Me voy de esta empresa porque no _____
nada por mejorar las condiciones.
7 Valencia _____ con v, no con b.
8 La paella _____ con aceite de oliva.
9 Este año _____ menos coches que el año pasado.
10 En mi pueblo _____ muy bien porque
tiene buen clima y no _____ mucho.

Escribir

6 Escribe un pequeño artículo para una
revista sobre una fiesta importante en tu
ciudad o país.

■ *Pedir favores, pedir permiso y ofrecer ayuda*

1 En casa de los Martínez están preparando la cena de Nochebuena. Lee los diálogos.

2 Responde.

1 ¿En qué diálogos se pide un favor?
2 ¿En qué diálogo se pide permiso?
3 ¿En qué diálogo se ofrece ayuda?

Comunicación

Pedir un favor

● *Te / Le importa* + infinitivo
¿Te importa bajar la voz? Hablas muy alto.

● *Podría(s)* + infinitivo
¿Podría cambiarme este billete de 50 €?

Pedir permiso

● *Te / Le importa + que* + subjuntivo
¿Le importa que me siente aquí?

Ofrecer ayuda

● *Quiere(s) + que* + subjuntivo
¿Quieres que vaya contigo al médico?

A. ¿Papá, mamá, os importa que traiga a Peter a cenar el día de Nochebuena?
B. No hija, no, dile que venga.

A. Abuela, ¿quieres que te ayude?
B. No hace falta, gracias.

A. Carlos, ¿podrías bajar a comprar más turrón? Creo que no hay suficiente.
B. Vale, ahora voy.

A. Abuelo, ¿te importa bajar un poco la tele? Está muy alta.
B. Es que no la oigo bien.

3 Pide permiso o un favor en estas situaciones.

1 Estás de visita en casa de un amigo. Le pides que te preste un libro que te interesa mucho.
   ¿Podrías prestarme este libro? Tengo ganas de leerlo.

2 Estás en tu casa, tu nuevo compañero de piso tiene la tele muy alta.

3 Tu vecina del quinto es mayor y lleva varias bolsas de la compra.

4 Tienes una cena de compromiso y no tienes con quién dejar al niño. Llama a tu hermana y pídele que se quede con él.

5 En la oficina, le pides permiso al jefe para salir antes de la hora. Explica por qué.

6 En el hotel, pides permiso para dejar la maleta en la habitación hasta una hora determinada.

7 Necesitas cambio para coger un carro en un supermercado. Pídeselo a la cajera.

8 Tu amiga tiene que llevar al médico a su hijo pequeño. Ofrécete para quedarte con sus otros dos hijos.

9 Estás desayunando en una cafetería y tienes que tomarte una pastilla. Pídele agua al camarero.

10 Estás en una fiesta y un amigo ha hecho fotos con su móvil. Pídele que por favor te las mande a tu correo.

4 Ofrece ayuda en las siguientes situaciones.

1 Unos amigos tienen un niño pequeño y no pueden salir nunca al cine.
   ¿Queréis que me quede con Carlos?

2 Una compañera de piso tiene fiebre y necesita un medicamento.

3 Un compañero de trabajo tiene que terminar un informe y va muy atrasado.

4 Un compañero de clase no entiende un punto gramatical.

5 Tus padres se van de viaje y tienen que ir al aeropuerto.

Leer

5 Virginia, una estudiante chilena, nos ha contado cómo celebran la Navidad en su país. Lee el texto y complétalo con las expresiones del recuadro.

> ensaladas y pavo • lleno de regalos
> frutos secos • trozos de algodón
> cada uno ha pedido • dejar los regalos

Navidad en CHILE

Los componentes principales de la Navidad chilena son el viejito pascuero, el pan de pascua, la bebida llamada *cola de mono* y el calor.

Nuestro viejito pascuero tiene una gran barriga y una barba blanca, viene con un traje rojo y el saco _____(1). Entra en las casas por la chimenea o las ventanas para _____(2).

Las familias cenan _____(3) y beben *cola de mono*, que es una especie de ponche hecho de pisco o aguardiente, café con leche, azúcar y canela. Tampoco falta el pan de pascua, una masa alta horneada, rellena de frutas confitadas, pasas y _____(4), que se puede encontrar en cualquier esquina y en todas las confiterías.

Los niños dejan los zapatos debajo del árbol de Navidad, adornado con _____(5), que recuerdan a la nieve, y bolas de colores. Después de la medianoche el viejito pascuero dejará en los zapatos los regalos que _____(6).

La calurosa Navidad chilena dura hasta el cinco de enero. A partir de ahí empiezan las vacaciones de verano, el calor y la playa.

6 🔊65 Escucha y comprueba.

1 Sonia es una joven de Cádiz que quiere ser cantante. Con ese objetivo se presentó al *casting* del concurso de televisión "Operación Triunfo". Mira la foto y piensa: ¿Cómo crees que es? ¿Qué cosas le gustan?

2 Estas son algunas respuestas que ha dado a la encuesta que le hemos hecho. ¿A qué preguntas corresponden?

a Mi madre.   ☑ 1
b Mi dormitorio.   ☐
c La paella.   ☐
d Inglés y un poco de francés. ☐
e Que no sea sincera.   ☐
f El pop y la música romántica. ☐
g A la India.   ☐
h A la muerte.   ☐

Escuchar

3 🔊·66 Escucha la entrevista y completa las respuestas que faltan.

4 Hazle las mismas preguntas a un compañero. Pídele detalles.

Sonia, cantante

1 ¿Quién es la persona de tu familia que más admiras?
Mi madre.

2 ¿En qué parte de la casa te sientes más cómoda?
_____.

3 ¿Sabes cocinar?
_____.

4 ¿Cuál es tu plato preferido?
_____.

5 ¿Te gustan los animales?
_____.

6 ¿A qué lugar del mundo te gustaría viajar?
_____.

7 ¿Qué tipo de música escuchas normalmente?
_____.

8 ¿Quién es tu actor/actriz preferido?
_____.

9 ¿Cuántos idiomas hablas?
_____.

10 ¿Qué haces cuando estás nerviosa?
_____.

11 ¿Qué es lo que más te molesta de la gente?
_____.

12 ¿A qué tienes miedo?
_____.

13 ¿Cuál es tu principal virtud?
_____.

14 ¿Cuál es tu principal defecto?
_____.

15 ¿Qué planes tienes para las vacaciones del año próximo?
_____.

16 ¿Qué te gustaría hacer cuando te jubiles?
_____.

5 Añade un adverbio del recuadro en el lugar adecuado.

> felizmente • perfectamente
> ~~sorprendentemente~~ • próximamente
> inmediatamente • profundamente
> rápidamente • amablemente
> exactamente • finalmente

1 Este profesor es muy exigente, pero su examen fue _sorprendentemente_ fácil.

2 No grites, te oigo _____.

3 Álex, ven aquí _____.

4 Dicen que van a abrir un nuevo centro médico en nuestro barrio _____.

5 La dependienta me atendió _____.

6 Después de tomar el biberón, el bebé se durmió _____.

7 Llamamos a la ambulancia, que vino _____.

8 No estoy seguro. No sé lo que me costó _____.

9 Parecía que iba a haber muchos problemas, pero todo acabó _____.

10 El avión salió con retraso, pero _____ llegaron a tiempo.

6 Subraya la opción adecuada.

1 ■ ¿Qué tal tu padre?
  ● _Bien_ / _bueno_, gracias.

2 No me siento _bien_ / _buen_, he comido _mucho_ / _muchos_ bombones.

3 Los coches van muy _despacio_ / _tranquilos_ porque ha habido un accidente.

4 No quiero más libros, tengo _demasiado_ / _demasiados_.

5 La médica llegó _rápida_ / _rápidamente_ al hospital.

6 Escríbeme _pronto_ / _temprano_.

7 La fiesta del sábado estuvo muy _bien_ / _buena_.

8 Esa frase está _mal_ / _mala_.

9 Espero que tengas un _buen_ / _bien_ año nuevo.

10 No he estado _nunca_ / _nada_ en Huelva.

Gramática

ADVERBIOS

● Usamos los adverbios para describir un verbo, un adjetivo u otro adverbio.
Rafa canta **maravillosamente**.
La tele está **demasiado** alta.
El accidente ocurrió **demasiado rápidamente** y no me enteré de nada.

● Los adverbios que describen las acciones verbales pueden indicar tiempo, modo, lugar o cantidad.
Eduardo **nunca** ha estado en una discoteca.
Rosalía vive **cerca**.

● Muchos de los adverbios de modo se forman añadiendo el sufijo **–mente** a un adjetivo.
rápido > **rápidamente** / final > **finalmente**

7 Relaciona los verbos y adverbios. Hay más de una combinación posible.

1 Respirar	a tranquilamente.
2 Hacer algo	b profundamente.
3 Actuar	c inmediatamente.
4 Venir	d rápidamente.
5 Ver	e lentamente.
6 Mirar	f directamente.
7 Aprender	g correctamente.
8 Conducir	h perfectamente.
9 Comer	i detenidamente.
10 Pensar	j responsablemente.

8 Con tu compañero, piensa situaciones y frases donde se utilicen estas expresiones.

Por ejemplo, en el médico:
Respire profundamente.

Pronunciación y ortografía

Entonación

1 🔊67 **Señala la expresión que oyes**

1 a) Ayer nevó en Ávila.
  b) ¿Ayer nevó en Ávila?
  c) ¡Ayer nevó en Ávila!

2 a) ¿Volverá más tarde?
  b) ¡Volverá más tarde!
  c) Volverá más tarde.

3 a) Tienes muchas plantas.
  b) ¿Tienes muchas plantas?
  c) ¡Tienes muchas plantas!

4 a) Ella no lo sabe.
  b) ¿Ella no lo sabe?
  c) ¡Ella no lo sabe!

2 🔊67 **Escucha otra vez y repite.**

5 a) ¡Han llegado!
  b) ¿Han llegado?
  c) Han llegado.

6 a) Hay mucha gente.
  b) ¿Hay mucha gente?
  c) ¡Hay mucha gente!

7 a) No la quieres.
  b) No, la quieres.
  c) ¿No la quieres?

8 a) ¿Qué pasó?
  b) ¿Qué? ¿Paso?
  c) ¡Que paso!

Hablar y escuchar

Ofrecer y pedir ayuda

1 🔊 **68** Escucha el diálogo.

Abel: ¿Qué te parece si organizo una barbacoa en mi casa con los compañeros de clase para celebrar el final de curso?
Gloria: ¿Cuándo?
Abel: El próximo domingo.
Gloria: ¡Genial! ¿Puedo ayudarte en algo?
Abel: Bueno, te lo agradezco mucho. Yo puedo encargar la comida el sábado por la mañana, pero me queda por organizar el tema de las bebidas.
Gloria: ¿Quieres que te ayude? Conozco una tienda cerca de aquí, que además tiene muy buenos precios. Podemos ir el sábado por la tarde.
Abel: ¿De verdad no te importa?
Gloria: Por supuesto que no. Lo haré encantada.

Abel: Además de la bebida, vamos a necesitar unas bolsas de hielo y vasos y platos de plástico.
Gloria: Vale. No hay problema. Espero que haya de todo en esta tienda. ¿Cuándo se lo vamos a decir a los compañeros?
Abel: Se lo decimos esta tarde sin falta. Ahora quería pedirte un último favor: ¿te importaría quedarte para ayudarme a recoger después de la fiesta?
Gloria: No hace falta que me lo pidas. Ya lo había pensado. Y así me invitas a un último refresco cuando se vayan todos.

2 Lee y completa los diálogos con tus propias ideas.

1 ■ Hace mucho calor en esta habitación.
  ● ¿Quieres que _____?
2 ■ Estos ejercicios son muy difíciles.
  ● No te preocupes. ¿Puedo _____?
3 ■ No quiero ir sola. ¿Te importaría _____?
  ● Por supuesto. _____
4 ■ Esa música está muy alta. ¿Podrías _____?
  ● Vale. _____

Comunicación

- ¿Puedo ayudarte en algo? / ¿Quieres que te ayude?
- ¿De verdad no te importa?
- Por supuesto que no. Lo haré encantada.
- Vale. No hay problema.
- ¿Te importaría quedarte?
- No hace falta que me lo pidas...

3 Pregunta y responde a tu compañero como en el ejemplo. Utiliza las ideas del recuadro.

■ *Quería organizar una fiesta sorpresa para mi marido. ¿Qué te parece?*
● *Me parece estupendo. ¿Quieres que te ayude?*

■ *Me queda por avisar a sus compañeros de la oficina. ¿Te importaría decírselo?*
● *Por supuesto. Lo haré encantada.*

> despedida de soltera / buscar discoteca
> fiesta de cumpleaños / comprar tarta
> partido de fútbol / llamar árbitro
> viaje fin de semana / comprar billetes

4 Practica un nuevo diálogo con tu compañero, como en el ejercicio 1. Puedes utilizar alguna de las ideas del ejercicio anterior.

5 🔊 **69** Escucha la conversación telefónica y contesta a las preguntas.

1 ¿Adónde va a ir Miguel?
2 ¿Para qué llama Miguel a Elisa?
3 ¿Qué le propone Elisa a Miguel?
4 ¿Para qué se ofrece Elisa?
5 ¿Cómo van a ir al festival?
6 ¿Qué información le va a dar Miguel a Elisa cuando lo sepa?

Leer

Los aztecas

1 ¿Qué sabes del pueblo azteca? Antes de leer, señala si la información es V o F.

1 Los aztecas fundaron Lima. ☐
2 El Imperio azteca se extendía por Centroamérica y llegaba hasta las costas del Pacífico. ☐
3 En el escudo de la bandera mexicana aparece una serpiente que se come a un águila. ☐
4 Hernán Cortés fue un caudillo azteca. ☐
5 La base de su alimentación era el trigo. ☐
6 Los aztecas eran buenos astrónomos. ☐

2 Lee la información y comprueba si tus respuestas son acertadas.

Los aztecas

El zócalo* de la Ciudad de México es hoy una de las plazas más grandes del mundo. Ese entorno urbano fue el corazón de una ciudad llamada Tenochtitlan, capital de un Imperio que se extendió desde las costas del Pacífico hasta Centroamérica.

Los aztecas procedían de un lugar llamado Aztlan (lugar de las garzas), una isla en medio de una laguna en el norteño estado de Nayarit. Durante más de trescientos años deambularon siguiendo los cauces de los ríos, pescando y cazando, hasta llegar a lo que hoy se conoce como Valle de México, para edificar Tenochtitlan.

Tenochtitlan se comenzó a construir en 1345, en un islote abandonado a las orillas del lago de Texcoco, precisamente en el mismo lugar, según la leyenda, en donde los aztecas vieron una señal expuesta por el dios Huitzilopochtli: un águila sobre un nopal, devorando una serpiente. Esta escena aún puede verse representada como escudo de la bandera mexicana.

Los aztecas o "mexicas" fueron maestros en la construcción de templos con forma de pirámide, y sus avanzados conocimientos en matemáticas y astronomía los encontramos en su cé-

Mural de Diego Rivera

lebre calendario, compuesto por un año de dieciocho meses, de veinte días cada uno, más otros cinco complementarios. Su economía se basaba principalmente en la agricultura. Cultivaban maíz, camote, tabaco y hortalizas. Además, inventaron el chocolate, extraído del árbol del cacao.

Los aztecas también fueron hábiles guerreros que sometieron a la mayoría de los pueblos de su entorno. El apogeo de su dominación territorial coincidió con la llegada de los ejércitos es-

pañoles, en 1519, comandados por Hernán Cortés.

El capitán español, con más estrategia que fuerza militar, detuvo a Moctezuma (caudillo de los aztecas) y dos años más tarde logró destruir Tenochtitlan. Con las piedras de las grandes pirámides se construyeron la catedral y los palacios de una nueva ciudad colonial que ocultó bajo tierra muchos vestigios de la cultura azteca, que han sido redescubiertos mucho tiempo después.

*Zocalo: nombre que reciben las plazas en México.

3 Responde a las preguntas.

1 ¿Cómo se llamó la ciudad construida por los aztecas?
2 ¿Quién era Hernán Cortés? ¿Qué hizo?
3 ¿Quién era Moctezuma?
4 ¿De dónde procede el chocolate?
5 ¿Qué forma tienen los templos aztecas?
6 ¿En qué consiste el calendario azteca?

Escribir

Una redacción

1 ¿Crees que es necesario escribir redacciones para aprender español? Discútelo con tus compañeros.

Comunicación

Organización

Además de la lengua utilizada, lo más importante en una redacción es la organización, tanto de la forma como de las ideas. La estructura más general de una redacción sobre un tema es:

a. **Introducción**: una afirmación general.

b. **Argumentos a favor**: razones y ejemplos.

c. **Más argumentos a favor o argumentos en contra**: razones y ejemplos.

d. **Conclusión**: resumen y opinión propia.

Procedimiento

Antes de empezar a escribir debes tener una lista de ideas sobre el tema. Luego, redacta un borrador. A continuación, revísalo con ayuda del diccionario y de una gramática. Por último, pásalo a limpio.

2 Vamos a escribir una redacción sobre el siguiente tema: *Nuestros bisabuelos vivían mejor que nosotros.*
En grupos de cuatro. Primero discutid el tema y recoged las ideas en dos columnas.

NUESTROS BISABUELOS
No tenían internet.

NOSOTROS
Tenemos más posibilidades de estudiar.

3 Compara las ideas de tu grupo con las del resto de la clase. Completa tu lista con ideas de los otros.

4 Relaciona cada uno de los párrafos siguientes con uno de los apartados de la redacción.

En fin, yo creo que a pesar de la contaminación y de la vida artificial, nosotros tenemos más oportunidades que nuestros abuelos. ☐ d

La gente mayor suele decir que antes se vivía mejor que ahora. ☐

Por otro lado, antes la comida era más natural, no tenía tantos conservantes como ahora. ☐

Ahora, gracias a los adelantos, podemos viajar en pocas horas a cualquier lugar del mundo. ☐

5 Ahora escribe la redacción (de unas 150 palabras) sobre el tema anterior. Utiliza los conectores apropiados.

Comunicación

Introducción

Mucha gente piensa / dice...
Este tema es polémico porque...
Para empezar, tengo que decir que...

Argumentación

En primer lugar..., en segundo lugar..., por último...
Por una parte / Por otra parte...
Sin embargo / No obstante...
Antes..., ahora, en cambio...
Además...
Aunque...
Por ejemplo...

Conclusión

En resumen..., para terminar...,
En fin, yo pienso que...

1 Describe cómo van vestidos estos dos personajes.

A. El hombre lleva…   B. La mujer lleva…

2 Completa el texto con las palabras del recuadro.

guantes • calcetines • cálidos • jersey • vestirse
bufanda • botas • fríos • gorro • abrigo

La gente de países (1)_____ encuentra difícil imaginar cómo la gente de los países muy (2) _____ puede vivir y trabajar en los meses de invierno. Estas personas lo consiguen porque saben cómo (3) _____ para el frío. Primero, es muy importante mantener la cabeza, las manos y los pies calientes; por eso todo el mundo lleva (4) _____, (5) _____ de lana para mantener sus manos calientes, (6) _____ altos y unas (7)_____ de piel. Por supuesto tienen que llevar un buen (8) _____ y un (9) _____ de lana gorda debajo. Una (10)_____ alrededor del cuello también ayuda a protegernos del frío.

3 Completa con los pronombres correspondientes.

1 ▪ ¿Quién te ha regalado ese reloj?
   ● _____ _____ ha regalado mi marido.
2 ▪ ¿Me dejas tu ordenador este fin de semana?
   ● No, _____ necesito yo. Pide____ ____ a Enrique.
3 ▪ Tengo mucha sed, ¿_____ traes un vaso de agua, por favor?
   ● Ahora mismo _____ _____ traigo.
4 ▪ ¿_____ has contado a Jorge la noticia?
   ● No, _____ _____ contaré mañana.
5 ▪ ¿Me has traído el libro que te encargué?
   ● Sí, ya _____ _____ he traído.

4 Completa las frases y colócalas en el diálogo.

1 Ese bolso, ¿cuánto _____?
2 Oiga, por favor, ¿tiene unos vaqueros de la _____ 42?
3 ¡Uy! Es muy _____. ¿Me lo deja un poco más _____?
4 No me _____ bien. Necesito una talla más.
5 Entonces, póngame las dos cosas, que me _____ llevo.

▪ _____
_____
_____
_____

● Aquí tenemos uno de su talla. Pase por aquí al probador.

▪ _____
_____
_____

● Aquí los tiene. ¿Qué más quiere?

▪ _____
_____
_____

● Cuesta 80 euros.

▪ _____
_____
_____

● Bueno… Como estamos en época de rebajas se lo dejo en 60 €.

▪ _____
_____

5 Mira estas frases. Algunas son correctas y otras no. Corrige las incorrectas.

1 Vivo en París desde dos años.
  Vivo en París desde hace dos años.

2 Ernesto estudiaba tres años en la Universidad de Sevilla.
  _____

3 Mi abuelo ha muerto en 1977.
  _____

4 A Lucía le caen mal los vagos.
  _____

5 Luis llega en casa a las 9 de la noche.
  _____

6 Cuando llegamos a la estación, el tren ya salió.
  _____

7 ¿A qué hora sale el tren para Barcelona?
  _____

8 Mi amigo Paco es alto y un poco calvo.
  _____

9 Rosa no enfada casi nunca, es muy amable.
  _____

10 No me gusta la gente que no dice la verdad.
  _____

11 En mi empresa buscan a alguien que tenga conocimientos de chino.
  _____

12 Ana ha empezado trabajar en una tienda de ropa.
  _____

13 He comprado manzanas para que Luis prepara una tarta.
  _____

14 Mila, no pongas los zapatos ahí.
  _____

15 Si te duele más tiempo la cabeza, es conveniente que vas a ver al médico.
  _____

6 Lee y completa con las palabras del recuadro.

> la madrugada • diciembre • millares
> mejores • nuevo • la costumbre • los turrones
> las campanadas

NOCHEVIEJA

Se llama Nochevieja la noche del 31 de _____ (1), cuando se despide el año viejo y se recibe el _____ (2). Los españoles ese día tienen _____ (3) de tomar doce uvas a las doce de la noche, una uva con cada campanada del reloj. Antes de eso, las familias se reúnen para cenar juntas. La cena puede consistir en cordero, pavo o mariscos, acompañado todo de vino. De postre, no pueden faltar _____ (4) y mantecados típicos de las Navidades.

Unos minutos antes de las doce, toda la familia se prepara para tomar las uvas, generalmente delante de la televisión, que ese día transmite _____ (5) del reloj de la Puerta del Sol de Madrid. Otra gente prefiere tomarlas al aire libre, delante del Ayuntamiento de su pueblo o ciudad. Sin duda, el lugar más emblemático para recibir el Año Nuevo es la Puerta del Sol, donde _____ (6) de personas se reúnen para vivir el momento en directo. Al terminar las campanadas (y las uvas), se abren las botellas de cava y todos se felicitan y se desean los _____ (7) deseos para el Año Nuevo. Por su parte, los jóvenes salen de casa para asistir a alguna fiesta y bailar hasta _____ (8). Para reponer fuerzas, se suele desayunar chocolate con churros, antes de irse a dormir.

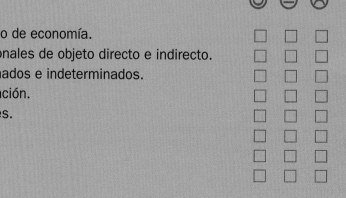

¿Qué sabes?

☺ ☺ ☹

- Ir de compras. Hablar un poco de economía. ☐ ☐ ☐
- Utilizar los pronombres personales de objeto directo e indirecto. ☐ ☐ ☐
- Utilizar los artículos determinados e indeterminados. ☐ ☐ ☐
- Escribir una carta de reclamación. ☐ ☐ ☐
- Hablar de fiestas tradicionales. ☐ ☐ ☐
- Pedir un favor formalmente. ☐ ☐ ☐
- Pedir permiso formalmente. ☐ ☐ ☐
- Escribir una redacción. ☐ ☐ ☐

ANEXOS

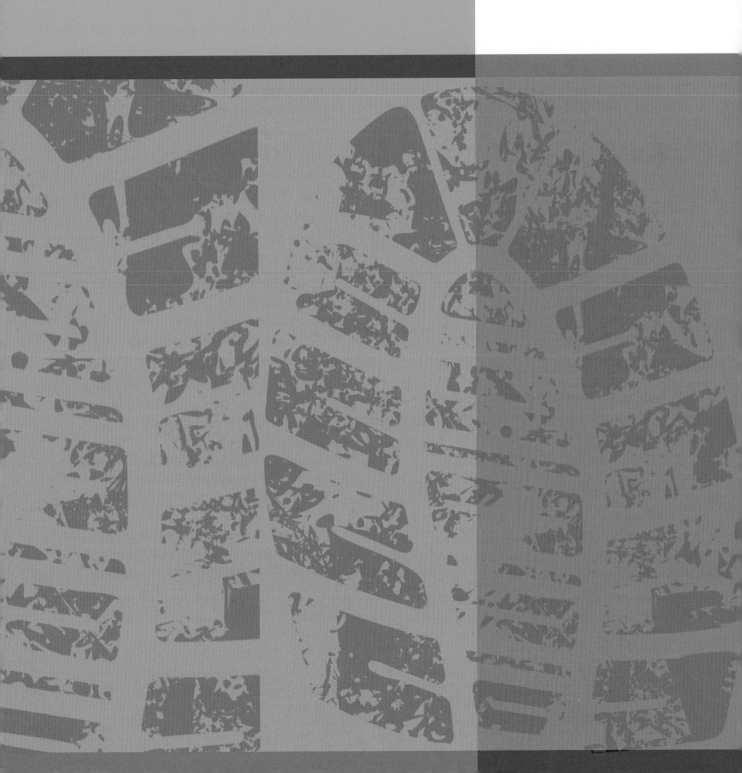

GRAMÁTICA

PRESENTE

→ Se utiliza la forma del **presente** de indicativo:

- Para hablar de hábitos.

  *Luis no **va** nunca a la discoteca.*

- Para dar información general sobre uno mismo o sobre el mundo.

  ***Soy** española, **soy** peluquera y **me gusta** mi trabajo.*
  *Muchas tiendas en España **cierran** a mediodía.*

- Para hablar del futuro.

  *Mañana **te espero** a las tres en mi casa.*

- Para dar instrucciones.

  *Para poner en marcha el coche, primero **enciendes** el motor y **empujas** el pedal del embrague…*

PRETÉRITO PERFECTO

→ Se utiliza el **pretérito perfecto**:

- Para hablar de acciones acabadas que llegan hasta el presente.

  *Ahora mismo **he visto** a Paco en el pasillo y me **ha dicho** que no vendrá mañana.*

- También para hablar de experiencias personales o de acciones acabadas sin determinar el marco temporal.

  *Manu **ha viajado** mucho por Brasil.*

PRETÉRITO INDEFINIDO

→ Se utiliza el **pretérito indefinido**:

- Para hablar de acciones o estados acabados en un momento determinado del pasado.

  *Rosalía **ganó** el Premio Ondas en 1998.*

PRETÉRITO IMPERFECTO

→ El **pretérito imperfecto** se utiliza:

- Para hablar de acciones habituales en el pasado.

  *Antes **salía** mucho los fines de semana, pero ahora prefiero quedarme en casa.*

- También para descripciones en el pasado.

  *El camino del río **era** muy estrecho y acababa en un arenal.*

- Se expresan acciones en desarrollo, muchas veces interrumpidas por otra puntual.

  *Empezó a llover cuando **llegábamos** a la playa.*

FUTURO

→ Se usa el **futuro** para:

- Hacer predicciones.

  *Dentro de unos años **viajaremos** a la Luna.*

- Hacer promesas.

  *Pasado mañana **visitaré** a tu padre.*

- Detrás de **creo que** / **supongo que**.

  *Creo que Juan **viajará** a Barcelona.*

EXPRESAR DURACIÓN Y TIEMPO DE UNA ACCIÓN

→ Informar, preguntar y responder sobre el tiempo que hace que se realiza una acción.

- *Desde hace* + cantidad de tiempo

  *No veo a mis primos **desde hace** diez años.*

- *Desde* + fecha

  *Vive en Berlín **desde** febrero.*

- *Desde que* + frase

  *No sale con sus amigas **desde que** tiene novio.*

- *Hace* + tiempo + *que* + frase

  ***Hace** tres años **que** trabajo en esta empresa.*

- *Cuánto tiempo hace que* + frase

  - ***¿Cuánto tiempo hace que** eres vegetariana?*
  - *Siete años.*

- *Desde cuándo* + frase

  - ***¿Desde cuándo** estudias chino?*
  - *Desde hace tres meses.*

REGLAS DE ACENTUACIÓN

Agudas. Son las palabras cuya sílaba tónica es la última. Llevan tilde cuando **terminan en vocal, *n* o *s*.**
café, perdón, japonés.

Llanas. Son las palabras que tienen el acento tónico en la penúltima sílaba. Llevan tilde cuando **terminan en consonante, excepto en *n* o *s*.**
fácil, árbol, fértil.

Esdrújulas. Son las palabras cuya sílaba tónica es la antepenúltima. **Llevan tilde siempre.**
música, ácido, plátano.

VOCABULARIO

VERBOS

estudiar • trabajar • trasladarse • vivir
construir • existir • vender • escribir

Ejercicios prácticos

EXPRESAR DURACIÓN Y TIEMPO DE UNA ACCIÓN

1 Relaciona y forma frases. Hay muchas opciones posibles.

1 Pedro se encuentra mejor
2 Raúl trabaja en un restaurante
3 Está deprimido
4 No vemos a María
5 Vivimos en este piso
6 Tengo carné de conducir
7 Estudio español
8 Clara lleva gafas

desde
desde hace
desde que

a toma las pastillas nuevas
b 2007
c le despidieron del trabajo
d tenía 18 años
e tres meses
f era niña
g mucho tiempo
h abril

PRET. PERFECTO, INDEFINIDO E IMPERFECTO

2 Completa las frases con el verbo en el tiempo adecuado.

1 ¿Dónde _____ (vivir, tú) cuando _____ (tener) diez años?
2 ¿Qué _____ (hacer, vosotros) ayer?
3 Esta mañana _____ (ver, nosotros) un accidente al salir de casa.
4 ¿Cuántas veces _____ (estar, tú) en Nueva York?
5 Anoche _____ (acostarse, yo) antes de las doce.
6 La semana pasada _____ (ir, ellos) a esquiar a los Alpes suizos.
7 Hace 30 años la gente no _____ (utilizar) internet.
8 Mi hermano _____ (ganar) muchos premios de fotografía. ¡Es muy bueno!

3 Subraya el verbo adecuado.

1 Rosalía *vivió / ha vivido* en Lima hasta 1951.
2 Mis hermanos nunca *han salido / salían* al extranjero.
3 ■ ¿*Tuviste / Has tenido* alguna vez un accidente grave?
   ● Sí, en 1998 mi coche *chocó / ha chocado* con un camión. *Estuve / He estado* diez meses en el hospital.
4 Federico en su juventud *vivió / ha vivido* en muchos sitios: Roma, Copenhague, Nairobi…
5 ■ Hablas muy bien español, ¿dónde lo *has aprendido / aprendiste*?
   ● *Empecé / He empezado* hace diez años en el instituto y cuando *terminé / he terminado* mis estudios *vine / he venido* a Mallorca a trabajar.
6 ■ ¿Qué tal el fin de semana?
   ● Bien, el sábado *fui / he ido* a ver un partido de fútbol y el domingo *invité / he invitado* a Pablo a comer en un restaurante.
7 ■ ¿*Has probado / Probabas* la paella alguna vez?
   ● Sí, la *probaba / probé* una vez en casa de mi amigo Antonio.
8 ■ ¿Te gusta bailar?
   ● Sí, me encanta. Antes nunca *iba / he ido* a la discoteca, pero últimamente *iba / he ido* todos los sábados.

FUTURO

4 Completa con la forma adecuada del futuro.

1 ¿Qué _____ si tus padres te preguntan por las notas esta noche? (decir)
2 Este domingo yo no _____ con mis amigos, tengo que estudiar. (salir)
3 Si apruebo todas las asignaturas, mis padres me _____ un viaje a París. (pagar)
4 Dicen que el año próximo _____ más becas para todos los estudiantes. (haber)
5 Han dicho en la tele que este fin de semana _____ nieve en la sierra, y _____ ir a esquiar. (haber, poder)
6 Jorge dice que de mayor _____ pianista. (ser)
7 En el futuro la gente _____ solamente energía solar. (usar)
8 Es mejor que salgamos pronto porque si no _____ mucho tráfico. (haber)

GRAMÁTICA

PRETÉRITO PLUSCUAMPERFECTO

→ Se utiliza para expresar acciones acabadas y pasadas, anteriores a otras acciones también pasadas.

> *Cuando llegué a casa, mi marido ya **había preparado** la cena.*
> (La acción de preparar la cena es anterior a la de llegar).
> *Clara lloraba porque su madre no le **había comprado** un helado.*
>
> *Me encontré a Carlos y me dijo que **había cambiado** de trabajo.*

→ Se forma con el pretérito imperfecto del verbo *haber* y el participio del verbo que indica la acción.

Haber (imperfecto) + participio		
yo	había	
tú	habías	
él / ella / Ud.	había	hablado
nosotros/as	habíamos	comido
vosotros/as	habíais	vivido
ellos / ellas / Uds.	habían	

PREPOSICIONES

A

→ Se utiliza para indicar dirección, movimiento.
> *Vamos **a** la estación de autobuses.*

→ Con el verbo *estar*, puede expresar:
> Ubicación: *El baño está **a** la derecha del salón.*
> Distancia: *El aeropuerto está **a** 5 km.*
> Temperatura: *Estamos **a** 0 °C.*
> Precio: *La merluza está **a** 30 € el kilo.*

→ Con el verbo *ir*, puede expresar velocidad.
> *Yo nunca voy **a** más de 130 km/hora.*

DE

→ Indica origen, en el tiempo y en el espacio.
> *Rosa viene **del** supermercado.*
> *Este vino es **de** Rioja.*

→ Con el verbo *ir* forma múltiples expresiones.
> *Ir **de** viaje, ir **de** compras, ir **de** vacaciones, ir **de** excursión.*
> *Nosotros este año no vamos **de** vacaciones porque no podemos.*

DESDE

→ Se usa para indicar origen en el espacio y en el tiempo.
> *Viven aquí **desde** 1980.*
> ***Desde** mi casa hasta allí hay dos kilómetros.*

EN

→ Se utiliza para indicar ubicación, en el tiempo y en el espacio.
> *En España hace mucho calor **en** verano.*

→ Forma de transporte.
> *Me gusta más viajar **en** tren que **en** avión, es más romántico.*

HASTA

→ Se utiliza para indicar punto final en el tiempo y en el espacio.
> *Estaremos en Madrid **hasta** el 21 de diciembre.*

POR

→ Se utiliza para indicar causa, razón.
> *Han despedido a Juan **por** llegar tarde al trabajo.*

→ Lugar.
> *Ven **por** la carretera de Toledo, es más corto el viaje.*

→ Medio.
> *Envíame las fotos **por** e-mail, por favor.*

PARA

→ Se utiliza para indicar finalidad, objetivo.
> ***Para** venir a mi casa tienes que bajarte en la estación del metro de Plaza Cataluña.*

→ Utilidad.
> ■ *Papá, ¿**para** qué sirve esta máquina?*
> ● ***Para** hacer agujeros en la pared.*

VOCABULARIO

MOVERSE POR LA CIUDAD

> estación • atasco • regresar • llegar • metro
> rápido • durante • tren • ir • coche • tardar
> transbordo • autobús

COSAS DE LA CASA

> aire acondicionado • calefacción • chimenea
> equipo de música • ordenador • televisión
> vídeo • DVD • lavaplatos • lavadora • secadora

Ejercicios prácticos

PRETÉRITO PLUSCUAMPERFECTO

1 Forma frases usando el pretérito pluscuamperfecto o pretérito indefinido como en el ejemplo.

1 Gonzalo se _enfadó_ (enfadarse) porque ellos _habían dejado_ (dejar) todas sus cosas desordenadas.
2 Cuando Franco _____ (morir) yo aún no _____ (nacer).
3 Cuando _____ (volver, ellos) a casa, todavía no _____ (arreglar, ellos) el ascensor.
4 La última vez que _____ (ver, yo) a Marisa, _____ (adelgazar) muchísimo.
5 Cuando Eva _____ (empezar) la carrera, nosotros ya _____ (terminar).
6 A los 27 años, Leopoldo Muñoz ya _____ (componer) sus obras más importantes.
7 ¿_____ (Ver, vosotras) antes un paisaje como este?
8 No _____ (poder, nosotros) comprar los sellos porque ya _____ (cerrar, ellos) el estanco.

PREPOSICIONES

2 Completa con la preposición adecuada.

> a • hasta • en • para • de

1 _____ Núñez de Balboa _____ Callao no hay muchas estaciones.
2 Mi abuelo iba todos los días _____ tranvía _____ la Puerta del Sol.
3 Están haciendo obras _____ comunicar este barrio con el centro.
4 Tu casa está _____ poca distancia de la mía.
5 Un coche de segunda mano de esa marca te puede costar _____ 5000 euros.
6 El mercado está _____ cinco minutos de mi casa.
7 Puedo ir _____ su casa andando, pero suelo ir _____ metro por comodidad.
8 Puedo esperar _____ menos diez, después tengo que irme a la oficina.

3 Subraya la opción correcta.

1 Toco la guitarra _por_ / *para* diversión, pero no soy músico profesional.
2 Me necesitan en el hospital, ahora mismo voy *por* / *para* allá.
3 ¿*Por* / *Para* dónde vivías tú?
4 Le han dado un premio *por* / *para* sacar buenas notas.
5 Si quieres te mando las fotos de la fiesta *por* / *para* e-mail.
6 Si vienes a mi casa *por* / *para* la autopista, toma la primera salida.

VOCABULARIO

4 Ordena las letras para formar palabras. Después, completa el texto con ellas.

- CHOCE → _coche_
- CIÓNTAES → _____
- TASCOA → _____
- GRESARER → _____
- TERANDU → _____
- BORTRANSDO → _____
- TRARDA → _____
- PIRÁDO → _____
- NERT → _____
- MOTER → _____

5 Ahora completa el texto con las palabras del ejercicio anterior.

Querido diario:

Hoy he decidido ir a clase en <u>coche</u> (1) para llegar más _____ (2). ¡Vaya idea! Primero me ha pillado un _____ (3) en la M-30 y he estado ahí parada _____ (4) media hora. Luego, me he encontrado la carretera cortada por obras, así que he tenido que _____ (5) hasta el puente y tomar otro camino mucho más largo. Al rato, se me ha pinchado una rueda. ¡Y no pasaba ni un taxi! Para no _____ (6) más, he decidido caminar hasta la _____ (7) de Atocha y tomar el _____ (8) de cercanías. Mañana voy en _____ (9), como siempre, aunque tenga que hacer _____ (10), y se acabó.

GRAMÁTICA

VERBOS REFLEXIVOS Y VERBOS *LE*

➜ Tenemos una serie de verbos que funcionan habitualmente con los pronombres *me, te, le, nos, os, les*. Siguen el mismo esquema que el verbo *gustar*.

a mí	me	
a ti	te	
a él / ella / Ud.	le	
a nosotros/as	nos	cae/n bien / mal
a vosotros/as	os	
a ellos / ellas / Uds.	les	

> A mí no **me interesa** la política.
> ¿A ti **te cae** bien la profesora nueva?
> A ella no **le queda** bien esa blusa.
> A nosotros **nos preocupan** el medioambiente.
> ¿A vosotros **os preocupa** la contaminación?
> A ellos no **les importa** llegar tarde.

➜ Otros verbos funcionan con los pronombres reflexivos *me, te, se, nos, os, se*.

me llevo	nos llevamos
te llevas	os lleváis
se lleva	se llevan

> Luis **se lleva** muy bien con Ángel.
> Ayer Rosa **se encontraba** mal y no fue a clase.

➜ A veces el mismo verbo puede usarse con las dos estructuras. En este caso, el verbo puede tener significados muy diferentes o, por el contrario, no variar apenas.

> Julio no **se queda** nunca en casa los sábados por la noche.
> A Ana **le queda** muy bien el vestido blanco.

ORACIONES DE RELATIVO

➜ Las **oraciones de relativo** están introducidas por los pronombres *que, el/la cual, los/las cuales, quien, quienes*. El relativo más utilizado, tanto para personas como para cosas es *que*.

➜ Las oraciones de relativo pueden llevar el verbo en indicativo o subjuntivo.

• **Indicativo**: cuando el hablante conoce la existencia del antecedente.

> He visto un restaurante nuevo **que pone** un cocido buenísimo.
> Estamos buscando un bar **que tiene** unas tapas buenísimas.

• **Subjuntivo**: Si el hablante no conoce la existencia del antecedente.

> Estamos buscando un bar **que tenga** buenas tapas.

• También se usa el subjuntivo cuando decimos del antecedente que no existe o que es escaso.

> Hay pocos bares **que tengan** buenas tapas.

CONDICIONAL

➜ Cuando se utiliza independientemente, el **condicional** sirve para expresar consejos, sugerencias, deseos poco probables o cortesía.

> Yo que tú **hablaría** con el profesor.
> **Podríamos** comprar un pollo asado y unas patatas fritas para comer.
> Me **gustaría** estudiar música.
> ¿Le **importaría** cerrar la ventana? Tengo frío.

hablar	
hablaría	hablaríamos
hablarías	hablaríais
hablaría	hablarían

CONDICIONALES IRREGULARES

➜ Los **condicionales irregulares** tienen la misma irregularidad que los futuros.

	Futuro	Condicional
decir	diré	diría
hacer	haré	haría
poder	podré	podría
poner	pondré	pondría
salir	saldré	saldría

VOCABULARIO

VERBOS

interesar • encantar • parecer • quedar • reír
enfadarse • preocuparse • importar
darse cuenta • equivocarse

ADJETIVOS DE CARÁCTER

autoritario • vago • creativo • tolerante
ambicioso • responsable • encantador
competitivo • sociable • inseguro
envidioso • cariñoso

Ejercicios prácticos

1 Completa con el pronombre correcto (*me, te, se, le, nos, os, les*).

1 No voy a ir contigo a correr el sábado, no ___ gusta madrugar los fines de semana.
2 Niños, ¿ ____ apetece un helado?
3 Cuando nació Pedro ____ trasladamos a Londres.
4 Ana no ____ encuentra bien, ____ duele la cabeza.
5 Paula y Jorge no están saliendo juntos, pero ____ llevan muy bien.
6 Voy a despedir____ de Susana, mañana ____ va a Buenos Aires.
7 No pongas las música tan alta, a mis vecinos ____ molesta mucho.
8 Víctor, ¿____ parece bien que invitemos a Teresa a comer con nosotros?
9 Mi hija ya sabe andar, pero aún ____ cae a veces.

2 Relaciona cada expresión con su significado.

1 Está de moda.	a Se cae.
2 Acerca a su hijo al colegio.	b Se lleva
3 No tiene buena relación con alguien.	c Le cae bien.
4 Le gusta esa persona.	d Le lleva.
5 Pierde el equilibrio.	e Se lleva mal.
6 Le gustan los coches caros.	f Le van.
7 Deja un lugar para ir a otro.	g Se queda.
8 Permanece en un lugar.	h Le queda bien.
9 Le sienta bien la ropa.	i Se va.

ORACIONES DE RELATIVO

3 Completa con el verbo en la forma correcta.

1 Cómprate un coche barato, pero que _____ (ser) seguro.
2 Conozco una profesora de piano que _____ (dar) clases a niños por 20 euros la hora.
3 Pues yo tengo un programa de ordenador que _____ (servir) para componer tu propia música.
4 ¿Conoces a alguien que _____ (poder) cuidar de mis hijos tres tardes a la semana? Es que yo no encuentro a nadie adecuado.
5 Necesito encontrar la mochila que _____ (usar) para ir al gimnasio y no sé dónde está.

6 Estoy buscando un piso que _____ (tener) una terraza grande y preciosa. Lo vi el otro día en esta página web.
7 Mi jefe está buscando un secretario que _____ (querer) quedarse a trabajar por las tardes hasta las ocho.
8 Me han dicho que en este trabajo necesitan chicos que _____ (tener) carné de conducir.
9 ¿Conoces a alguien que _____ (trabajar) en televisión?
10 Buenos días, póngame un pollo, que no _____ (ser) muy grande, por favor.

VOCABULARIO

4 Relaciona cada adjetivo con su definición.

> autoritario • creativo • tolerante • ambicioso
> conservador • vago • responsable
> encantador • ~~sociable~~
> inseguro • envidioso • cariñoso

1 Le gusta mucho estar con otra gente: *sociable*
2 No está seguro de sí mismo: _____
3 Siempre dice a los otros lo que tienen que hacer: _____
4 Desea riqueza, poder o fama: _____
5 Tiene muchas ideas originales: _____
6 Sabe bien cuáles son sus obligaciones y las cumple: _____
7 Desea lo que tienen los demás: _____
8 Admite ideas muy diferentes: _____
9 Le gusta el orden establecido: _____
10 Persona muy agradable: _____
11 No le gusta trabajar: _____
12 Afectuoso: _____

CONDICIONAL

5 Completa con el verbo en condicional.

1 Me *gustaría* (gustar) vivir más cerca de mi trabajo.
2 Yo que tú no _____ (salir) a esas horas por esta zona, es peligroso.
3 ¿ _____ (Poder, usted) traernos otra cuchara, por favor?
4 Yo que tú _____ (ver, él) menos la televisión.
5 Nosotros, en tu lugar, _____ (leer) bien las instrucciones antes de usar el aparato.

GRAMÁTICA

PERÍFRASIS VERBALES

→ Las **perífrasis verbales** se utilizan para expresar distintos matices en la duración, temporalidad o intencionalidad del hablante.

- *Seguir* o *llevar* + gerundio expresan la duración de una acción que empezó en el pasado y que aún continúa.
  ¿Sigues viviendo en la misma casa?*
  Llevo trabajando en Madrid tres años.*

- *Dejar de* + infinitivo expresa finalización.
  El niño ya **ha dejado de llorar**.

- *Acabar de* + infinitivo se utiliza para expresar una acción que ha sucedido en un tiempo muy reciente.
  Acabamos de volver de vacaciones.

- *Empezar a* + infinitivo expresa inicio.
  Empecé a estudiar español cuando era joven.

- *Volver a* + infinitivo expresa repetición.
  Volvieron a verse después de unos años.

ESTAR + GERUNDIO.

→ Con la perífrasis *estar* + verbo en gerundio expresamos acciones en desarrollo ya sea en el presente, en el pasado o en el futuro.
  Roberto **está leyendo** una novela.
  Lucía **estuvo esperando** el autobús una hora.
  Mañana a esta hora **estaré comiendo** con Ana.

HE ESTADO / ESTABA / ESTUVE + GERUNDIO

Pret. imperfecto	Pret. indefinido	+ gerundio
estaba	estuve	
estabas	estuviste	
estaba	estuvo	trabajando viviendo
estábamos	estuvimos	
estabais	estuvisteis	
estaban	estuvieron	

→ La diferencia entre *estaba viviendo* y *estuve viviendo* es la misma que entre *vivía* y *viví*.
  Yo **estuve viviendo / viví** en Lugo un año.
  Cuando **estaba viviendo / vivía** en Perú, fui a Lima.

→ No se utiliza la perífrasis *estaba* + gerundio para expresar hábitos en el pasado.
  Yo antes ~~estaba jugando~~ jugaba al fútbol todos los domingos.

Pretérito perfecto + gerundio	
he estado	
has estado	
ha estado	
hemos estado	leyendo
habéis estado	
han estado	

→ Este tiempo se utiliza para expresar acciones en desarrollo en un pasado reciente. Pretende dar énfasis a la duración de la actividad.
  He estado leyendo toda la mañana.

→ Recuerda que el **pretérito imperfecto** se utiliza para expresar acciones pasadas no acabadas, para hacer descripciones del pasado así como para expresar hábitos en el pasado.
  Mi abuela **vivía** con nosotros.
  Cuando **éramos** jóvenes, **dormíamos** mucho.

FORMACIÓN DE CONTRARIOS

→ Para la formación de adjetivos contrarios, usamos los prefijos *in-*, *i-* y *des-*.

feliz	→	*infeliz*
responsable	→	*irresponsable*
agradable	→	*desagradable*

→ Si el adjetivo empieza por **p** o **b**, el prefijo es *im-*, en vez de *in-*.

posible	→	*imposible*

ACENTUACIÓN DE MONOSÍLABOS

→ Las palabras de una sílaba (monosílabas) llevan tilde cuando son diferentes en categoría gramatical o significado.

Con tilde	Sin tilde
él (pronombre)	el (artículo)
mí (pronombre)	mi (posesivo)
sé (verbo saber)	se (pronombre)
sí (adverbio)	si (conjunción condicional)
té (nombre)	te (pronombre)
tú (pronombre)	tu (posesivo)

Ejercicios prácticos

PERÍFRASIS VERBALES

1 Daniela no ha cambiado mucho en los últimos diez años. Mira la lista y escribe frases diciendo qué cosas sigue haciendo y cuáles ha dejado de hacer.

1 Salir a correr por las mañanas.
   Daniela sigue saliendo a correr por las mañanas.
2 Escribir todo lo que hace en un diario. (NO)
   Daniela ha dejado de escribir todo lo que hace en un diario.
3 Hacer unos pasteles buenísimos.
   _____
4 Contar unos chistes muy graciosos.
   _____
5 Leer revistas del corazón. (NO)
   _____
6 Ser un poco impaciente.
   _____
7 Maquillarse a diario. (NO)
   _____
8 Morderse las uñas. (NO)
   _____
9 Ir de vez en cuando a la montaña para relajarse.
   _____

2 Cambia la frase usando *dejar de, acabar de, empezar a, volver a* + infinitivo o *seguir, llevar* + gerundio.

1 Mi marido **ya no** conduce.
   *Mi marido **ha dejado de** conducir.*
2 Mañana me apuntaré **otra vez** a yoga.
   _____
3 Luisa me ha llamado **justo ahora**.
   _____
4 **Todavía** echo de menos mi antiguo barrio.
   _____
5 El niño llora **desde hace un rato**.
   _____
6 ¿**Todavía** usas esas gafas tan viejas?
   _____
7 En cuanto termino de limpiar los cristales, **llueve**.
   _____
8 Hemos puesto la televisión **ahora mismo**.
   _____
9 Siempre que te pido algo, **protestas**.
   _____

HE ESTADO / ESTABA / ESTUVE

3 Subraya la opción correcta.

1 Antes Juanjo siempre *estaba / estuvo* gastando bromas.
2 Conozco a una chica que *ha estado / estaba* estudiando en Berlín cuando cayó el muro.
3 Anoche no pude dormir porque el gato de la vecina **ha estado / estuvo** maullando sin parar.
4 Anoche *estábamos / estuvimos* celebrando el cumpleaños de Gema en un bar cuando vimos la noticia del terremoto en televisión.
5 Durante estos últimos años, *ha estado / estuvo* viajando para perfeccionar sus conocimientos de inglés, pero ahora ha vuelto a su ciudad.
6 Cuando éramos jóvenes, *estuvimos / estábamos* saliendo juntos una temporada.

FORMACIÓN DE CONTRARIOS

4 Los amigos de Eduardo tienen cualidades, pero también defectos. Lee las frases y elige un adjetivo contrario a los del recuadro.

> responsable • paciente • tranquilo/a
> ordenado/a • tolerante • sociable

1 Fran se preocupa demasiado por todo y nunca se relaja, siempre está _____ por alguna cosa.
2 Laura no puede esperar, lo quiere todo ahora y ya. Es bastante _____.
3 Nacho no acepta fácilmente las opiniones diferentes a la suya. Es un poco _____.
4 El escritorio de Ricardo está hecho un lío: lleno de objetos de todo tipo. Es muy _____.
5 Beatriz ha vuelto a dejar a su perro suelto por el jardín vecinal y, claro, ha destrozado las flores. Esta chica es un poco _____.
6 A Arturo no le gusta mucho la gente, y prefiere estar solo. Es un poco _____.

ACENTUACIÓN DE MONOSÍLABOS

5 Escribe las tildes que faltan.

1 El libro daselo a el.
2 Mi casa es para mi y mi familia.
3 No se si se llama Juan o Toni.
4 A ti te gusta mucho el te.
5 ¿Tu sabes que ha hecho tu hermano?

GRAMÁTICA

ORACIONES FINALES

➜ Las oraciones que expresan finalidad y que están introducidas por *para / para que* pueden llevar el verbo en infinito o en subjuntivo.

- *Para* + **infinitivo** se utiliza cuando el sujeto de los dos verbos es el mismo.

  *Lo llamé **para** preguntarle por su salud.*
       (yo)   (yo)

- *Para que* + **subjuntivo** se utiliza cuando los sujetos son diferentes.

  *Te lo cuento **para que** sepas lo que pasó.*
       (yo)   (yo)

➜ Las oraciones interrogativas con *para qué...* se utilizan siempre con indicativo.

  *¿**Para qué** querías verme?*

IMPERATIVO

➜ Se usa el **imperativo** para dar órdenes, para pedir favores, para dar instrucciones y consejos.

  ***Bajad** la voz.*
  *No **hagas** ruido, por favor.*
  ***Bebe** dos litros de agua al día.*

➜ Cuando el imperativo se usa para dar una orden muchas veces se suaviza con por favor.

  *Carlos, **cierra** la puerta, por favor.*

➜ Todas las formas del imperativo (excepto *tú* y *vosotros* en la forma afirmativa) son iguales que las del presente de subjuntivo.

Imperativo	
afirmativo	**negativo**
comer	
come (tú)	no comas (tú)
coma (usted)	no coma (usted)
comed (vosotros)	no comáis (vosotros)
coman (ustedes)	no coman (ustedes)
beber	
bebe (tú)	no bebas (tú)
beba (usted)	no beba (usted)
bebed (vosotros)	no bebáis (vosotros)
beban (ustedes)	no beban (ustedes)

➜ Los verbos que son irregulares en presente de indicativo suelen tener la misma irregularidad en imperativo (excepto la persona *vosotros*).

Dormir	
Presente	**Imperativo**
duermo (yo)	**duerme** (tú) / no **duermas**
	duerma (Ud.) / no **duerma**
	dormid (vos.) / no durmáis
	duerman (Uds.) / no **duerman**

➜ Otros irregulares: *decir, ir, hacer, poner, oír, tener, ser, venir* y *salir*.

Decir	
afirmativo	**negativo**
di (tú)	no digas
diga (Ud.)	no diga
decid (vosotros)	no digáis
digan (Uds.)	no digan

ir: ve - no vayas	**oír:** oye - no oigas
hacer: haz - no hagas	**venir:** ven - no vengas
poner: pon - no pongas	**salir:** sal - no salgas

➜ Imperativo + pronombres.

- **Afirmativo.** Los pronombres van detrás del verbo.

  ***Cállense**, por favor. / **Díselo** tú, Ángel.*

- **Negativo.** Los pronombres van antes del verbo.

  *No **te sientes** ahí. / No se **lo digas** a Juan.*

VOCABULARIO

ALIMENTOS

berenjenas • garbanzos • mejillones
filete • yogur • salchichas • merluza • queso
lentejas • coliflor • leche • huevos • fruta
carne • pescado • pollo • bocadillos • pizza
lechuga • tomates • naranjas • espinacas
pasta • ensaladas • manzanas

PARTES DEL CUERPO

cabeza • frente • orejas • ojos • nariz • boca
cuello • brazos • manos • dedos • pecho
espalda • caderas • piernas • rodillas • pies

Ejercicios prácticos

ORACIONES FINALES

1 Completa con *para, para que* o *para qué*.

1 Te he invitado _____ conozcas mi pueblo.
2 Necesitamos una escalera _____ cambiar esa bombilla.
3 ¿_____ traes los libros? No tenemos tiempo de estudiar.
4 ¿_____ han venido? No lo entiendo, no nos están ayudando.
5 Me llevé a los niños al parque _____ hicieran algo de deporte.
6 Rosario cambió la planta de sitio_____ le diera más la luz.
7 Vive en Moscú, pero de vez en cuando viene aquí _____ visitar a su familia.
8 Le he comprado el periódico _____ lea algo y se entretenga mientras espera.
9 _____ estar en forma, tienes que descansar lo necesario.
10 Habían salido _____ dar un paseo por el barrio, pero se puso a llover y entraron en un cine.

2 Completa estos trucos de cocina de una revista escribiendo el verbo en infinitivo o subjuntivo.

1 Para que tus ensaladas _____ (quedar) perfectas, alíñalas solo unos minutos antes de servirlas.
2 Para _____ (pelar) los tomates más fácilmente, mételos unos segundos en agua hirviendo.
3 Para _____ (conseguir) más zumo, introduce las naranjas en el microondas a máxima potencia durante un minuto.
4 Para que las lentejas no _____ (pegarse), frota el fondo de la olla con un trozo de cebolla cruda.
5 Para que la coliflor no _____ (tener) mal olor al cocerla, echa un chorrito de vinagre en el agua de cocción.
6 Para _____ (dar) un toque especial a tus bocadillos, añádeles unas semillas de sésamo.
7 Para _____ (comprobar) si un huevo es fresco, mételo en un vaso de agua. Si se hunde, es fresco; si flota, no debes utilizarlo.
8 Para que la lechuga _____ (conservar) todos sus nutrientes, córtala con las manos y no con el cuchillo.

VOCABULARIO

3 En esta sopa de letras hay diez partes del cuerpo. ¿Puedes encontrarlas?

C	A	D	E	R	A	V	I	L	E
A	O	Z	F	A	X	J	M	S	U
B	F	D	T	L	O	E	P	U	O
E	R	T	O	L	L	A	P	O	H
Z	E	A	Ñ	I	L	C	O	G	C
A	N	M	Z	D	E	U	S	B	E
Q	T	S	A	O	U	R	D	Z	P
D	E	D	O	R	C	I	W	I	O

IMPERATIVO

4 Completa la tabla con los imperativos irregulares.

	afirmativo	negativo
DECIR		
tú		*no digas*
usted	*diga*	
vosotros/as		
ustedes		
IR		
tú		
usted		
vosotros/as		
ustedes		
HACER		
tú		
usted		
vosotros/as		
ustedes		
VENIR		
tú		
usted		
vosotros/as		
ustedes		

5 Nando y Susana van a salir al teatro y después cenarán fuera. Completa la nota que dejan a su hijo con los verbos en imperativo.

Haz (1) (hacer) los deberes y no _____ (2) (poner) la música muy alta. Y no _____ (3) (ver) mucho la tele.
Tienes la cena en la nevera, _____ (4) (calentar, la cena) en el micro y después de cenar _____ (5) (recoger) la mesa. _____ (6) (Leer) un poco y no _____ (7) (acostarse) muy tarde.
Si necesitas algo, _____ (8) (llamar, a nosotros) al móvil.
Besos,   Papá y mamá.

GRAMÁTICA

EXPRESAR SENTIMIENTOS Y OPINIONES

→ Las oraciones dependientes de verbos como *gustar, interesar, molestar*, que funcionan con los pronombres *me, te, le, nos, os, les*, llevan el verbo en infinitivo o subjuntivo.

- **Infinitivo.** Cuando el sujeto de las dos frases es el mismo.

  Me **preocupa llegar** tarde al médico.
      (yo)   (yo)

- **Subjuntivo.** Cuando el sujeto de los dos verbos es diferente.

  Me **preocupa** que Paco **llegue** tarde al médico.
    (yo)   (él)

HAY QUE + INFINITIVO

→ Se utiliza *hay que* + infinitivo para hablar de obligaciones que afectan a todo el mundo.

  Hay que escuchar al profesor cuando está explicando.

(NO) HACE FALTA (QUE)

- **Infinitivo.** Obligación impersonal.

  No **hace falta limpiar** los cristales, están limpios.

- **Subjuntivo.** Obligación personal.

  No **hace falta** que (tú) **vengas** mañana.

ES NECESARIO, ES IMPORTANTE, ES CONVENIENTE (QUE)

- **Infinitivo.** Cuando la oración subordinada es impersonal, no se refiere a un sujeto concreto.

  Es necesario cuidar el medioambiente.

- **Subjuntivo.** Se utiliza cuando la oración subordinada tiene un sujeto personal.

  Es conveniente que (tú) **hagas** lo que dice el médico.

COMPARATIVOS

→ Comparación con adjetivos.
- **Superioridad:** *más* + adjetivo + *que*.
- **Inferioridad:** *menos* + adjetivo + *que*.
- **Igualdad:** *tan* + adjetivo + *como*.

  Mi coche es **menos** ruidoso **que** el tuyo.

→ Comparación con nombres.
- **Superioridad:** *más* + nombre + *que*.
- **Inferioridad:** *menos* + nombre + *que*.

- **Igualdad:** *tanto/a/os/as* + nombre + *como*.

  Mi coche gasta **tanta** gasolina **como** el tuyo.

→ Comparación con verbos.
- **Superioridad:** verbo + *más que*.
- **Inferioridad:** verbo + *menos que*.
- **Igualdad:** verbo + *tanto como*.

  Mi coche corre **tanto como** el tuyo.

→ Se utiliza la preposición *de* para introducir la segunda parte de la comparación en los siguientes casos:
- Cuando hablamos de una cantidad determinada.

  Me he gastado **más de** 100 € en la lotería.

- Cuando la comparación (adjetiva) va seguida de *lo que*.

  Es **más** caro **de** lo que creía.

- Cuando la comparación (nominal) es cuantitativa.

  Tenemos **menos** sillas de las **que** necesitamos

Comparativos irregulares	
grande	→ mayor
pequeño	→ menor
bueno	→ mejor
malo	→ peor

SUPERLATIVOS

→ Se utilizan para expresar las cualidades en su grado máximo. Hay dos formas de superlativo.
- **Superlativo absoluto:** Se destaca una cualidad sin hacer una comparación. Adjetivo + *-ísimo/a/os/as*.

  Esta niña es **guapísima**.

- **Superlativo relativo:** Expresa la superioridad con respecto a un grupo.

  Es **el más alto** de su clase.

VOCABULARIO

VERBOS DE OPINIÓN Y OBLIGACIÓN

> me molesta que... • me preocupa que...
> es necesario que... • es importante que...
> es conveniente que... • hay que...
> me gusta que...

MUNDO NATURAL

> cordillera • mar • continente • océano
> desierto • selva • río • país • isla • cañón

Ejercicios prácticos

EXPRESAR SENTIMIENTOS Y OPINIONES

1 Completa con los verbos del recuadro en infinitivo o subjuntivo.

ser • conocer • ~~hacer~~ • vivir • cambiar • fumar
estar • venir • preparar • suspender

1 A la abuela le encanta _que haga_ buen tiempo.
2 Me fastidia _____ de planes por culpa de Sergio.
3 A Paula y a mí nos encanta _____ gente a casa.
4 ¿No te preocupa _____ tan lejos de la ciudad?
En este pueblo ni siquiera hay un hospital.
5 Vamos a apagar los cigarrillos, creo que a Felipe
le molesta _____ en su casa.
6 Me parece importante _____ otras culturas.
7 A nosotras nos gusta mucho que Roxana _____
la cena, porque suele hacer platos muy buenos.
8 A los políticos no les interesa que la gente _____
tan descontenta.
9 No es necesario _____ nativo para ser un buen
profesor de inglés.
10 Enrique estudia mucho, le preocupa _____.

2 Forma frases correctas uniendo elementos
de las dos columnas. Hay más de una opción.

1 Hay que ☐
2 Me preocupa ☐
3 Es conveniente ☐
4 Me molesta que ☐
5 No hay que ☐
6 Es importante que ☐
7 Me gusta que ☐
8 No hace falta que ☐

a vivir en un mundo tan contaminado.
b salvar este planeta.
c los niños aprendan desde pequeños a
cuidar el medioambiente.
d tires latas y botellas de plástico donde
está el resto de la basura, porque luego
tengo que separarlo yo.
e desenchufar los aparatos eléctricos para
ahorrar energía.
f me ayudes, puedo hacerlo solo.
g poner más puntos limpios en esta zona
si queremos que la gente recicle más.
h tirar el aceite usado por el fregadero,
porque es muy contaminante.

SUPERLATIVOS

3 Relaciona cada descripción con uno de los
nombres del recuadro.

Nilo • Pacífico • ~~Alpes~~ • Sahara
Australia • Amazonía

1 La cordillera más alta de Europa: _Alpes_.
2 El río más largo del mundo: _____.
3 La isla más grande del mundo: _____.
4 El océano más extenso del mundo: _____.
5 El desierto más grande del mundo: _____.
6 La selva más grande del planeta: _____.

COMPARATIVOS

4 Completa las frases con las partículas
comparativas correspondientes.

1 Esta es pequeña. Necesito una _más_ grande.
2 En las ciudades la contaminación no mejora. Está
cada vez _____.
3 Este trabajo no está muy bien. Otras veces te ha
salido _____.
4 Ana es más joven. Es _____ que su hermana.
5 Tú trabajas más que yo. Yo no trabajo _____ horas
como tú.
6 Madrid tiene _____ habitantes que Barcelona.
7 Begoña no está _____ delgada como Susana.
8 Ahora es más barato comprarse una vivienda
_____ antes.
9 Estos zapatos son muy malos. Me gustaría
comprarme unos _____.
10 Hago más deporte que Ángel. Estoy _____ en
forma que él.

5 Completa con las palabras del recuadro.

~~más~~ (2) • menos • tanto(2) • de(l) • como(2)

El avestruz es el animal de dos patas _más_ rápido
_____ mundo: alcanza los 100 km/h. Además de
correr mucho, es enorme: mide casi _____ _____
dos personas juntas. Y un huevo de esta ave puede pesar _____ _____ 24 huevos de gallina.

El animal _____ rápido es el perezoso, que no supera
los 20 km/h, y que también tiene otro récord: es el animal que _____ horas duerme (como mínimo, 20 al día).

GRAMÁTICA

GÉNERO DE PROFESIONES Y OFICIOS

➜ Los nombres de profesionales pueden tener género masculino y femenino.

masculino	femenino
camare**ro**	camare**ra**
profesor	profesor**a**
juez	juez**a**
estudiant**e**	estudiant**e**
dependient**e**	dependient**a**
futbolista	futbolista
policía	policía
actor	actriz
alcalde	alcalde**sa**

ORACIONES TEMPORALES CON *CUANDO*

➜ Las oraciones temporales introducidas por **cuando** pueden llevar el verbo en indicativo o subjuntivo.

- **Indicativo.** Cuando nos referimos al presente o al pasado.

  *Cuando **voy** de viaje, siempre **traigo** regalos.*
  *Cuando **salí** del trabajo **fui** a visitar a Lola.*
  *Cuando **vivía** en París, **trabajaba** de camarero en un restaurante.*

- **Subjuntivo.** Cuando nos referimos al futuro.

  *Cuando **termine** este trabajo, voy a hacer un viaje por África.*

- Se utiliza el verbo en **futuro** (y no en subjuntivo) en las oraciones interrogativas, directas o indirectas.

  *¿Cuándo **vendrás** a verme?*
  *¿Sabes cuándo **llegará** María?*
  *No sé cuándo **iré** a verte.*

ORACIONES CONDICIONALES

➜ Las **oraciones condicionales** introducidas por **si** pueden llevar el verbo en indicativo o subjuntivo.

- **Presente de indicativo.** Cuando la condición de la que se habla puede realizarse en el presente o en el futuro.

  *Si **tengo** tiempo, **iré** a verte.*
                         futuro
  *Si **tienes** algún problema, **llámame** por teléfono.*
                                      imperativo
  *Mi marido y yo todos los domingos, si **podemos**, **damos** un paseo.*
  presente

- **Pretérito imperfecto de subjuntivo.** Cuando la condición de la que se habla no se puede realizar o es poco probable.

  *Si **tuviera** mucho dinero, no trabajaría.*

PRETÉRITO IMPERFECTO DE SUBJUNTIVO

Verbos regulares		
hablar	comer	vivir
habl**ara**	com**iera**	viv**iera**
habl**aras**	com**ieras**	viv**ieras**
habl**ara**	com**iera**	viv**iera**
habl**áramos**	com**iéramos**	viv**iéramos**
habl**arais**	com**ierais**	viv**ierais**
habl**aran**	com**iera**	viv**ieran**

Verbos irregulares	
decir	dijera, dijeras…
estar	estuviera, estuvieras…
hacer	hiciera, hicieras…
ir, ser	fuera, fueras…
pedir	pidiera, pidieras…
poder	pudiera, pudieras…
tener	tuviera, tuvieras…
venir	viniera, vinieras…

➜ Generalmente estos verbos en pretérito imperfecto de subjuntivo presentan la misma irregularidad que en pretérito indefinido.

VOCABULARIO

NOMBRES DE PROFESIONES

jardinero/a • camarero/a • periodista • cocinero/a
abogado/a • locutor/a • secretario/a • cantante
fontanero/a • peluquero/a • bailarín/ina • juez/a
reportero/a • anestesista • recepcionista

LÉXICO DEL TRABAJO

anuncio • entrevista • currículo • empresa
contrato • despedir • horario • sueldo • salario
firmar • experiencia • paro

Ejercicios prácticos

1 Completa las frases con las palabras del recuadro.

> contratar • plantillas • eventual
> Recursos Humanos • candidatos • cobrar
> vacantes • categoría

1 Óscar trabaja en el Departamento de _____ de una multinacional, está contento con el trabajo.

2 Sí, esta oferta de trabajo parece muy interesante, pero seguro que tiene más de cien _____ para un solo puesto.

3 Las empresas de trabajo temporal son buenas para encontrar un trabajo _____, para el verano o Navidad, pero es muy difícil que te ofrezcan un trabajo fijo.

4 Carlos está desesperado, no sabe qué hacer porque lleva más de cinco meses sin _____ y su jefe dice que no sabe cuándo le pagará.

5 En este anuncio dice que hay diez _____ de ayudantes de cocina, voy a enviar el CV.

6 Jorge, he leído en un artículo que para esta primavera van a _____ a varios músicos en la orquesta juvenil de Radio Nacional de España.

7 Mi amigo Rubén ha encontrado un trabajo estupendo. Él estudió Formación Profesional, pero tiene _____ de especialista, realiza el trabajo de un graduado universitario.

8 En muchas empresas las _____ se han reducido mucho. Donde antes trabajaban veinte personas, ahora trabajan solo diez.

PRETÉRITO IMPERFECTO DE SUBJUNTIVO

2 Completa el cuadro.

dar	salir	decir	tener
diera		dijera	
	salieras		tuvieras
diéramos			
dierais		dijerais	
dieran			

venir	leer	ver	pedir
viniera		viera	
	leyeras		pidieras
viniéramos		viéramos	
	leyerais		pidierais
vinieran		vieran	

estar	ser	poner	ir
estuviera			
	fueras		
		pusiera	
			fuéramos
estuvierais			
	fueran		

ORACIONES CONDICIONALES

3 Relaciona. Hay más de una opción.

1 Cuando vayas a París,
2 Cuando vuelvas del trabajo,
3 Cuando veas a María,
4 Cuando estés triste,
5 Cuando quieras,
6 Cuando tengas tiempo,
7 Cuando necesites dinero,
8 Cuando tengas hambre,

> llámame.
> pásate por mi casa.
> ve al museo del Louvre.
> dile que la quiero.
> compra el pan.
> escribe la redacción de español.
> come.
> pídeselo a tu padre.

4 Subraya el verbo adecuado.

1 Si *tengo / tuviera* tiempo, saldré a comprarme unos zapatos.

2 Si Roberto *estudia / estudiara* más, aprobaría.

3 Si *vivimos / viviéramos* más de cien años, tendríamos tiempo para hacer muchas cosas.

4 Si trabajaras menos, no *estarías / estuvieras* tan cansado.

5 Si *llamaría / llama* Ismael, dile que estoy enferma.

6 Si *tendré / tengo* hambre, comeré antes de llegar a casa.

7 Si *podemos / podríamos* ir al cine el domingo, te llamamos.

8 Si todos *fueran / son* más amables, el mundo sería más agradable.

9 Si *estuvieras / estás* cansado, no vayas a trabajar.

GRAMÁTICA

ESTILO DIRECTO E INDIRECTO

→ **Estilo directo:** reproduce las palabras del hablante exactamente igual a como fueron dichas. Gráficamente va escrito con dos puntos, comillas y mayúsculas.

Ángel dijo: "Os llamaré mañana".

→ **Estilo indirecto:** reproduce la idea del hablante pero no sus palabras textuales y requiere de adaptaciones en las estructuras (verbos, pronombres, posesivos, expresiones de tiempo...)

Ángel me dijo ayer que nos llamaría hoy.

CONCRETAR UNA CITA

→ Para **concretar una cita** podemos utilizar las siguientes expresiones.

¿Dónde quedamos?
¿A qué hora quedamos?
¿Adónde vamos?
¿Qué vamos a hacer?
¿Qué te parece si vamos a...?
¿Qué tal si quedamos en...?

Estilo directo	Estilo indirecto
Presente *Ana: "**Quiero** ir al concierto de jazz".*	Pretérito imperfecto (presente) *Ana dijo que **quería** (quiere) ir al concierto de jazz.*
Pretérito imperfecto *Juan: "Ayer **debía** pagar el alquiler".*	Pretérito imperfecto *Juan dijo que **debía** pagar el alquiler ayer.*
Pretérito perfecto *Pedro: "Yo **he viajado** por toda España".*	Pretérito pluscuamperfecto *Pedro dijo que **había viajado** por toda España.*
Pretérito indefinido *Ana: "**Fui** al circo el otro día".*	Pretérito pluscuamperfecto *Ana dijo que **había ido** al circo el otro día.*
Pretérito pluscuamperfecto *Juan: "A las ocho todavía no **había llegado** el tren".*	Pretérito pluscuamperfecto *Juan dijo que a las ocho todavía no **había llegado** el tren.*
Futuro *Ana: "El próximo año **haré** más ejercicio".*	Condicional (futuro) *Ana dijo que este año **haría** (hará) más ejercicio.*
Condicional *Juan: "Yo le **diría** la verdad para evitar problemas".*	Condicional *Juan dijo que él le **diría** la verdad para evitar problemas.*

VOCABULARIO

DEPORTES

natación • fútbol • tenis • ciclismo • boxeo
golf • guantes • bañador • botas • casco
raqueta • palos • pista • ring • piscina
pista de hierba o tierra batida • estadio • campo
carretera • récord • medalla • árbitro • batir
ganador • aficionado • campeona • atleta

ESPECTÁCULOS

concierto de rock / música clásica / jazz
cine • teatro • ópera • ballet • circo • tablao
exposición de pintura / fotografía / escultura

ARTE Y LITERATURA

cantante • poeta • actriz • actor
director de orquesta • escritor • compositor
escultor • pintor • director de cine

MÚSICA

violonchelo / violonchelista • flauta / flautista
violín / violinista • piano / pianista
guitarra / guitarrista • baterista

Ejercicios prácticos

VOCABULARIO

1 ¿A qué deportes se refieren?

1 "Hay que golpear con diferentes palos según la distancia". _Golf_

2 "No sé qué tiene de emocionante ver a 22 hombres corriendo detrás de una pelota". _____

3 "Según su peso, los deportistas se agrupan en diferentes categorías". _____

4 "Se practica con diferentes estilos: braza, mariposa, espalda…". _____

5 "Se juega en diferentes tipos de pistas (de hierba, de tierra batida, etc.) y pueden jugar dos o cuatro personas". _____

2 Lee el artículo y completa los huecos con las palabras del recuadro.

carrera • medalla • éxitos • esquiadora • esquí

Después de haber disputado tres juegos olímpicos y cinco mundiales, María José Rienda, _____(1) granadina de 28 años, consiguió el domingo pasado ganar su primera _____ (2) al terminar tercera en Austria, en la primera _____ (3) de la Copa del Mundo de _____ (4). A lo largo de su trayectoria deportiva ha conseguido varios _____ (5), pero este es el primero que consigue en una copa del mundo.

3 Completa las frases con las palabras del recuadro.

música clásica • ópera • exposición • cantante museo • director • compositor

1 Karajan fue el _____ de la Orquesta Filarmónica de Berlín.

2 Mick Jagger es el _____ de los Rolling Stones.

3 ■ ¿Te gusta la _____?
   ● Sí, muchísimo.
   ■ ¿Y quién es tu _____ favorito?
   ● No es fácil decirlo, pero me gustan Bach y Vivaldi.

4 No he vuelto a la _____ desde que vi _Las bodas de Fígaro_.

5 Va a haber una _____ del pintor Carlos López en el nuevo _____ de la ciudad.

CONCRETAR UNA CITA

4 Ordena la siguiente conversación entre Andrés y Marisa.

A: Esta tarde nos reunimos en casa de Paco, ¿te vienes? ☐

M: ¡Uf! Es demasiado pronto. ¿Podemos quedar un poco más tarde? ☐

Andrés: ¡Hola, Marisa! ¿Qué vas a hacer esta tarde? ☐

M: Sí, mejor, ¿dónde quedamos? ☐

Marisa: No lo tengo claro, ¿por qué? ☐

M: Vale, allí estaré a las siete y media. ¡Hasta luego! ☐

A: Si quieres quedamos a las siete y media. ☐

M: Me gustaría, pero ¿a qué hora? ☐

A: En el metro de Alonso Martínez. ¿Te parece bien? ☐

A: Sobre las siete de la tarde. ☐

ESTILO DIRECTO E INDIRECTO

5 Pasa a estilo indirecto.

María: _"Estoy cansada de trabajar porque mi jefa me exige cada día más y me pagan menos. Mi marido no tiene trabajo. Mis hijos están estudiando, pero sacan malas notas. Bueno, Santi, el mayor hace casi todas las tareas de la casa, es un encanto"._

¿Sabes?, la semana pasada vi a María por la calle y me contó que estaba cansada porque _____ _____. También me dijo que su marido _____, que sus hijos _____ _____.

6 Pasa a estilo indirecto.

1 Fernando: "Te llamaré esta noche".
   Ayer Fernando me dijo que _____.

2 Luis y Marta: "Nos casaremos el mes que viene".
   Ayer me encontré con Luis y Marta y me dijeron que se _____.

3 "Yo haré la cena mañana".
   Tú me dijiste ayer que _____.

4 Juan: "Yo haré la compra el sábado".
   Juan dijo que él _____.

5 "Mañana no saldremos".
   Ellos me dijeron ayer que _____.

GRAMÁTICA

VOZ PASIVA

➔ La **voz pasiva** se utiliza especialmente en los textos periodísticos e históricos.

La penicilina fue descubierta en 1928.

➔ El hablante utiliza la voz pasiva cuando no le interesa decir quién es el sujeto agente de la acción o cuando este sujeto es obvio. También se usa cuando al hablante le parece más importante enunciar el objeto directo que el sujeto. Compara:

El Cuerpo de Bomberos extinguió el incendio.
 sujeto agente   objeto directo

El incendio fue extinguido por el Cuerpo de Bomberos.
sujeto pasivo   complemento agente

➔ La voz pasiva se forma con el verbo *ser* y el participio del verbo correspondiente en el mismo género y número que el sujeto pasivo.

*Hoy **han sido recuperados** los artículos robados de la tienda.*
*El principal sospechoso del robo **ha sido declarado** culpable por el Tribunal.*

ESTILO INDIRECTO: ÓRDENES, PETICIONES Y SUGERENCIAS

➔ Cuando presentamos una orden o sugerencia en **estilo indirecto**, el verbo de la oración subordinada tendrá que ir en subjuntivo.

(Jefe: "No llegues tarde")
*Mi jefe siempre me <u>dice</u> que no **llegue** tarde.*

(Lucía: "Ven mañana a mi casa")
*Lucía me <u>pidió</u> que **fuera** a su casa.*

➔ Si el verbo introductor está en presente o pretérito perfecto, la oración de estilo indirecto llevará el verbo en presente de subjuntivo:

*Mi madre siempre me <u>dice</u> que no **corra** cuando voy en coche.*   Presente   Pres. subj.

*Me <u>ha pedido</u> que le **preste** mi libro.*
 Pret. perf.   Pres. subj.

➔ Si el verbo introductor está en pretérito imperfecto, indefinido o pluscuamperfecto, la oración de estilo indirecto llevará el verbo en pretérito imperfecto de subjuntivo.

*Me <u>dijo</u> que **abriera** la ventana.*
Pret. ind.   Pret. imperf. subj.

➔ El estilo indirecto va introducido por verbos como *decir* (en el sentido de "ordenar") y otros como *pedir, sugerir, recomendar, aconsejar, rogar, prohibir*, etcétera.

EXPRESAR DESEOS

Las oraciones subordinadas dependientes de verbos de deseo y necesidad (*espero, quiero, deseo, necesito, me gustaría*) pueden llevar el verbo en infinitivo o en subjuntivo.

➔ **Infinitivo.** Cuando el sujeto de las dos oraciones es el mismo.

*Deseo **tener** más tiempo libre.*
  (yo)   (yo)
*Ella espera **terminar** el informe a tiempo.*
*Nos gustaría **conocer** Nueva York.*

➔ **Subjuntivo.** Cuando el sujeto de las dos oraciones es diferente.

*Yo deseo que mis hijos **sean** felices.*
*Me gustaría que **limpiaras** tu cuarto.*

VOCABULARIO

NOTICIAS

titular • robar • detener • policía
persecución • agresor • huir • asaltar
apuñalar • herir • herido
atacar • víctima

VERBOS DE INFLUENCIA

recomendar • aconsejar • sugerir
prohibir • pedir • rogar

Ejercicios prácticos

VOZ PASIVA

1 Completa las noticias del periódico con los verbos del recuadro.

> ha sido clausurado • fue suspendido
> fue interrumpido • han sido recibidas
> ha sido criticada

1 La consejería de transportes _____ por no atender a los ciudadanos durante la huelga de autobuses.

2 El partido de fútbol _____ debido al mal tiempo.

3 El Congreso de Médicos _____ por el ministro de Sanidad.

4 El servicio de trenes _____ debido a la huelga de los empleados de la RENFE.

5 Las nuevas medidas de protección ambiental _____ con entusiasmo por la ciudadanía.

ESTILO DIRECTO E INDIRECTO

2 Laura, la madre de Fede, le da muchas instrucciones y órdenes todos los días. Luego, Guillermo le pregunta a Fede sobre esas órdenes. Completa lo que le ha respondido Fede.

Madre:
1 "Fede, ven aquí ahora mismo".
2 "Fede, lávate las manos".
3 "Fede, hijo, pon la mesa".
4 "Dile a papá que venga a comer".
5 "Fede, quita la tele".
6 "No le des azúcar al perro".
7 "Saca la basura".
8 "Lleva el pan a la mesa".

Guillermo: "¿Qué te ha dicho tu madre?"
Fede: Mi madre me ha dicho que…
1 *vaya allí ahora mismo.*
2 _____ .
3 _____ .
4 _____ .
5 _____ .
6 _____ .
7 _____ .
8 _____ .

3 Transforma las siguientes frases de estilo indirecto a estilo directo.

1 Me ha pedido que me vaya con él.
   "Ven conmigo".
2 Me ha dicho que coma más frutas.
3 Me ha pedido que lo lea en voz alta.
4 Me dice siempre que no haga ruido.
5 Nos han pedido que lleguemos a las siete.
6 Nos ha dicho que terminemos pronto.
7 Me ha pedido que haga la cena.
8 Les ha dicho a los niños que se laven las manos.

EXPRESAR DESEOS

4 Sigue el modelo.

1 No tenemos piso.
   Nos gustaría tener un piso.
2 Mi hija no me ayuda.
   Me gustaría que mi hija me ayudara.
3 Llego tarde todos los días.
4 Mis hijos no tienen trabajo.
5 No salgo nunca de viaje.
6 No sé hablar inglés bien.
7 Mi marido tiene pocas vacaciones.
8 Mis alumnos no hacen los deberes.
9 Penélope no viene mucho a verme.
10 No tengo un vestido largo y bonito.
11 Hace mucho calor.
12 Mi hijo es un mal estudiante.

5 Ordena las frases.

1 enfermera / trabajar / Me / de / gustaría
2 ganar / gustaría / dinero / Me / más
3 fueras / París / a / gustaría / que / Me
4 vinieras / casa / gustaría / Me / mi / a / que
5 Me / que / bien / gustaría / hablaras / japonés / tú
6 más / Les / gustaría / yo / amable / que / fuera

6 Escribe un párrafo sobre qué desean los habitantes de tu país de sus autoridades.

> Los habitantes de mi país esperan que los gobernantes piensen más en los problemas que tenemos…
> En primer lugar, queremos / deseamos que…

GRAMÁTICA

EXPRESIÓN DE LA CONJETURA

→ Para expresar nuestras dudas, deseos o planes sin definir (conjeturas) utilizamos las siguientes expresiones.

- *A lo mejor* + presente de indicativo.

  A lo mejor vamos *a Marbella.*

  A lo mejor ha ido *a comprar los billetes de tren.*

- No se puede utilizar *a lo mejor* + verbo en futuro.

  A lo mejor ~~estará~~ *de vacaciones.*

       está

- *Seguramente / probablemente* + futuro o presente de subjuntivo.

  Seguramente estará / esté *enferma. La llamaré.*

  Probablemente iremos / vayamos *a cenar a un restaurante japonés.*

- *Quizás* + indicativo o subjuntivo.

  Indicativo. Se puede utilizar *quizás* + indicativo cuando nos referimos a acciones pasadas o presentes.

  Quizás ha tenido *que ir al médico y por eso no ha venido a trabajar.*

  Subjuntivo. Se prefiere cuando hablamos de acciones futuras.

  Quizás compremos *un coche nuevo, pero no sé cuándo.*

PEDIR UN SERVICIO DE FORMA ADECUADA

Formal	
¿Le importaría…? ¿Sería posible…? ¿Sería(n) tan amable(s) de…?	+ infinitivo
Informal	
¿Te importaría…? ¿Podrías…?	+ infinitivo
Respuestas	
Sí, cómo no. Sí, ahora mismo. Lo siento, pero… Por supuesto. Claro que sí.	

ESCRIBIR POSTALES: TEMAS A TRATAR

Para hablar del tiempo
Hace mucho frío / calor / viento / sol
Llueve sin parar / a cántaros
Está nublado / nevando
Hay nubes y claros / niebla / tormenta / lluvia / nieve

Para hablar del paisaje
Esto es precioso / impresionante / muy bonito

Para hablar de la gente
La gente es amable / antipática / acogedora

Para despedirse
Saludos Recuerdos Un abrazo Besos ¡Hasta pronto!

VOCABULARIO

ALOJAMIENTOS

En el hotel
piscina • sala de reuniones • gimnasio • sauna restaurante • servicio de plancha cuidado de niños • aparcamiento • lavandería prensa gratuita • telefax

En las habitaciones
radio • televisión • teléfono • secador de pelo albornoces • minibar • baño privado servicio de habitaciones 24 h • cafetera • tetera terraza • aire acondicionado • escritorio

TIEMPO ATMOSFÉRICO

nubes • lluvia • niebla • tormenta • viento sol • nubes y claros • nieve • nublado lluvioso • frío • calor

Ejercicios prácticos

EXPRESIÓN DE LA CONJETURA

1 Completa las frases con los verbos del recuadro en el tiempo correspondiente.

> encontrar • venir • estar (x2) • tener (x2)
> vivir • subir • poder • oír

1 Juan no me habla. Quizás _____ enfadado conmigo.
2 ¿Necesitas un trabajo? A lo mejor _____ conseguirte uno.
3 El niño está llorando. Seguramente _____ hambre.
4 Estamos buscando billetes de avión. A lo mejor los _____ en internet.
5 Paco no puede venir este fin de semana. Probablemente _____ trabajo en casa.
6 Hace mucho tiempo que no veo a Victoria. A lo mejor ya no _____ en Madrid.
7 El avión tenía que haber aterrizado. Quizás _____ con retraso.
8 No sé por qué no abre. Quizás no _____ el timbre.
9 El director quiere hablar contigo. Seguramente te _____ el sueldo.
10 Alicia no ha venido a trabajar. A lo mejor _____ enferma.

VOCABULARIO

2 ¿Qué tiempo crees que hacía para que sucedieran las siguientes cosas?

1 Tuvimos que sentarnos a la sombra durante toda la tarde. _____
2 Los coches salpicaban agua y mojaban a los peatones. _____
3 Tuvieron que cerrar el aeropuerto. No había suficiente visibilidad. _____
4 Se me voló el periódico de las manos. _____
5 Mirando al cielo parecía que iba a llover. _____
6 Pudimos ir a esquiar el fin de semana. _____
7 Un rayo partió un árbol. _____
8 Tuve que ponerme el abrigo, los guantes y un gorro. _____

PEDIR UN SERVICIO DE FORMA ADECUADA

3 ¿Cómo sería el diálogo que mantendrías con el recepcionista del hotel en las siguientes situaciones? Utiliza las distintas fórmulas de cortesía.

1 Quieres ir a un hotel a pasar el fin de semana.
Cliente: ¿_____ decirme si hay habitaciones libres para el fin de semana?
Recepcionista: _____ ¿Qué tipo de habitación desearía?
2 Tienes las maletas preparadas para irte del hotel y quieres pedir la cuenta.
Cliente: ¿_____ prepararme la cuenta, por favor?
Recepcionista: _____. ¿Su número de habitación por favor?
3 Quieres comer en un restaurante japonés cerca del hotel.
Cliente: ¿_____ de indicarme dónde hay un restaurante japonés por esta zona?
Recepcionista: _____ no hay ningún restaurante japonés en los alrededores.
4 Estás en un alberge juvenil y quieres que te despierten a las ocho de la mañana.
Cliente: ¿_____ despertarme a las ocho de la mañana?
Recepcionista: _____, ¿en qué habitación estás?

ESCRIBIR POSTALES

4 Lee la siguiente postal y contesta a las preguntas.

> Querido Juan:
> Estamos de vacaciones en Córdoba. Esta mañana hemos recorrido su precioso barrio judío, lleno de patios con flores. También hemos estado en la Mezquita y nos ha gustado muchísimo. Por otro lado, hace muy buen tiempo: mucho sol y una temperatura estupenda para pasear.
> Ya te contaremos a la vuelta.
> Muchos besos.
> Ana y Manuel

1 ¿Quién envía la tarjeta?
2 ¿Desde qué ciudad la envían?
3 ¿A quién va dirigida?
4 ¿Cuáles son los principales atractivos turísticos de Córdoba?
5 ¿Qué tiempo hace?

GRAMÁTICA

PRONOMBRES DE OBJETO DIRECTO E INDIRECTO

	Pronombres de objeto directo	
	singular	plural
1.ª persona	me	nos
2.ª persona	te	os
3.ª persona	lo (le) / la	los (les) / las

	Pronombres de objeto indirecto	
	singular	plural
1.ª persona	me	nos
2.ª persona	te	os
3.ª persona	le (se)	les (se)

→ Los **pronombres de objeto directo e indirecto** van delante del verbo conjugado y detrás del imperativo afirmativo.

> *Lo compré ayer.*
> ■ *¿Me podrías dejar tu móvil?*
> ● *Sí, cógelo.*

→ En perífrasis de infinitivo o gerundio, pueden ir detrás o delante del verbo que los acompaña.

> *Quiero verlos. / Los quiero ver.*

→ En 3.ª persona el uso de los pronombres *le / les* está aceptado para personas masculinas.

> *Estuve con tu hermano. Le / Lo encontré muy bien.*

→ Cuando utilizamos los dos pronombres (directo e indirecto), el indirecto siempre va en primer lugar.

> *Dámelo, por favor.*

→ Cuando al pronombre *le* (objeto indirecto) le sigue uno de los objetos directos de 3.ª persona (*lo, la; los, las*), el primero se convierte en *se*.

> *Acércaselo a tu compañero.*

→ Aunque el objeto indirecto aparezca detrás del verbo, el pronombre suele repetirse también delante.

> *¿Le has dado la noticia a Luis?*

INDEFINIDOS

→ Poco: *Hay poco personal en esta empresa.*
→ Un poco: *Quiero un café con un poco de leche.*
→ Mucho: *Me gusta mucho. / Julián come muchos dulces.*
→ Bastante: *Las patatas están bastante buenas. / Esperé bastantes horas.*
→ Demasiado: *Tenía demasiado miedo. / Hay demasiados coches.*

ARTÍCULOS

	Determinados		Indeterminados	
	Masc.	Fem.	Masc.	Fem.
Sing.	el	la	un	una
Pl.	los	las	unos	unas

→ Los artículos determinados (*el, la, los, las*) se usan:
● Cuando hablamos de algo que conocemos:
> *Devuélveme el libro que te presté.*
● Con el verbo *gustar* y con todos los verbos que llevan *le*:
> *Me gusta la música clásica.*
● Es obligatorio con nombres de juegos y actividades de ocio, con partes del cuerpo, objetos personales o ropa, en lugar del posesivo.
> *Me duele la cabeza (Me duele mi cabeza).*
> *El fútbol es un deporte muy popular en Europa.*
● Con la hora.
> *Son las seis de la tarde.*
● Con los días de la semana.
> *El jueves voy a verte.*
● A veces se puede eliminar el sustantivo y dejar el artículo.
> ■ *¿Quién es tu novia?*
> ● *La del vestido rosa.*

→ Los artículos indeterminados (*un, una, unos, unas*) se usan:
● Cuando se habla de algo por primera vez:
> *Me han regalado un gato.*
● Para hablar de una cantidad aproximada:
> *He tardado unas doce horas.*

→ El artículo neutro (*lo*) se usa:
● Seguido de un adjetivo o un adverbio para sustantivarlo:
> *Lo más difícil es aprobar el primer examen.*

→ No se usa artículo:
● Cuando se habla de una profesión, excepto si va con un adjetivo:
> *Mi primo es un carpintero estupendo.*
● Tras las preposiciones *de, con, sin*:
> *Tengo dolor de cabeza.*

VOCABULARIO

ROPA Y COMPLEMENTOS

chaqueta • bolsillos • botones • falda • blusa
bufanda • pendientes • pañuelo (de cuello)
cinturón • medias • zapatos de tacón • bolso
gorro • abrigo • bufanda • guantes • camisa
traje (de caballero) • corbata • sombrero
paraguas • traje de chaqueta (de señora)

Ejercicios prácticos

PRONOMBRES DE OBJETO DIRECTO

1 Completa con pronombres de objeto directo.

1 ■ ¿Has visto la última exposición de Barceló?
  ● Sí, _____ vi el sábado y me gustó mucho.
2 ■ ¿Has hablado con tu hermana últimamente?
  ● Sí, _____ llamé la semana pasada.
3 ■ ¿Has preparado los macarrones?
  ● No, _____ prepararé más tarde.
4 ■ ¿Sabes dónde están mis gafas?
  ● Sí, _____ he visto encima de la mesa.
5 No pagues, yo _____ invito.

VOCABULARIO

2 Localiza la palabra que no pertenece al grupo.

1 bañador, botas, abrigo, guantes, bufanda.
2 vestido, blusa, falda, corbata, bolso.
3 traje, corbata, zapatos, jersey, collar.
4 bufanda, zapatos, botas, medias, calcetines.
5 pendientes, reloj, pulsera, anillo, camisa.

3 Completa el texto con las palabras del recuadro.

> tiendas • talla • moda • barato
> ir de compras • probártelo • marca
> rebajas • queda bien

El mejor momento para (1) _____ es la época de (2) _____, cuando todas las (3) _____ recortan sus precios. Todo es más (4) _____; algunas veces la diferencia es de hasta más de un 50%. Cuando compras algo de ropa, debes (5) _____ para asegurarte de que es tu (6) _____ y de que te (7) _____. También se rebajan los productos de (8) _____ y los de (9) _____ más actual.

4 Relaciona.

> 1 Llueve mucho afuera.
> 2 Voy a la playa.
> 3 Tengo una entrevista de trabajo.
> 4 Me voy a la cama.
> 5 Voy a hacer deporte.
> 6 Hace mucho frío. Me duele la garganta.
> 7 Tengo las manos heladas.

> Pijama
> Bañador
> Guantes
> Traje
> Chándal
> Paraguas
> Bufanda

ARTÍCULOS

5 Completa con un artículo determinado o indeterminado, si es necesario.

1 En esta tienda se venden _____ tejidos muy caros.
2 ¿Puede decirme dónde hay _____ farmacia, por favor?
3 Mis vecinos son _____ mecánicos.
4 Hay _____ botella de leche en el frigorífico.
5 A finales de mes siempre estoy sin _____ dinero.
6 Ayer llamó por teléfono _____ señora Pérez.
7 He visto _____ casas de dos plantas preciosas.
8 ¡Oiga, por favor! Quiero medio kilo de _____ boquerones.
9 Era casi imposible comprar _____ entrada para el concierto. Pero al fin tengo _____.
10 El primo de Ana es _____ chico muy simpático.

6 Corrige los errores en las siguientes frases.

1 He comprado bastantes cerveza.
2 Mis abuelos están un pocos sordos.
3 Muchas días hago deporte.
4 Había demasiado gente en la discoteca.
5 En mi pueblo hay muchas coches.
6 No he bebido bastantes agua.
7 He ahorrado muchos dinero este mes.
8 No me lo puedo comprar; es poco caro.
9 Tengo mucho amigos.
10 Demasiada horas de trabajo no son buenas.
11 Los bocadillos son bastantes buenos.
12 Los niños tienen muchas sed.

GRAMÁTICA

IMPERSONAL CON *SE*

→ Cuando al hablar o escribir no conocemos el sujeto o no nos interesa mencionarlo, usamos estructuras impersonales. Una de ellas es la formada por *se* + verbo activo + sujeto pasivo.

Se venden pisos.

→ Otras veces no aparece ningún sujeto, entonces son totalmente impersonales.

Profesora, hable más alto, aquí no se oye.

ADVERBIOS

→ Los adverbios sirven para calificar al verbo, al adjetivo o a otro adverbio.

Canta maravillosamente.

Es muy bueno.

Vive bastante cerca.

→ Según su significado, pueden indicar tiempo, modo, lugar o cantidad.

Tiempo	Modo	Lugar	Cantidad
ahora	bien	aquí	mucho
ya	mal	ahí	poco
todavía	despacio	allí	bastante
tarde	así	arriba	demasiado
ayer	(Adverbios	abajo	muy
mañana	en -*mente*)	delante	ciento
hoy		detrás	
		cerca	
		lejos	

→ Se pueden formar numerosos adverbios de modo añadiendo el sufijo –*mente* a los adjetivos.

correcto > correctamente

fácil > fácilmente

lento > lentamente

directo > directamente

rápido > rápidamente

tranquilo > tranquilamente

PEDIR FAVORES, PERMISO Y OFRECER AYUDA

→ Pedir un favor

Te / Le importa + infinitivo

¿Te importa repetir lo que has dicho?

→ *Podría(s)* + infinitivo

¿Podrías prestarme dinero? Olvidé mi cartera en casa.

→ Pedir permiso

Te / Le importa + que + subjuntivo

¿Le importa que me siente aquí?

→ Ofrecer ayuda

Quiere(s) + que + subjuntivo

¿Quieres que te ayude a resolver el ejercicio?

UNA REDACCIÓN: CONECTORES DISCURSIVOS

Introducción
Mucha gente piensa / dice…
Este tema es polémico porque…
Para empezar, tengo que decir que…

Argumentación
En primer lugar…, en segundo lugar…, por último…
Por una parte / Por otra parte…
Sin embargo / No obstante…
Antes…, ahora, en cambio…
Además…
Aunque…
Por ejemplo…

Conclusión
En resumen…
Para terminar…
En fin, yo pienso que…

VOCABULARIO

TRADICIONES

Navidad • Nochebuena • Nochevieja
Año Nuevo • Reyes Magos • turrón • regalos
belén • villancicos • árbol de Navidad
viejito pascuero • cola de mono
pan de pascua • pavo • frutos secos

FIESTAS

San Fermín • Año Nuevo Chino
Carnavales • Halloween • Corpus Christi
Inti Raymi (culto al sol) • Fallas de Valencia

Ejercicios prácticos

IMPERSONAL CON SE

1 Completa con los verbos del recuadro. Conjúgalos

> vender • pasear • bañar • impartir
> alquilar • cuidar • compartir

1 _____ piso de 120 metros cuadrados. Buen precio: 200 000 €.

2 _____ habitación en el Colegio Mayor.

3 _____ clases particulares de física.

4 _____ niños los fines de semana.

5 _____ bicicletas por horas.

6 _____ y _____ perros.

ADVERBIOS

2 Completa las frases con los adverbios correspondientes.

> lentamente • finalmente • estupendamente
> tontamente • tranquilamente • detenidamente
> rápidamente • maravillosamente

1 La ambulancia llegó _____ al lugar del accidente.
2 María observó _____ el cuadro de Picasso.
3 El ciclista subió _____ el puerto de montaña, porque estaba muy cansado.
4 _____, Juan aprobó el carné de conducir.
5 El finalista del concurso de música cantó _____ bien.
6 Esperaré _____ hasta que me llame por teléfono.
7 Me caí por la escalera _____.
8 A mi compañero de piso le encanta comer bien, y lo mejor es que cocina _____.

VERBOS

3 Subraya el verbo más adecuado.

PLÁCIDO DOMINGO

Yo *nací / nacía* en Madrid, en la calle Ibiza. En la misma casa *vivíamos / vivieron* mis padres, cuatro tíos, mi hermana y yo. Nosotros *íbamos / fuimos* todos los días a un colegio que *estaba / estuvo* cerca del Retiro. Mi padre *fue / era* actor y yo lo recuerdo interpretando *El caballero de Gracia*, porque muchas veces nos *llevaban / llevaron* al teatro. Cuando yo *tenía / tuve* ocho años, nos *fuimos / íbamos* todos a México. Allí los niños normalmente *llevaban / llevaron* pantalón corto y por eso un día *tenía / tuve* una pelea con unos chicos mexicanos.

Empecé / Empezaba a tocar el piano desde muy pequeño, el primer año que *llegué / llegaba* a México. *Canté / Cantaba* por primera vez el 14 de abril de 1958 cuando yo *tenía / tuve* 15 años. Antes, mi hermana y yo habíamos *actuado / actuaba* en pequeños papeles porque el teatro *era / fue* de mis padres. Mis padres *eran / fueron* encantadores, siempre me ayudaron en mi carrera.

Verbos

VERBOS REGULARES

TRABAJAR				
Presente ind.	Pret. indefinido	Pret. imperfecto	Futuro	Pret. perfecto
trabajo	trabajé	trabajaba	trabajaré	he trabajado
trabajas	trabajaste	trabajabas	trabajarás	has trabajado
trabaja	trabajó	trabajaba	trabajará	ha trabajado
trabajamos	trabajamos	trabajábamos	trabajaremos	hemos trabajado
trabajáis	trabajasteis	trabajabais	trabajaréis	habéis trabajado
trabajan	trabajaron	trabajaban	trabajarán	han trabajado

Pret. pluscuam-perfecto	Condicional	Imperativo afirmativo/negativo	Presente de subjuntivo	Pret. imperfecto subjuntivo
había trabajado	trabajaría	trabaja / no trabajes (tú)	trabaje	trabajara / trabajase
habías trabajado	trabajarías	trabaje / no trabaje (Ud.)	trabajes	trabajaras / trabajases
había trabajado	trabajaría	trabajad / no trabajéis (vosotros)	trabaje	trabajara / trabajase
habíamos trabajado	trabajaríamos	trabajen / no trabajen (Uds.)	trabajemos	trabajáramos / trabajásemos
habíais trabajado	trabajaríais		trabajéis	trabajarais / trabajaseis
habían trabajado	trabajarían		trabajen	trabajaran / trabajasen

COMER				
Presente ind.	Pret. indefinido	Pret. imperfecto	Futuro	Pret. perfecto
como	comí	comía	comeré	he comido
comes	comiste	comías	comerás	has comido
come	comió	comía	comerá	ha comido
comemos	comimos	comíamos	comeremos	hemos comido
coméis	comisteis	comíais	comeréis	habéis comido
comen	comieron	comían	comerán	han comido

Pret. pluscuam-perfecto	Condicional	Imperativo afirmativo/negativo	Presente de subjuntivo	Pret. imperfecto subjuntivo
había comido	comería	come / no comas (tú)	coma	comiera / comiese
habías comido	comerías	coma / no coma (Ud.)	comas	comieras / comieses
había comido	comería	comed / no comáis (vosotros)	coma	comiera / comiese
habíamos comido	comeríamos	coman / no coman (Uds.)	comamos	comiéramos / comiésemos
habíais comido	comeríais		comáis	comierais / comieseis
habían comido	comerían		coman	comieran / comiesen

VIVIR				
Presente ind.	Pret. indefinido	Pret. imperfecto	Futuro	Pret. perfecto
vivo	viví	vivía	viviré	he vivido
vives	viviste	vivías	vivirás	has vivido
vive	vivió	vivía	vivirá	ha vivido
vivimos	vivimos	vivíamos	viviremos	hemos vivido
vivís	vivisteis	vivíais	viviréis	habéis vivido
viven	vivieron	vivían	vivirán	han vivido

Pret. pluscuam-perfecto	Condicional	Imperativo afirmativo/negativo	Presente de subjuntivo	Pret. imperfecto subjuntivo
había vivido	viviría	vive / no vivas (tú)	viva	viviera / viviese
habías vivido	vivirías	viva / no viva (Ud.)	vivas	vivieras / vivieses
había vivido	viviría	vivid / no viváis (vosotros)	viva	viviera / viviese
habíamos vivido	viviríamos	vivan / no vivan (Uds.)	vivamos	viviéramos / viviésemos
habíais vivido	viviríais		viváis	vivierais / vivieseis
habían vivido	vivirían		vivan	vivieran / viviesen

VERBOS IRREGULARES

Presente ind.	Pret. indefinido	Futuro	Imperativo	Presente sub.	Pret. imperfecto sub.
ACORDAR(SE)					
(me) acuerdo	acordé	acordaré		acuerde	acordara / acordase
(te) acuerdas	acordaste	acordarás	acuerda(te) / no (te) acuerdes	acuerdes	acordaras / acordases
(se) acuerda	acordó	acordará	acuerde(se) / no (se) acuerde	acuerde	acordara / acordase
(nos) acordamos	acordamos	acordaremos	acordad (acordaos)	acordemos	acordáramos / acordásemos
(os) acordáis	acordasteis	acordaréis	/ no (os) acordéis	acordéis	acordarais / acordaseis
(se) acuerdan	acordaron	acordarán	acuérden(se) / no (se) acuerden	acuerden	acordaran / acordasen
ACOSTAR(SE)					
(me) acuesto	acosté	acostaré		acueste	acostara / acostase
(te) acuestas	acostaste	acostarás	acuesta(te) / no (te) acuestes	acuestes	acostaras / acostases
(se) acuesta	acostó	acostará	acueste(se) / no (se) acueste	acueste	acostara / acostase
(nos) acostamos	acostamos	acostaremos	acostad (acostaos)	acostemos	acostáramos / acostásemos
(os) acostáis	acostasteis	acostaréis	/ no (os) acostéis	acostéis	acostarais / acostaseis
(se) acuestan	acostaron	acostarán	acuesten(se)/ no (se) acuesten	acuesten	acostaran / acostasen
ANDAR					
ando	anduve	andaré		ande	anduviera / anduviese
andas	anduviste	andarás	anda / no andes	andes	anduvieras / anduvieses
anda	anduvo	andará	ande / no ande	ande	anduviera / anduviese
andamos	anduvimos	andaremos		andemos	anduviéramos / anduviésemos
andáis	anduvisteis	andaréis	andad / no andéis	andéis	anduvierais / anduvieseis
andan	anduvieron	andarán	anden / no anden	anden	anduvieran / anduviesen

Verbos

Presente ind.	Pret. indefinido	Futuro	Imperativo	Presente sub.	Pret. imperfecto sub.
APROBAR					
apruebo	aprobé	aprobaré		apruebe	aprobara / aprobase
apruebas	aprobaste	aprobarás	aprueba / no apruebes	apruebes	aprobaras / aprobases
aprueba	aprobó	aprobará	apruebe / no apruebe	apruebe	aprobara / aprobase
aprobamos	aprobamos	aprobaremos		aprobemos	aprobáramos / aprobásemos
aprobáis	aprobasteis	aprobaréis	aprobad / no aprobéis	aprobéis	aprobarais / aprobaseis
aprueban	aprobaron	aprobarán	aprueben / no aprueben	aprueben	aprobaran / aprobasen
CERRAR					
cierro	cerré	cerraré		cierre	cerrara / cerrase
cierras	cerraste	cerrarás	cierra / no cierres	cierres	cerraras / cerrases
cierra	cerró	cerrará	cierre / no cierre	cierre	cerrara / cerrase
cerramos	cerramos	cerraremos		cerremos	cerráramos / cerrásemos
cerráis	cerrasteis	cerraréis	cerrad / no cerréis	cerréis	cerrarais / cerraseis
cierran	cerraron	cerrarán	cierren / no cierren	cierren	cerraran / cerrasen
CONOCER					
conozco	conocí	conoceré		conozca	conociera / conociese
conoces	conociste	conocerás	conoce / no conozcas	conozcas	conocieras / conocieses
conoce	conoció	conocerá	conozca / no conozca	conozca	conociera / conociese
conocemos	conocimos	conoceremos		conozcamos	conociéramos / conociésemos
conocéis	conocisteis	conoceréis	conoced / no conozcáis	conozcáis	conocierais / conocieseis
conocen	conocieron	conocerán	conozcan / no conozcan	conozcan	conocieran / conociesen
DAR					
doy	di	daré		dé	diera / diese
das	diste	darás	da / no des	des	dieras / dieses
da	dio	dará	dé / no dé	dé	diera / diese
damos	dimos	daremos		demos	diéramos / diésemos
dais	disteis	daréis	dad / no deis	deis	dierais / dieseis
dan	dieron	darán	den / no den	den	dieran / diesen
DECIR					
digo	dije	diré		diga	dijera / dijese
dices	dijiste	dirás	di / no digas	digas	dijeras / dijeses
dice	dijo	dirá	diga / no diga	diga	dijera / dijese
decimos	dijimos	diremos		digamos	dijéramos / dijésemos
decís	dijisteis	diréis	decid / no digáis	digáis	dijerais / dijeseis
dicen	dijeron	dirán	digan / no digan	digan	dijeran / dijesen
DESPERTAR(SE)					
(me) despierto	desperté	despertaré		despierte	despertara / despertase
(te) despiertas	despertaste	despertarás	despierta(te) / no (te) despiertes	despiertes	despertaras / despertases
(se) despierta	despertó	despertará	despierte(se) / no (se) despierte	despierte	despertara / despertase
(nos) despertamos	despertamos	despertaremos	despertad (despertaos)	despertemos	despertáramos / despertásemos
(os) despertáis	despertasteis	despertaréis	/ no (os) despertéis	despertéis	despertarais / despertaseis
(se) despiertan	despertaron	despertarán	despierten(se) / no (se) despierten	despierten	despertaran / despertasen

Presente ind.	Pret. indefinido	Futuro	Imperativo	Presente sub.	Pret. imperfecto sub.
DIVERTIR(SE)					
(me) divierto	divertí	divertiré		divierta	divirtiera / divirtiese
(te) diviertes	divertiste	divertirás	divierte(te) / no (te) diviertas	diviertas	divirtieras / divirtieses
(se) divierte	divirtió	divertirá	divierta(se) / no (se) divierta	divierta	divirtiera / divirtiese
(nos) divertimos	divertimos	divertiremos	divertid (divertios)	divirtamos	divirtiéramos / divirtiésemos
(os) divertís	divertisteis	divertiréis	/ no (os) divirtáis	divirtáis	divirtierais / divirtieseis
(se) divierten	divirtieron	divertirán	diviertan(se) / no (se) diviertan	diviertan	divirtieran / divirtiesen
DORMIR(SE)					
(me) duermo	dormí	dormiré		duerma	durmiera / durmiese
(te) duermes	dormiste	dormirás	duerme(te) / no (te) duermas	duermas	durmieras / durmieses
(se) duerme	durmió	dormirá	duerma(se) / no (se) duerma	duerma	durmiera / durmiese
(nos) dormimos	dormimos	dormiremos	dormid (dormíos)	durmamos	durmiéramos / durmiésemos
(os) dormís	dormisteis	dormiréis	/ no (os) durmáis	durmáis	durmierais / durmieseis
(se) duermen	durmieron	dormirán	duerman(se) / no (se) duerman	duerman	durmieran / durmiesen
EMPEZAR					
empiezo	empecé	empezaré		empiece	empezara / empezase
empiezas	empezaste	empezarás	empieza / no empieces	empieces	empezaras / empezases
empieza	empezó	empezará	empiece / no empiece	empiece	empezara / empezase
empezamos	empezamos	empezaremos		empecemos	empezáramos / empezásemos
empezáis	empezasteis	empezaréis	empezad / no empecéis	empecéis	empezarais / empezaseis
empiezan	empezaron	empezarán	empiecen / no empiecen	empiecen	empezaran / empezasen
ENCONTRAR					
encuentro	encontré	encontraré		encuentre	encontrara / encontrase
encuentras	encontraste	encontrarás	encuentra / no encuentres	encuentres	encontraras / encontrases
encuentra	encontró	encontrará	encuentre / no encuentre	encuentre	encontrara / encontrase
encontramos	encontramos	encontraremos		encontremos	encontráramos / encontrásemos
encontráis	encontrasteis	encontraréis	encontrad / no encontréis	encontréis	encontrarais / encontraseis
encuentran	encontraron	encontrarán	encuentren / no encuentren	encuentren	encontraran / encontrasen
ESTAR					
estoy	estuve	estaré		esté	estuviera / estuviese
estás	estuviste	estarás	está / no estés	estés	estuvieras / estuvieses
está	estuvo	estará	esté / no esté	esté	estuviera / estuviese
estamos	estuvimos	estaremos		estemos	estuviéramos / estuviésemos
estáis	estuvisteis	estaréis	estad / no estéis	estéis	estuvierais / estuvieseis
están	estuvieron	estarán	estén / no estén	estén	estuvieran / estuviesen
HABER					
he	hube	habré		haya	hubiera / hubiese
has	hubiste	habrás	he / no hayas	hayas	hubieras / hubieses
ha	hubo	habrá	haya / no haya	haya	hubiera / hubiese
hemos	hubimos	habremos		hayamos	hubiéramos / hubiésemos
habéis	hubisteis	habréis	habed / no hayáis	hayáis	hubierais / hubieseis
han	hubieron	habrán	hayan / no hayan	hayan	hubieran / hubiesen

Verbos

Presente ind.	Pret. indefinido	Futuro	Imperativo	Presente sub.	Pret. imperfecto sub.
HACER					
hago	hice	haré		haga	hiciera / hiciese
haces	hiciste	harás	haz / no hagas	hagas	hicieras / hicieses
hace	hizo	hará	haga / no haga	haga	hiciera / hiciese
hacemos	hicimos	haremos		hagamos	hiciéramos / hiciésemos
hacéis	hicisteis	haréis	haced / no hagáis	hagáis	hicierais / hicieseis
hacen	hicieron	harán	hagan / no hagan	hagan	hicieran / hiciesen
IR					
voy	fui	iré		vaya	fuera / fuese
vas	fuiste	irás	ve / no vayas	vayas	fueras / fueses
va	fue	irá	vaya / no vaya	vaya	fuera / fuese
vamos	fuimos	iremos		vayamos	fuéramos / fuésemos
vais	fuisteis	iréis	id / no vayáis	vayáis	fuerais / fueseis
van	fueron	irán	vayan / no vayan	vayan	fueran / fuesen
JUGAR					
juego	jugué	jugaré		juegue	jugara / jugase
juegas	jugaste	jugarás	juega / no juegues	juegues	jugaras / jugases
juega	jugó	jugará	juegue / no juegue	juegue	jugara / jugase
jugamos	jugamos	jugaremos		juguemos	jugáramos / jugásemos
jugáis	jugasteis	jugaréis	jugad / no juguéis	juguéis	jugarais / jugaseis
juegan	jugaron	jugarán	jueguen / no jueguen	jueguen	jugaran / jugasen
LEER					
leo	leí	leeré		lea	leyera / leyese
lees	leíste	leerás	lee /no leas	leas	leyeras / leyeses
lee	leyó	leerá	lea / no lea	lea	leyera / leyese
leemos	leímos	leeremos		leamos	leyéramos / leyésemos
leéis	leísteis	leeréis	leed / no leáis	leáis	leyerais / leyeseis
leen	leyeron	leerán	lean / no lean	lean	leyeran / leyesen
OÍR					
oigo	oí	oiré		oiga	oyera / oyese
oyes	oíste	oirás	oye / no oigas	oigas	oyeras / oyeses
oye	oyó	oirá	oiga / no oiga	oiga	oyera / oyese
oímos	oímos	oiremos		oigamos	oyéramos / oyésemos
oís	oísteis	oiréis	oíd / no oigáis	oigáis	oyerais / oyeseis
oyen	oyeron	oirán	oigan / no oigan	oigan	oyeran / oyesen
PEDIR					
pido	pedí	pediré		pida	pidiera / pidiese
pides	pediste	pedirás	pide / no pidas	pidas	pidieras / pidieses
pide	pidió	pedirá	pida / no pida	pida	pidiera / pidiese
pedimos	pedimos	pediremos		pidamos	pidiéramos / pidiésemos
pedís	pedisteis	pediréis	pedid / no pidáis	pidáis	pidierais / pidieseis
piden	pidieron	pedirán	pidan / no pidan	pidan	pidieran / pidiesen

Presente ind.	Pret. indefinido	Futuro	Imperativo	Presente sub.	Pret. imperfecto sub.
			PODER		
puedo	pude	podré		pueda	pudiera / pudiese
puedes	pudiste	podrás	puede / no puedas	puedas	pudieras / pudieses
puede	pudo	podrá	pueda / no pueda	pueda	pudiera / pudiese
podemos	pudimos	podremos		podamos	pudiéramos / pudiésemos
podéis	pudisteis	podréis	poded / no podáis	podáis	pudierais / pudieseis
pueden	pudieron	podrán	puedan / no puedan	puedan	pudieran / pudiesen
			PONER		
pongo	puse	pondré		ponga	pusiera / pusiese
pones	pusiste	pondrás	pon / no pongas	pongas	pusieras / pusieses
pone	puso	pondrá	ponga / no ponga	ponga	pusiera / pusiese
ponemos	pusimos	pondremos		pongamos	pusiéramos / pusiésemos
ponéis	pusisteis	pondréis	poned / no pongáis	pongáis	pusierais / pusieseis
ponen	pusieron	pondrán	pongan / no pongan	pongan	pusieran / pusiesen
			PREFERIR		
prefiero	preferí	preferiré		prefiera	prefiriera / prefiriese
prefieres	preferiste	preferirás	prefiere / no prefieras	prefieras	prefirieras / prefirieses
prefiere	prefirió	preferirá	prefiera / no prefiera	prefiera	prefiriera / prefiriese
preferimos	preferimos	preferiremos		prefiramos	prefiriéramos / prefiriésemos
preferís	preferisteis	preferiréis	preferid / no prefiráis	prefiráis	prefirierais / prefirieseis
prefieren	prefirieron	preferirán	prefieran / no prefieran	prefieran	prefirieran / prefiriesen
			QUERER		
quiero	quise	querré		quiera	quisiera / quisiese
quieres	quisiste	querrás	quiere / no quieras	quieras	quisieras / quisieses
quiere	quiso	querrá	quiera / no quiera	quiera	quisiera / quisiese
queremos	quisimos	querremos		queramos	quisiéramos / quisiésemos
queréis	quisisteis	querréis	quered / no queráis	queráis	quisierais / quisieseis
quieren	quisieron	querrán	quieran / no quieran	quieran	quisieran / quisiesen
			RECORDAR		
recuerdo	recordé	recordaré		recuerde	recordara / recordase
recuerdas	recordaste	recordarás	recuerda / no recuerdes	recuerdes	recordaras / recordases
recuerda	recordó	recordará	recuerde / no recuerde	recuerde	recordara / recordase
recordamos	recordamos	recordaremos		recordemos	recordáramos / recordásemos
recordáis	recordasteis	recordaréis	recordad / no recordéis	recordéis	recordarais / recordaseis
recuerdan	recordaron	recordarán	recuerden / no recuerden	recuerden	recordaran / recordasen
			SABER		
sé	supe	sabré		sepa	supiera / supiese
sabes	supiste	sabrás	sabe / no sepas	sepas	supieras / supieses
sabe	supo	sabrá	sepa / no sepa	sepa	supiera / supiese
sabemos	supimos	sabremos		sepamos	supiéramos / supiésemos
sabéis	supisteis	sabréis	sabed / no sepáis	sepáis	supierais / supieseis
saben	supieron	sabrán	sepan / no sepan	sepan	supieran / supiesen

Verbos

Presente ind.	Pret. indefinido	Futuro	Imperativo	Presente sub.	Pret. imperfecto sub.
SALIR					
salgo	salí	saldré		salga	saliera / saliese
sales	saliste	saldrás	sal / no salgas	salgas	salieras / salieses
sale	salió	saldrá	salga / no salga	salga	saliera / saliese
salimos	salimos	saldremos		salgamos	saliéramos / saliésemos
salís	salisteis	saldréis	salid / no salgáis	salgáis	salierais / salieseis
salen	salieron	saldrán	salgan / no salgan	salgan	salieran / saliesen
SEGUIR					
sigo	seguí	seguiré		siga	siguiera / siguiese
sigues	seguiste	seguirás	sigue / no sigas	sigas	siguieras / siguieses
sigue	siguió	seguirá	siga / no siga	siga	siguiera / siguiese
seguimos	seguimos	seguiremos		sigamos	siguiéramos / siguiésemos
seguís	seguisteis	seguiréis	seguid / no sigáis	sigáis	siguierais / siguieseis
siguen	siguieron	seguirán	sigan / no sigan	sigan	siguieran / siguiesen
SER					
soy	fui	seré		sea	fuera / fuese
eres	fuiste	serás	sé / no seas	seas	fueras / fueses
es	fue	será	sea / no sea	sea	fuera / fuese
somos	fuimos	seremos		seamos	fuéramos / fuésemos
sois	fuisteis	seréis	sed / no seáis	seáis	fuerais / fueseis
son	fueron	serán	sean / no sean	sean	fueran / fuesen
SERVIR					
sirvo	serví	serviré		sirva	sirviera / sirviese
sirves	serviste	servirás	sirve / no sirvas	sirvas	sirvieras / sirvieses
sirve	sirvió	servirá	sirva / no sirva	sirva	sirviera / sirviese
servimos	servimos	serviremos		sirvamos	sirviéramos / sirviésemos
servís	servisteis	serviréis	servid / no sirváis	sirváis	sirvierais / sirvieseis
sirven	sirvieron	servirán	sirvan / no sirvan	sirvan	sirvieran / sirviesen
TRADUCIR					
traduzco	traduje	traduciré		traduzca	tradujera / tradujese
traduces	tradujiste	traducirás	traduce / no traduzcas	traduzcas	tradujeras / tradujeses
traduce	tradujo	traducirá	traduzca / no traduzca	traduzca	tradujera / tradujese
traducimos	tradujimos	traduciremos		traduzcamos	tradujéramos / tradujésemos
traducís	tradujisteis	traduciréis	traducid / no traduzcáis	traduzcáis	tradujerais / tradujeseis
traducen	tradujeron	traducirán	traduzcan / no traduzcan	traduzcan	tradujeran / tradujesen
VENIR					
vengo	vine	vendré		venga	viniera / viniese
vienes	viniste	vendrás	ven / no vengas	vengas	vinieras / vinieses
viene	vino	vendrá	venga / no venga	venga	viniera / viniese
venimos	vinimos	vendremos		vengamos	viniéramos / viniésemos
venís	vinisteis	vendréis	venid / no vengáis	vengáis	vinierais / vinieseis
vienen	vinieron	vendrán	vengan / no vengan	vengan	vinieran / viniesen

Transcripciones

UNIDAD 1 Gente

3

1 Carlos, 12 años, estudiante:
A mí me gusta bastante jugar al fútbol, pero también estoy aprendiendo a tocar el piano, así que tengo que tocar todos los días. En verano me gusta ir a la playa.

2 Fernando, jubilado, 67 años:
Yo estoy jubilado, así que monto en bicicleta todos los días, también oigo las noticias de la radio y, muchas veces, hago la compra, pues a mi mujer no le gusta nada ir al mercado.

3 Rocío, 20 años, dependienta:
A mí me encanta leer novelas, especialmente las policíacas, leo una a la semana. Veo las noticias de la tele y también me gusta mucho salir con mis amigos a tomar algo, sobre todo los fines de semana.

4 Carmen, 40 años, ama de casa:
Yo soy ama de casa, tengo cuatro niños, y normalmente hago los trabajos de la casa. Por la tarde estudio ruso en la Escuela de Idiomas, y en mis ratos libres escucho música. Me gusta especialmente el *jazz*.

2

conservador, simpático, alegre, tímido, formal, aburrido, rizado, jardín, amable, televisión, enfadarse, olvidar, dormir.

4

1 Laura se enfadó con José porque él quería ver el fútbol en la televisión y ella quería ver una película.
2 Yo creo que Raúl es un egoísta.
3 Ayer no trabajé mucho porque me dolía el estómago.
4 Necesitan una persona que trabaje bien la madera.
5 Yo creo que deberías ir al médico.
6 El sábado me encontré en el autobús con Víctor.
7 A él le molestó la broma de Fátima.
8 Dijo que vendría más tarde.
9 Los profesores hablaron en árabe durante toda la conversación.

4

Mi amigo Dimitri fue a pasar el domingo a la playa de Salou con sus amigos. Por la tarde fue a la estación a coger el tren para volver a Barcelona. Se despidió de sus amigos y subió a un tren que salía a la hora prevista en su billete, a las 20.45. Después de quince minutos de viaje pasó el revisor y al ver su billete le preguntó adónde iba. "A Barcelona", respondió él tan tranquilo. Y el revisor le explicó que se había equivocado de tren, pues aquel tren no iba a Barcelona, sino a Valencia, es decir, en dirección contraria. Además, era un tren de largo recorrido, así que la siguiente parada estaba a 45 minutos de allí. Dimitri tuvo que continuar hasta la siguiente parada. Allí se bajó y esperó toda la noche en la estación para coger el tren de las cinco de la madrugada que iba a Barcelona. ¡Menuda aventura!

UNIDAD 2 Lugares

3

Cliente: Hola, quería un billete para Alcalá de Henares para el tren de las 9.30.
Taquillero: ¿Ida solo o ida y vuelta?
Cliente: ¿Cuánto vale el de ida y vuelta?
Taquillero: El billete de ida cuesta 2 euros y el de ida y vuelta 3,60.
Cliente: Pues... deme uno de ida y vuelta.
Taquillero: Aquí tiene su billete, son 3,60.
Cliente: Gracias, adiós.

Azafata: Buenos días, ¿me da el billete y el pasaporte?
Pasajero: Aquí tiene.
Azafata: ¿Ventana o pasillo?
Pasajero: Pasillo, por favor.
Azafata: ¿Estas son sus maletas?
Pasajero: Sí, las dos marrones.
Azafata: Muy bien. Mire, esta es su tarjeta de embarque. Tiene que estar en la sala de embarque media hora antes de la salida, a las 6.35. Todavía no se sabe en qué sala. Mírelo en los paneles de información.
Pasajero: ¿A qué hora ha dicho que tengo que embarcar?
Azafata: A las 6.35.
Pasajero: Ah, vale, gracias.

3

Normalmente voy al trabajo en coche. Es que vivo a quince kilómetros de Madrid y no hay ninguna estación de tren cerca de mi casa. Si no hay problemas, tardo media hora en llegar, pero si hay algún atasco, tardo una hora o, a veces, más. No me gusta mucho conducir, pero así puedo regresar a casa media hora antes y recoger a mi hija del colegio.

Yo vivo en el sur de Madrid y tengo que ir a la Universidad Autónoma, que está al norte. Primero voy en metro hasta la plaza de Castilla. Tengo que hacer un transbordo en Gran Vía. En la plaza de Castilla tomo el autobús que va a la Universidad. La verdad es que está un poco lejos, tardo más de una hora en llegar. Durante el viaje puedo leer y estudiar algo, si no hay muchos pasajeros.

Yo vivo en Madrid y trabajo en Alcalá de Henares. No tengo coche, así que voy a trabajar en metro y en tren. Primero voy en metro hasta Atocha, es lo más rápido, y luego tomo el tren de cercanías hasta Alcalá de Henares. Tardo una hora en llegar, más o menos. Durante el viaje tengo tiempo de leer el periódico o una novela, o también puedo dormir, si tengo sueño. El tren es cómodo, rápido y barato.

1

¡Estupendo! ¡No me digas! ¡Enhorabuena! ¡Cuánto tiempo sin verte! ¡Ven aquí! ¡Qué bonito! ¡Eres genial! ¡Estoy harta! ¡Espérame!

2

¿Está libre? ¡Qué pena! ¿Vas a la compra? ¡Qué barato! ¿Puedo salir? ¡He aprobado! ¡No es barato! ¡Estás tonto! ¿Te gusta? ¡Es carísimo!

7

Maribel: ¿Sí, dígame?
Juan Zúñiga: ¡Hola, buenos días! Soy Juan Zúñiga, desde México.
Maribel: ¡Ah, buenos días! ¿Cómo está usted?
Juan Zúñiga: Pues, nada... Que llamaba para enterarme de cómo llegar a su casa en España.
Maribel: Bien, desde Madrid, deben tomar la Nacional VI hasta Villacastín.
Juan Zúñiga: ¿Y qué distancia hay de Madrid a Villacastín?
Maribel: Este pueblo está a unos 80 kilómetros de Madrid.
Juan Zúñiga: ¿Y una vez allí?
Maribel: Desde Villacastín tienen que desviarse por la carretera que va a Segovia, y a cinco kilómetros del pueblo encontrarán una señal que indica la entrada a la urbanización: Coto de San Isidro.
Juan Zúñiga: Cuando lleguemos a la urbanización, ¿cómo encontramos la casa?
Maribel: Es muy fácil. En la entrada verán un hostal y una plaza con una fuente. Justo detrás de la fuente está nuestra casa. Las llaves están en el buzón.

Juan Zúñiga: No parece muy difícil. De todas formas, si tenemos algún problema nos pondremos en contacto.

Maribel: Muy bien. Me alegro de saludarle y espero que tengan un buen viaje.

Juan Zúñiga: Gracias. ¡Hasta pronto!

1

Sandra: ¿Has leído la revista de *El Viajero* de la semana pasada?

María: No, ¿por qué?

Sandra: Pues venía un artículo muy interesante sobre la ciudad de Cuenca.

María: ¿Ah, sí? ¿Y qué dice?

Sandra: Habla de su catedral, sus museos, su casco antiguo... Había pensado que, si quieres, nos organizamos el próximo fin de semana para ir a conocerla.

María: Bueno, ¿y cómo vamos?

Sandra: Podemos ir en coche, pero yo creo que es más cómodo ir en tren.

María: Yo también prefiero el tren. ¿Y dónde dormiríamos?

Sandra: Podríamos buscar un hotel barato en internet. Lo que sí me gustaría es comer en un restaurante nuevo que está en las Casas Colgadas, junto al Museo de Arte Abstracto. El cocinero es muy famoso y creo que se come muy bien.

María: ¡Genial! ¿Por qué no se lo decimos a Luisa y a Alicia para que se vengan con nosotras?

5

Sandra: ¡Hola, Luisa! ¿Qué tal? Soy Sandra.

Luisa: Hola, Sandra. ¿Qué tal?

Sandra: Pues, mira, he estado hablando con María y queremos ir a Cuenca el próximo fin de semana. ¿Te vienes?

Luisa: La verdad es que no tengo nada que hacer este fin de semana. Estaría muy bien. ¿Cómo pensáis ir?

Sandra: Habíamos pensado ir en tren. Desde Madrid no se tarda más de una hora.

Luisa: Pero..., ¿sabéis que la estación está a más de cinco kilómetros del centro de la ciudad? Tendríamos que coger un taxi. Mejor vamos en mi coche.

Sandra: Vale, no creo que a María le parezca mal.

Luisa: ¿Y habéis decidido dónde vamos a dormir?

Sandra: Sí, podemos buscar un hotel barato en internet. Es una ciudad muy turística y hay muchos hoteles para elegir. ¿Qué te parece la idea?

Luisa: A mí me parece estupendo. Se lo voy a decir a Alicia para que se apunte también. Te mando un mensaje cuando hable con ella.

UNIDAD 3 Relaciones personales

1

¿Ha venido María?
¿Tienes hambre?
¿Quién ha venido?
¿Estás seguro?
¿Quieres venir?
¿Cómo lo sabes?

2

Hace frío. / No ha venido. / ¿Quiere comer? / ¿Estudia mucho? / ¿Le gusta la tortilla? / Está esperando.

2

(Paloma habla de Jaime)

¿Qué me gusta de Jaime? Pues lo que más me gusta es su sentido del humor, es muy divertido, hace bromas continuamente. En su trabajo, por el contrario, es muy serio y formal. Con la familia y sus amigos es cariñoso y también generoso, hace bastantes regalos. Lo peor es que a veces se pone un poco terco. Físicamente es muy alto. Cuando le conocí tenía el pelo un poco largo y rizado, pero ahora no tiene mucho, está casi calvo y lleva gafas. Es bastante presumido, le gusta comprarse ropa.

(Jaime habla de Paloma)

De Paloma me gusta mucho su mirada. Tiene unos ojos grandes y expresivos, unas veces alegres y otras, tristes. Es muy ordenada, y también es sociable, le gusta mucho organizar actividades con los amigos y reunir a toda la familia alrededor de una mesa llena de comida. Tiene el pelo castaño y largo. Lo que menos me gusta es que a veces se enfada conmigo.

(Rosa habla de Paco)

Con Paco nunca me aburro. Unas veces es un niño grande que inventa juegos para sus hijos y otras veces es un hombre serio, preocupado por todos los problemas de la Humanidad. Es muy inteligente, amable con casi todo el mundo, pero cuando se enfada, es terrible. No es muy alto, lleva el pelo largo y tiene bigote y perilla; no le preocupa mucho la ropa.

(Paco habla de Rosa)

Lo que me gustó de Rosa cuando la conocí fue su generosidad y amabilidad. Es comprensiva y sabe escuchar, por eso la gente le cuenta sus problemas. Es muy romántica: le gustan las puestas de sol, las flores, las cenas para dos, y también le gusta ir al campo con sus amigos y andar. No es muy alta, es delgada y siempre lleva el pelo corto. Le gusta ponerse vaqueros, pero es elegante cuando sale.

5

Alicia: ¿Sabes?, me gusta un chico de la clase de español.

Bea: ¿Ah, sí?, ¿quién?

Alicia: Se llama Peter y es inglés.

Bea: ¿Qué tal es?

Alicia: Es alto, no muy guapo, pero es simpático y parece tranquilo. Yo creo que también le gusto, porque me he dado cuenta de que me mira mucho, pero no sé qué hacer, porque no estoy segura...

Bea: Yo en tu lugar le preguntaría algo de gramática, le pediría el diccionario, en fin...

Gonzalo: Estoy harto de mis padres, me voy a ir de casa.

Adrián: Pero hombre, ¿qué te pasa?

Gonzalo: Ya te lo he dicho, estoy harto de mis padres. Son pesadísimos, todos los días me preguntan por las clases, los exámenes, si estudio o no. Mi madre me mira la ropa para ver si fumo. Ayer estaba viendo la tele tan tranquilo y mi padre se sentó a mi lado, a preguntarme por mis amigos, si tengo problemas, en fin, un rollo.

Adrián: Bueno, hombre, no te preocupes, todos los padres o casi todos son iguales, tú tranquilo. Lo que tienes que hacer es salir más con nosotros y no contar nada en casa. Yo en tu lugar no me preocuparía. ¿Adónde vas a ir a vivir si no tienes dinero ni trabajo?

1

Laura: ¿Qué tal tu fiesta de cumpleaños?

Carmen: Lo pasamos muy bien. Al final no vino mucha gente, pero estuvo mi hermana y conocimos a su novio. ¿Sabías que tenía novio?

Laura: ¡No sabía nada! ¿Y cómo es?

Carmen: Me cayó muy bien. Me pareció encantador. Se llama Eduardo. Es mexicano. Es muy simpático y nada tímido. ¡No paró de hablar sobre su país!

Laura: ¿Y es lindo?

Carmen: Es muy alto y moreno y tiene unos ojos muy bonitos. Lo que no me gusta es que tiene barba. ¿Quieres que te enseñe alguna foto de la fiesta?

Laura: ¡Ah, parece muy alegre! ¿A qué se dedica?

Carmen: Es cocinero en un restaurante mexicano y nos preparó un postre riquísimo.

Laura: ¿Cuándo se conocieron?

Carmen: El verano pasado, cuando estaban de vacaciones en la playa. El único problema es que es un poco celoso. No deja a mi hermana sola ni un momento al día. Pero se llevan muy bien.

5

Marcos: ¡Hola, Santiago! ¿Qué haces ahí sentado?

Santiago: ¡Hola, Marcos! Estoy chateando.

Marcos: ¿Con quién?

Santiago: Con una compañera de clase, para ver si quedo con ella.

Marcos: ¿La conozco? ¿Quién es?

Santiago: Ana, una chica alta y morena, con el pelo largo y rizado.

Marcos: ¡Ah, ya sé quién es! Es muy seria, ¿no?

Santiago: No tanto, no, no creas, lo que pasa es que es un poco tímida, pero luego es simpática cuando la conoces.

Marcos: Pero, ¿no está saliendo con Pedro, ese chico rubio, tan educado, que tiene una empresa de informática?

Santiago: ¡Ah, no lo sé! No tenía ni idea. Además, solo estamos chateando.

Marcos: Yo en tu lugar no intentaría salir con ella. Si sale con ese chico tan guapo y que tiene tanto dinero..., no tienes nada que hacer. Sería mejor que pensaras en otra chica.

UNIDAD 4 El tiempo pasa

2

Laura: ¡Hombre, Javier, cuánto tiempo sin verte!

Javier: ¡Hola, Laura, no te conocía! ¿Qué es de tu vida? ¿Acabaste la carrera?

Laura: Bueno, la verdad es que no. La vida me cambió mucho. Cuando estaba terminando, encontré un trabajo en una inmobiliaria. Dejé de estudiar y estuve trabajando en esa empresa hasta que conocí a Juan y montamos nuestro propio negocio. Además, nos hemos casado y tenemos dos hijos. ¿Y tú, qué tal?

Javier: Pues yo terminé la carrera y empecé a trabajar en una agencia publicitaria. Desde entonces, sigo trabajando para la misma empresa, pero ya no vivo en Madrid. He estado viajando por media España: Córdoba, Sevilla, Barcelona...

Laura: ¿Y ahora, dónde vives?

Javier: Me he comprado una casa en el campo, cerca de Segovia, y llevo viviendo allí dos años.

Laura: ¿Y Ana, tu mujer, qué tal?

Javier: Me divorcié hace cuatro años, pero me volví a casar el año pasado. Ahora estamos esperando nuestro primer hijo para el mes que viene.

Laura: ¿Y qué haces por Madrid?

Javier: He venido a ver a mi familia. Mi madre ha estado enferma últimamente y he venido a pasar unos días con ella. Bueno; ¿y tú qué haces por aquí?

Laura: Estoy esperando a unos amigos para ir al teatro. Hoy mi marido se ha quedado con los niños. Bueno, me voy, que ya están aquí. Yo sigo teniendo el mismo teléfono. Llámame un día y conoces a mis hijos y a mi marido.

Javier: ¡Ah, muy bien! Os llamo la semana que viene.

7

César: ¿Escuchaste el programa sobre educación que pusieron ayer en la televisión?

Ana: Sí, pero no estoy de acuerdo con algunas de las cosas que dijeron. Yo creo que la educación que reciben nuestros hijos hoy en día es mejor que la de antes. Antes solo se utilizaba la memoria y los alumnos no aprendían a razonar.

César: Pero ahora el gran problema es que los chicos no tienen interés por los estudios y no respetan al profesor. No prestan atención en las clases y así no aprenden nada.

Ana: Yo creo que antes la relación con los profesores era mucho peor. Los profesores eran muy estrictos y no facilitaban la comunicación con el alumno. Además las chicas estábamos separadas de los chicos y eso no nos preparaba para la vida, donde todos estamos juntos.

César: Sí, pero el silencio y la atención en clase eran mucho mayores y eso facilitaba el aprendizaje.

Ana: Pero eso no era realmente aprender: no podías participar, no podías hacer preguntas y mucha gente se perdía por el camino.

César: Ahora nuestras escuelas son mixtas, pero también muchos alumnos se pierden, porque cuando un alumno no tiene interés por lo que está aprendiendo, yo creo que no tiene solución.

Ana: Para mí lo importante es convencer al alumno de que tiene que aprender para buscarse un lugar en la vida y facilitarle el trabajo para seguir avanzando, pero si él no hace el esfuerzo de estudiar, el sistema de enseñanza no va a poder hacer nada por él.

2

1 Déjame el diccionario.
A él no le digas nada.

2 El té verde es muy bueno.
¿Cuándo te vas a duchar?

3 Dame el paquete a mí.
Mañana viene mi hermano.

4 Este niño no se llama Pedro.
Yo no sé dónde está Carmen.

5 ¿Tú vas a ir a la boda de María?
¿Dónde está tu abrigo?

6 Si puedo, iré a verte.
Él sí quiere casarse, pero ella no.

1

Paloma: ¡Hombre, Jorge! ¡Cuánto tiempo sin verte! ¿Dónde te has metido últimamente?

Jorge: ¡Hola, Paloma! Es que he estado viviendo en Barcelona. Después de terminar la carrera de Piano, empecé a dar clases en el Conservatorio de allí. Y ahora he vuelto a vivir a Madrid y acabo de presentarme a unas pruebas para la orquesta de la Comunidad. Y tú, ¿qué tal?

Paloma: Yo acabé la carrera de Medicina el año pasado y he empezado a trabajar en un hospital este verano. ¿Y qué sabes de Eva? ¿Sigues en contacto con ella?

Jorge: No, antes nos veíamos mucho, pero ahora hace tiempo que no la veo. ¿Y tú, sigues saliendo con David?

Paloma: ¡Ah! ¿Pero no te has enterado? Llevamos casados seis meses y ¡estamos esperando nuestro primer hijo!

Jorge: ¡Vaya! ¡Enhorabuena! ¡Esto hay que celebrarlo!

Paloma: Vale, vente a cenar mañana a casa y así saludas a David.

Jorge: Muy bien. Venga, mañana nos vemos.

5

Sandra: ¡Hola, Pedro! ¿A que no sabes a quién acabo de encontrarme en el autobús?

Pedro: Ni idea.

Sandra: ¿Te acuerdas de Beatriz?

Pedro: ¿Quién? ¿La hermana de Héctor, nuestro compañero de clase?

Sandra: La misma. ¿Te acuerdas de que se divorció y poco después se fue a Argentina?

Pedro: Sí, sí. ¿Y cómo le fue?

Sandra: Pues, parece que muy bien. Está aquí para pasar unas vacaciones con sus padres, pero luego se vuelve a Buenos Aires.

Pedro: ¿Y qué hace allá?

Sandra: Está estudiando Arte Dramático. Se ha vuelto a casar con un argentino y tienen un niño.

Pedro: ¡Me gustaría verla!

Sandra: Pues hemos quedado para tomar café mañana por la tarde. Si quieres, vente con nosotras.

UNIDAD 5 Salud y enfermedad

3

¿Por qué soy vegetariano?

Yo creo que estaba destinado a ser vegetariano, pues poco a poco me di cuenta de que la carne y todos sus derivados me afectaban físicamente, y empezó a no gustarme la idea de comer animales.

A medida que pasaban los meses dejé primero la carne, después el pollo, el pescado y más tarde los huevos y la leche. Comencé a leer algunos libros interesantes y el que más ha cambiado mi vida ha sido el libro de *La antidieta*. Una de las cosas que comencé a hacer al leer este libro fue desayunar fruta por las mañanas para desintoxicarme diariamente, así que cada mañana comienzo el día con fruta fresca y zumos y no como nada más hasta el mediodía, para que mi cuerpo pueda limpiarse.

Cuando me convertí en vegetariano, la reacción de los que estaban a mi alrededor (mi familia, amigos, etc.) fue muy cruel. Estaban constantemente insistiendo en ir a tomar una hamburguesa. Ahora, muchos de ellos, incluida mi madre, se han hecho vegetarianos. Mis hijos, por supuesto serán vegetarianos, y si quieren comer perritos calientes, haré todo lo posible para informarles de lo que hay en un perrito caliente antes de comérselo.

Me gusta cocinar muchas cosas. Me encantan las verduras al horno, las zanahorias y las cebollas con un poquito de aceite de oliva, sal y pimienta. Me gustan mucho los cereales y las legumbres, pero mi plato favorito es un pastel de tomate y patatas.

Es estupendo invitar a mis amigos a cenar e impresionarles con una buena comida y, al final de la cena, informarles de que no se han empleado animales en ninguno de los platos.

6

El saludo al sol

El saludo al sol es un ejercicio de yoga que consiste en una serie de movimientos suaves sincronizados con la respiración. Una vez que haya aprendido las posturas, es importante que las combine con una respiración rítmica.

1 De pie espire al tiempo que junta las manos a la altura del pecho.

2 Aspire y estire los brazos por encima de la cabeza. Inclínese hacia atrás.

3 Espirando, lleve las manos al suelo, a cada lado de los pies, de forma que los dedos de manos y pies estén en línea.

4 Aspire al tiempo que estira hacia atrás la pierna derecha y baje la rodilla derecha hasta el suelo.

5 Conteniendo la respiración lleve hacia atrás la otra pierna y estire el cuerpo.

6 Apoye las rodillas, el pecho y la frente sobre el suelo.

7 Aspire, deslice las caderas hacia delante e incline la cabeza hacia atrás.

8 Espire y, sin mover las manos ni los pies, levante las caderas.

9 Aspire y lleve el pie derecho hacia delante. Estire hacia atrás la pierna izquierda.

10 Lleve el otro pie hacia delante. Estire las rodillas y toque las piernas con la frente.

11 Aspire a la vez que inclina la espalda con la cabeza hacia atrás y mantiene los brazos junto a las orejas.

12 Espire al tiempo que regresa a la posición inicial.

1

genio, gente, joven, jueves, jefe, jirafa, gato, gorro, agua, García, goma, guapo, guerra, guía, guitarra, guepardo.

3

1 El jueves pasado jugué al fútbol con Martín.

2 El guepardo es un animal muy rápido.

3 Lávate las manos con jabón.

4 El novio de Isabel es muy guapo.

5 En el jardín de Luis hay dos geranios

6 Tu corbata es igual que la mía.

7 Luis, toca la guitarra, por favor.

8 Julia, tráeme la agenda que está al lado del teléfono.

9 María ha tejido un jersey para su nieto.

10 Para llegar al hotel, sigue todo recto y luego gira a la derecha.

1

Antonio: Hola, Luis. Soy Antonio.

Luis: Hola, ¿qué tal?

Antonio: Te llamo para decirte que no voy a poder ir a la oficina mañana y no vamos a poder terminar el informe que tenemos pendiente.

Luis: ¿Por qué? ¿Qué te pasa?

Antonio: Me encuentro fatal. Me duele la cabeza y tengo fiebre.

Luis: Habrás cogido la gripe. Tómate una aspirina y métete en la cama. Ya terminaremos nuestro trabajo otro día. No te preocupes. Si puedo, me acerco mañana a verte.

Antonio: Vale y tráeme alguna revista para entretenerme.

Luis: Y no te preocupes. Si quieres, yo aviso mañana en la oficina para que sepan que no vas a poder ir a trabajar.

Antonio: No, déjalo. Ya llamo yo. Muchas gracias.

Luis: ¡Que te mejores!

5

Conversación 1

Servicio de Urgencias: Servicio de urgencias, buenas tardes. ¿Me puede decir su nombre, por favor?

Ángel: Me llamo Ángel Moreno.

S.U.: ¿En qué puedo ayudarle?

Ángel: Me he hecho un corte en el brazo con el cristal de una ventana, que se ha roto cuando iba a cerrarla, y me sale mucha sangre.

S.U.: Bien, lo primero, póngase una venda muy apretada sobre la herida para cortar la hemorragia. No mueva el brazo y acérquese al Servicio de Urgencias lo antes posible. ¿Puede venir usted solo?

Ángel: Estoy muy mareado. Envíen una ambulancia, por favor.

S.U.: No se preocupe. Enseguida vamos para allá.

Conversación 2

Roberto: ¡Hola, papá! Soy Roberto. ¡Te llamo porque mamá se acaba de quemar la mano cocinando! ¿Qué hago?

Julián: ¡Tranquilo! Mójale la mano con agua fría y ponle un poco de aceite sobre la quemadura. ¡Ahora mismo voy para allá! Pero antes voy a pasar por la farmacia a comprar una crema para la quemadura.

Roberto: ¡Venga, vale! Pero date prisa. Parece que le duele mucho.

UNIDAD 6 Nuestro mundo

4

Entrevistadora: Hoy tenemos con nosotros a un representante de la organización Greenpeace en España. Buenas tardes, Miguel. ¿Cuáles son los objetivos de vuestra organización?

Miguel: Greenpeace es una organización internacional que trabaja para conseguir un mundo mejor para las futuras generaciones. Queremos que el mundo esté libre de guerras y que nuestro medioambiente sea más limpio. Por todo esto nos preocupa que haya atentados ecológicos como la deforestación, la contaminación de la atmósfera y de los océanos.

Entrevistadora: ¿Vosotros creéis que la situación del planeta tiene arreglo en el futuro?

Miguel: A nosotros nos gustaría. Para ello, las empresas, los gobiernos y las organizaciones ecologistas deben trabajar conjuntamente. El tiempo para salvar nuestro planeta se está agotando y no entiendo por qué las grandes industrias no hacen algo. Si no se cambian las formas de organización, puede que muy pronto sea demasiado tarde.

Entrevistadora: ¿Os sentís comprendidos por la gente?

Miguel: En algunas acciones sí, pero, en otras, no tanto. A mí me molesta que algunas personas me consideren un terrorista por defender el medioambiente. Nosotros, la gente de Greenpeace, solo somos un grupo de personas con una misión común: defender la tierra.

Entrevistadora: Y desde aquí, ¿cómo podemos ayudaros?

Miguel: Lo ideal sería conseguir más socios. Necesitamos dinero para continuar con nuestras campañas. Por favor, ayúdanos a ayudarte.

Entrevistadora: Muchas gracias, Miguel. Espero que esta entrevista os ayude en vuestra lucha contra la contaminación del planeta.

Miguel: Muchas gracias.

2

1 Es conveniente que los bares cierren a las once.
2 En las zonas de ocio hay mucho ruido.
3 Dicen que van a fabricar coches más silenciosos.
4 Greenpeace es una organización dedicada a defender la naturaleza.
5 Las denuncias que hacen los vecinos son inútiles.

1

Periodista: Estamos en la plaza Mayor de Villanueva, donde tiene lugar en estos momentos una manifestación. Para Radio 1, en directo, ¿puede decirnos por qué se están manifestando?

Fernando: Estamos protestando porque quieren instalar una central nuclear en nuestro pueblo.

Periodista: ¿Y por qué piensa que esto puede ser negativo?

Fernando: Nos preocupa que haya un accidente en la central. Creemos que la energía nuclear es muy peligrosa y por eso no queremos tenerla cerca de nuestras casas.

Periodista: Pero dicen que van a crear muchos puestos de trabajo. Habrá gente que esté a favor...

Fernando: Sí, pero la mayoría de los habitantes del pueblo pensamos que es más importante nuestra salud.

Periodista: Concretamente, ¿qué quieren conseguir con esta protesta?

Fernando: Esperamos que paralicen las obras de la central y nos gustaría que los representantes de los vecinos puedan negociar con el gobierno para alcanzar una solución.

5

Locutora: Estoy en la Puerta del Sol, en Madrid, donde hay más de 15 000 personas manifestándose aquí hoy. Vamos a hablar con uno de los manifestantes. Hola, estamos en directo en Radio 4, ¿podrías contestarme a algunas preguntas?

Manifestante: Sí, claro.

Locutora: ¿Puedes explicar a nuestros oyentes el motivo de vuestra protesta?

Manifestante: Nos manifestamos en contra de las medidas que el gobierno está tomando para solucionar la crisis económica.

Locutora: ¿A qué medidas concretas te refieres?

Manifestante: Principalmente a los recortes que se están produciendo en educación y sanidad. Nos preocupa que el presupuesto para las escuelas y hospitales disminuya.

Locutora: ¿Hacia dónde se dirige la manifestación?

Manifestante: Vamos hacia el Parlamento. Es necesario que nuestros representantes oigan la voz del pueblo.

Locutora: ¿Qué queréis conseguir?

Manifestante: Creemos que en este momento es necesario que todos participemos más activamente y que los políticos estén más atentos a las exigencias de los ciudadanos.

UNIDAD 7 Trabajo y profesiones

5

-¿En qué consiste la actividad de las empresas de trabajo temporal?

Contratan trabajadores para cederlos a otras compañías de forma temporal. Las empresas podrían incorporar a esos empleados directamente, pero a veces prefieren acudir a una ETT.

-¿Qué ventajas tiene para las empresas contratar personal por medio de una empresa de trabajo temporal?

Muchas: solo han de indicarles el puesto de trabajo que quieren cubrir y el tipo de persona que buscan. La ETT hace el resto: selecciona al candidato, lo forma -si es necesario-, se encarga de las gestiones administrativas de la contratación, etc.

-¿Qué posibilidades hay de encontrar un trabajo estable a través de una empresa de trabajo temporal?

Las empresas de trabajo temporal aseguran que alrededor del 30 o el 35% de los trabajadores que ceden son contratados después directamente por la empresa usuaria.

-¿En qué meses canalizan más ofertas de empleo?

Las ETT ofrecen trabajo durante todo el año, aunque el verano junto con la Navidad son probablemente las épocas más fuertes. Las empresas les piden perfiles de todo tipo, no solo peones o mozos de almacén. Cada vez les solicitan personal más cualificado: técnicos, titulados de FP y universitarios.

-¿Cuánto pagan las empresas de trabajo temporal?

El trabajador cedido por la ETT a una empresa usuaria cobra lo mismo que estaría cobrando si esta lo contratara directamente. Esa es la gran novedad que introdujo la reforma que regula la ley de las ETT de 1999: la equiparación total de salarios.

El sueldo incluye de forma prorrateada las pagas y las vacaciones. Esto quiere decir que a final de mes un trabajador cedido por una empresa de trabajo temporal puede estar cobrando más que uno de plantilla con la misma categoría profesional y que realice funciones similares. En realidad el salario es el mismo, pero el trabajador de la ETT cobra antes la parte que le corresponde de vacaciones y pagas porque no ha de esperar a que lleguen para percibirlas, sino que se le incluyen en el sueldo mensual.

-¿Se queda la ETT una parte del salario de los trabajadores que cede?

No, está prohibido por ley y si detectamos alguna irregularidad en este sentido debemos denunciarla, aunque no son en absoluto habituales. Ningún empleador puede cobrar a un empleado por darle trabajo.

-¿Utilizan las empresas de trabajo temporal pruebas psicotécnicas para seleccionar personal?

La mayoría sí, y también de conocimiento: test de aptitud, de personalidad, de inteligencia general, de idiomas, de mecanografía y muchas otras, de acuerdo con las características del puesto a cubrir. Y no hay que tomárselas a la ligera porque son tan exhaustivas como las que pueda pasar una empresa privada e incluso más.

1

1 Si no estuviera cansada, iría a verte esta tarde.
2 María estará en casa a las ocho.
3 Luis terminará el informe mañana.
4 Elena te llamaría si tú fueras más amable con ella.
5 Si tú hablaras con Pablo, quizás dejaría de fumar.
6 Mañana vendrán tus abuelos.
7 Si vinieras a casa en Navidad, tus abuelos se alegrarían mucho.

3

lloviera, hablara, beberá, comiera, tuviera, leeremos, bebiera, escribiremos, dijeran, escribiera

1

Encargada de Personal: Hola, buenas tardes. Usted está interesado en un puesto vacante de cocinero. ¿Ha trabajado alguna vez en la cocina de un restaurante?

Antonio: Cuando acabé mis estudios de cocina, hice prácticas en la cocina de la Escuela de Hostelería.

Encargada de Personal: ¿Durante cuánto tiempo estuvo de prácticas?

Antonio: Durante seis meses, y cuando terminé, me fui a París para hacer un curso de cocina francesa.

Encargada de Personal: ¿Y qué es lo que más le gusta de este trabajo?

Antonio: Me gusta la cocina en general, pero mi especialidad son los postres.

Encargada de Personal: Tenemos dos turnos: de mañana y de tarde. ¿En qué horario le gustaría trabajar?

Antonio: Hombre, si pudiera trabajar por la mañana, continuaría mis estudios por la tarde.

Encargada de Personal: ¿Y qué está estudiando?

Antonio: Estoy estudiando inglés y haciendo un curso de cocina.

Encargada de Personal: Bien, pues como ya sabe tenemos varios candidatos. Cuando tomemos una decisión definitiva, nos pondremos en contacto con usted.

5

Carlos: ¿Cómo te fue en la entrevista?

Juan: Bueno, no sé. Yo he salido con buena impresión. Si me seleccionaran, podría hacer planes para el próximo curso y pagarme mis clases en la universidad.

Carlos: ¿Y cuánto te pagarían?

Juan: Si me dan el horario completo, cobraría unos 900 € más propinas.

Carlos: Tal y como están las cosas no está mal. ¿No necesitarán más gente? Si yo encontrara algo parecido, me vendría muy bien. ¿Y cuándo empezarías?

Juan: Es un contrato para la temporada de verano, así que empezaría el 1 de julio. El problema es que es un restaurante italiano y tendría que aprender a hacer pizzas.

Carlos: ¿Y cuándo te van a dar una respuesta?

Juan: No sé. Espero que pronto. En cuanto sepa algo ya te lo contaré.

UNIDAD 8 Tiempo de Ocio

5

Marina Alabau, windsurfista profesional, nació en Andalucía, y ganó la medalla de oro en las Olimpiadas de Londres, después de ser campeona del mundo en 2009 y campeona europea en 5 ocasiones. Marina cuenta que se entrenaba en Inglaterra pero que cada tres semanas volvía a Tarifa, en el sur de España, para desconectar. Sin duda, el momento más importante de su carrera fue lograr la medalla de oro en unos Juegos Olímpicos. A partir de las próximas olimpiadas, el Comité Olímpico internacional ha decidido eliminar la categoría de *windsurf*, y sustituirlo por el *kitesurf*, así que Marina se plantea competir en esta disciplina.

Aparte de Marina, en su familia también practica *windsurf* su hermana Marta, que está deseando enfrentarse a ella en los próximos campeonatos de Europa y ganarle al menos en alguna manga.

Marina también hace *snow* y esquía. Su comida favorita es el pescado a la plancha, el gazpacho y el puchero andaluz. Le encanta pasar sus vacaciones en las playas de Tarifa y perderse por las montañas verdes de Nueva Zelanda.

2

Ana: Pedro, ¿qué podemos hacer esta tarde?
Pedro: Podemos ir al cine.
Ana: ¿Y si hacemos algo diferente? Tengo aquí la cartelera y hay algunas cosas que parecen muy interesantes. Mira este espectáculo de danza.
Pedro: ¿Qué tipo de danza es?
Ana: Es *ballet* clásico.
Pedro: No, preferiría algo distinto.
Ana: Podemos ir a ver el espectáculo de flamenco *Los Tarantos*.
Pedro: Empieza un poco tarde. ¿Y si vamos a ver el Circo del Sol? Creo que tienen un nuevo espectáculo muy interesante.
Ana: Ya los vimos actuar el año pasado. Preferiría algo distinto... ¿Qué te parece el espectáculo de *El Rey León*? Me han dicho que es un musical muy bueno.
Pedro: ¡Ah, vale, buena idea! ¿A qué hora empieza?
Ana: A las nueve de la noche.
Pedro: Muy buena hora. ¿Dónde quedamos?
Ana: Podemos quedar en la puerta de mi oficina.
Pedro: Bien, ¿a qué hora quedamos?
Ana: ¿Qué tal a las siete y tomamos unas tapas antes de entrar?
Pedro: Estupendo. Nos vemos a las siete, entonces.
Ana: Bien, de acuerdo.

7

– Buenos días.
– Hola, hijo. ¿Quieres comer?
– Gracias, que aproveche. ¿Y el señor Gregorio?
– Muy disgustado, hijo. Como lo retiran por la edad... Y es lo que él dice: "¿De qué sirve que un hombre se deje los huesos conduciendo un tranvía durante cincuenta años, si luego le ponen en la calle?". Y si le dieran un buen retiro...

Pero es una miseria, hijo; una miseria. ¡Y a mi Pepe no hay quien lo encarrile! ¡Qué vida! No sé cómo vamos a salir adelante.

– Lleva usted razón. Menos mal que Carmina...
– Carmina es nuestra única alegría. Es buena, trabajadora, limpia... Si mi Pepe fuese como ella...
– No me haga mucho caso, pero creo que Carmina la buscaba antes.
– Sí. Es que se me había olvidado la cacharra de la leche. Ya la he visto. Ahora sube ella. Hasta luego, hijo.
– Hasta luego.

1

Daniel: ¿Has visto últimamente alguna película que te haya gustado?

Alicia: Ayer vi en la televisión *Chico y Rita*. Me dio mucha rabia no verla cuando la estrenaron. Yo prefiero ver las películas en el cine siempre que puedo.

Daniel: ¿De quién es?

Alicia: De Fernando Trueba y Javier Mariscal.

Daniel: ¿Y qué te pareció?

Alicia: Ya sabes que es una película de animación. No son mis preferidas. Pero los directores han hecho un trabajo extraordinario. Es muy romántica y la música es fantástica. Ganó el premio Goya a la mejor película de animación y también estuvo nominada para los Óscar.

Daniel: ¿Y qué es lo que más te gustó?

Alicia: El argumento y la música. Es un homenaje al *jazz* latino. Se desarrolla en La Habana, París y Nueva York.

Daniel: Entonces, ¿me la recomiendas?

Alicia: Claro, con lo que te gusta el *jazz*..., estoy segura de que te va a encantar.

5

Entrevistadora: Hoy tenemos en nuestro programa de cine a dos aficionados: Carlos y Susana. Carlos, ¿cuál es la última película que has visto?

Carlos: *REC*. Es una película española, de terror, rodada con cámaras digitales y móviles, con un presupuesto muy bajo, que ha sido una de las más taquilleras en Europa.

Entrevistadora: ¿Y quién trabaja?

Carlos: No es una película de actores. Esta hecha a modo de documental.

Entrevistadora: ¿De qué trata?

Carlos: Una periodista y un cámara van a una estación de bomberos por la noche. Reciben una llamada de emergencia de un edificio, a la que acuden dos bomberos acompañados de los periodistas sin saber qué encontrarán.

Entrevistadora: ¿Qué te pareció la película?

Carlos: Es muy realista. Está muy bien hecha y te mantiene en tensión durante la hora y media que dura.

Entrevista: ¿A quién se la recomendarías?

Carlos: Estoy seguro de que les encantará a todos los amantes del cine experimental y de terror.

Entrevistadora: Y tú, Susana, ¿qué es lo último que has visto?

Susana: Bueno, yo prefiero las películas de humor. La última que vi fue *Torrente 4*. Había visto las anteriores y me daba mucha rabia perderme la última.

Entrevistadora: ¡Ah, sí! Es la última de la saga del actor y director Santiago Segura, ¿no? ¿Y qué te ha parecido?

Susana: Como sabes son películas cómicas y, a veces, con bromas de mal gusto. Las primeras me parecieron muy divertidas, esta última, ya no tanto.

Entrevistadora: Entonces, ¿nos la recomiendas?

Susana: La verdad es que esta última a mí me gustó menos, pero sí, pueden ir a verla.

UNIDAD 9 Noticias

8

...Y ahora, pasamos al apartado de sucesos.

Un hombre ha sido condenado a pagar a su exmujer la mitad del premio que le tocó en la lotería Primitiva, aunque ambos habían iniciado ya los trámites de separación. El Tribunal Supremo ha sentenciado que el premio de 2 millones de euros pertenece a los bienes gananciales del matrimonio y, por tanto, que la mujer tiene derecho a percibir su parte.

El pasado mes de octubre, cuando aún no estaban separados legalmente, Diego, el marido de Juani, durante un viaje a Madrid, rellenó un boleto de la lotería Primitiva. En esta ocasión se hizo realidad el refrán: "Afortunado en el juego, desgraciado en amores".

A continuación las noticias deportivas...

6

Ya estamos en Berlín. Estamos bien pero, antes de salir, en el aeropuerto del Prat pasamos un mal momento. Eran las ocho de la mañana y estábamos esperando la salida del avión. Cuando fuimos a facturar el equipaje, nos pidieron que enseñáramos nuestros pasaportes. Y Sergio no lo encontraba. La azafata nos recomendó que fuéramos rápidamente a la comisaría de policía del aeropuerto. Allí le pidieron que rellenara un impreso y un par de fotos. Se las hizo en una máquina que había allí mismo. Cuando entregó la documentación, le prometieron que tendría el pasaporte en 30 minutos. Con el tiempo muy justo y el susto en el cuerpo, conseguimos coger nuestro avión en el último momento.

5

Marcos Rodríguez, 34 años: "Quiero que este año me toque el gordo de Navidad y así poder pagar la hipoteca de mi casa. Lo que deseo es vivir sin muchos problemas económicos".

Andrea Rodríguez, 28 años: "Yo quiero volver a Roma y pasarme allí tres meses. Estuve el verano pasado y me encantó. Me gustaría vivir allí para siempre".

Raquel Molina, 8 años: "Yo quiero ser famosa, quiero ser una cantante famosa. Me gustaría salir en la tele".

Alberto Barrios, 9 años: "Yo quiero que mi madre me compre un perro, pero no sé si me lo comprará. Ya lo he pedido otros años, y no ha sido posible. A lo mejor este año es el bueno".

Óscar Rubio, 29 años: "¿Un deseo? Tengo varios deseos, pero básicamente, quiero encontrar un trabajo bueno y que mi novia Cati se case conmigo, hace cinco años que somos novios, y que bajen los precios de los pisos...".

Alejandra García, 78 años: "Yo pediría un nuevo amor, pero a mis años... En realidad solo deseo seguir como estoy, tener salud. Me gustaría viajar, pero como ya soy muy mayor, no tengo muchas condiciones".

1

pala, padre, rápido, poco, poder, pena, ópera, piscina, boda, vino, baño, ambulancia, vela, vida, buda, bolso, verde, abuelo, robo, avión, ave, pavo, Ávila, robó.

2

pela, baba, pueblo, avión, pala, vuelvo, Japón, jarabe, rápido, ropa.

5

1 ¿Adónde vas con esa ropa tan elegante?
2 A Luis le gusta mucho poner apio en la ensalada.
3 Mi padre necesita la pala para trabajar en el jardín.
4 Ese chico es bobo, ahora resulta que no sabe multiplicar.
5 ¿Te has tomado el jarabe para la tos?
6 Me encanta este jabón, huele estupendamente.
7 Este tren es muy rápido.

1

Tutor: Buenos días, Laura. Siéntate, por favor.
Laura: Buenos días.
Tutor: Como sabes estoy hablando con todos vosotros para saber qué os gustaría hacer al acabar vuestros estudios en el instituto. ¿Qué planes tienes para el próximo curso?
Laura: Estoy un poco dudosa. Por una parte, me gustaría ir a la universidad y estudiar Arquitectura. Me encanta dibujar, pero a veces pienso que es un poco difícil. Por otra parte, también me gustan mucho los niños pequeños.
Tutor: ¿Y tus padres qué piensan?
Laura: Dicen que es mejor que estudie algo práctico que me sirva para encontrar trabajo y poder ayudar en casa.
Tutor: ¿Por ejemplo?
Laura: Escuela Infantil o algún curso de formación profesional de diseño gráfico o algo así. Todavía no he tomado una decisión y me gustaría tener su opinión.
Tutor: Yo en tu lugar estudiaría lo que más me gustara. Siempre puedes hacer Formación Profesional y ampliar tus estudios más adelante, cuando estés trabajando. Estoy seguro de que no te equivocarás. Eres una chica inteligente y acertarás en tu elección.

5

Tutor: ¡Hola, Ricardo! ¡Hola, Inés! Pasad, por favor, y sentaos. Me gustaría comentar con vosotros qué planes tenéis para el curso próximo. ¿Quieres empezar tú, Ricardo?
Ricardo: Yo hace tiempo que tengo claro lo que voy a hacer. Voy a estudiar Económicas.
Tutor: ¿Y por qué?
Ricardo: Bueno, mi padre tiene una empresa

pequeña y espera que acabe pronto mis estudios para poder ayudarle. Siempre ha deseado que, cuando él se jubile, yo me quede al frente de la empresa.
Tutor: Y tú, Inés, ¿qué planes tienes?
Inés: Yo me quiero ir a Estados Unidos para perfeccionar mi inglés. Creo que es muy importante hablar idiomas para encontrar trabajo hoy en día.
Tutor: ¿Y tu familia qué piensa?
Inés: Ellos dicen que prefieren que me quede en España. Pero también entienden que pasar un año mejorando mi inglés será bueno para mi futuro profesional.
Tutor: Bueno, chicos. Os deseo mucha suerte y estoy seguro de que vais a conseguir vuestros objetivos. Espero que sigamos en contacto.

4

1 Hola, Mari Carmen. Soy mamá. Llegamos mañana a la diez de la mañana a la estación de Chamartín. Ven a buscarnos con el coche que vamos muy cargados con las maletas. Un beso. ¡Hasta mañana!
2 Oye, Pepe, mira, soy Luisa, que no puedo ir de ninguna manera esta tarde a tu fiesta de cumpleaños. No me acordaba de que tengo que presentar mañana el trabajo de inglés. Pasadlo bien. Besitos.
3 Luis, soy tu hermana. Me sobran dos entradas para el concierto del jueves en el Auditorio. Si quieres ir con Paqui, llámame esta noche. Venga, ¡hasta luego!

UNIDAD 10 Tiempo de vacaciones

2

Locutora: Todo el año esperando las vacaciones y ya están aquí, pero..., ¿vas a dedicar tu verano a realizar ese viaje que siempre has soñado, o quizás te veas atrapado otra vez por la realidad de tu economía? Veamos qué planes tienen nuestros invitados. Cuéntanos Alejandra.
Alejandra: Bueno, este año, seguramente, será mitad descanso y mitad trabajo. Estoy montando un negocio de diseño de moda y voy a recorrer varias ciudades del Mediterráneo, relajándome y visitando clientes.

Locutora: Preguntemos ahora al más joven. Eduardo, ¿qué quieres hacer este verano?
Eduardo: No sé, pero..., si pudiera escoger, se-

guramente me iría a algún lugar exótico a bucear, por ejemplo, a las islas Galápagos. Pero como es muy caro quizás coja la mochila y haga un viaje en tren por Europa.

Locutora: ¿Y tú, María? ¿Cómo serían tus vacaciones ideales?
María: ¡Puff...! Para que fuesen perfectas necesitaría un año sabático y recorrer toda América del Sur, me gustaría conocer el Perito Moreno. Pero como no puede ser, a lo mejor, me voy unos días a la Costa Brava con mi familia.

Locutora: Por último, Rodrigo, ¿qué prefieres: playa o montaña?
Rodrigo: Me encanta la montaña, pero no me imagino un verano sin playa. Lo más seguro es que primero vaya con mis amigas a Cádiz, porque queremos hacer un curso de vela. Después quizás me vaya una semanita con mi novia a Menorca.

Locutora: Bueno, como pueden ver, no faltan ideas para estas vacaciones. Solo necesitamos que el buen tiempo nos acompañe.

3

1. (conversación telefónica en un hotel)
Recepcionista: Recepción, dígame.
Cliente: Buenos días. ¿Sería posible que me subieran el desayuno a la habitación, por favor?
Recepcionista: Sí, señor, por supuesto. ¿Qué desea tomar?
Cliente: Dos cafés con leche, tostadas y mantequilla y mermelada, si es tan amable.
Recepcionista: De acuerdo, señor. En diez minutos se lo subirán a su habitación.
Cliente: Muchas gracias.

2. (en la recepción de un albergue)
Cliente: ¡Hola, buenas tardes!
Recepcionista: Buenas tardes. ¿En qué puedo ayudarte?
Cliente: Mira, ¿podrías dejarnos alguna manta más para nuestra habitación? Parece que hace bastante frío esta noche.
Recepcionista: ¡Cómo no! ¿Cuántas necesitáis?
Cliente: Dos, una para cada cama.
Recepcionista: Aquí las tienes.
Cliente: Muchas gracias. ¡Hasta luego!
Recepcionista: ¡Hasta luego!

3. (conversación telefónica en un hotel)
Recepcionista: Buenas noches, ¿dígame?
Clienta: Hola, buenas noches. ¿Serían tan amables de despertarme a las siete de la mañana?

Recepcionista: Claro que sí, señora. Ya lo dejo aquí anotado para que mi compañero la despierte mañana.

Cliente: Muchas gracias, muy amable.

Recepcionista: Adiós, buenas noches.

4. (en la recepción de un hotel)

Recepcionista: Buenas tardes, señores. ¿En qué puedo atenderles?

Cliente: ¿Le importaría pedir a alguien que nos revisara el aire acondicionado de la habitación, por favor?

Recepcionista: Sí, ahora mismo. ¿Cuál es el problema?

Cliente: Hace un ruido insoportable.

Recepcionista: De acuerdo, señores, dentro de un momento subirá el técnico.

Cliente: Muchas gracias. Aquí le dejo la llave.

1 54

diez / Díez
secretaria / secretaría
sería / seria
hacia / hacía
río / rio
guío / guio
sabia / sabía
estudio / estudió
cantara / cantaría

2 55

1 Ángel se rio mucho de los chistes de Rosa.
2 Mañana no vendrá la secretaria.
3 Roberto estudió en Valencia.
4 El río Ebro pasa por Zaragoza.
5 Luisa se cree muy sabia.
6 Moisés guio a su pueblo por el desierto.
7 Ayer no salí porque hacía frío.
8 Le pidieron que cantara otra canción.
9 Yo no estudio mucho, no me gusta.
10 Yo creo que ella no sabía nada.

1 56

Los señores Blanco iban entusiasmados a pasar sus vacaciones en un hotel de tres estrellas en la playa.

Pero, cuando regresaron, lo primero que hicieron fue ir a su agencia de viajes para quejarse. Sus vacaciones habían sido una pesadilla. Dijeron que su estancia había resultado desastrosa porque el hotel estaba muy sucio, con cucarachas en los dormitorios y en el restaurante.

También se quejaron del mal servicio, dijeron que la bañera estaba en muy malas condiciones y que había un olor horrible en el baño. Aseguraron que se parecía más a una cárcel que a un hotel, y pidieron 6000 € de compensación.

Sin embargo, los responsables del hotel negaron todas las críticas y en la agencia de viajes les dijeron que fueran a juicio si lo deseaban. En el juicio los responsables del hotel llevaron a varios testigos que dijeron que habían disfrutado mucho durante su estancia en el hotel y pidieron al juez que viera un vídeo para demostrar lo agradable que era.

Después de escuchar a las dos partes del conflicto, el juez dijo que parecía que estaban hablando de dos hoteles diferentes.

Al final, el juez decidió que era imposible decir quién estaba diciendo la verdad. Así que solo se podía hacer una cosa: ir a ver el hotel por sí mismo.

3 57

Nunca olvidaré cómo empezó mi viaje a Nueva York.

Llegué al aeropuerto de Barajas y facturé mi equipaje. Estaba haciendo mis últimas compras mientras esperaba para embarcar, cuando, de repente, me di cuenta de que había perdido mi tarjeta de embarque.

Todo el mundo estaba entrando en el avión y yo no podía embarcar. Creía que me quedaba en tierra. De repente, por el altavoz oí mi nombre solicitando que me presentara en el mostrador de Iberia. Una niña lo había encontrado junto a la puerta de servicio.

Por fin, ya en el avión, comenzó mi viaje de ocho horas atravesando el océano.

Al llegar al aeropuerto Kennedy, en Nueva York, todos los pasajeros fuimos a recoger nuestro equipaje.

Poco a poco mis compañeros de viaje iban desapareciendo con sus maletas, hasta que me encontré yo sola con una única maleta, que no era la mía, girando sobre la cinta de equipajes.

Ya no sabía qué hacer. Me dirigí hacia el puesto de policía y, al verme tan nerviosa, me pidieron que me sentara y me tranquilizara. De repente vi llegar a un señor corriendo con mi maleta en la mano, tratando de aclarar el malentendido.

Me explicó que se había llevado mi maleta por error, ya que se parecía bastante a la suya, que seguía girando en la cinta de equipajes.

No pude evitar darle un abrazo de alegría al ver que podía continuar mi viaje tranquilamente.

El resto del viaje fue fantástico. Disfruté de unos días maravillosos en Nueva York.

9 58

Mi primera experiencia de lo que es un verano lluvioso la tuve el pasado mes de julio cuando decidí ir de fin de semana con mi novio a Galicia. Nosotros vivimos en Sevilla, donde casi no llueve y el sol brilla todo el año. Nada más bajar del coche tuvimos que sacar el paraguas, porque empezó a llover. El resto de la gente caminaba por la calle tranquilamente, mientras nosotros buscábamos refugio en el hotel. Al día siguiente, cuando íbamos a salir hacia nuestra primera excursión, tuvimos que cambiar de planes, porque estaba lloviendo a cántaros. A mediodía se retiraron las nubes y apareció el sol. Muy contentos nos preparamos para bajar a la playa. A la media hora de estar sentados al sol (el agua estaba bastante fría y era imposible bañarse), el cielo se nubló, empezó a lloviznar y tuvimos que volvernos al hotel. Al día siguiente nos dirigimos al Cabo de Finisterre, para ver sus bonitas vistas. Nos tuvimos que llevar la chaqueta porque hacía bastante frío y allí soplaba un viento muy fuerte. Pero lo peor fue que, al llegar al mirador, no se veía absolutamente nada porque había una niebla muy espesa. Eso sí, comimos el plato de pulpo más rico que habíamos probado en nuestra vida.

1 59

Sara: ¡Hola, buenos días! Quería visitar las islas Canarias. ¿Sería tan amable de informarme?

Agente: Sí, ¿cómo no? ¿Cuándo le gustaría viajar?

Sara: Probablemente vaya en el mes de julio, que hace buen tiempo.

Agente: Bueno, ya sabe usted que en las islas Canarias hace buen tiempo en todas las estaciones del año. ¿Qué islas le gustaría conocer?

Sara: Quiero ir a Lanzarote y me gustaría conocer Fuerteventura, pero quizás sea un poco caro, ¿no?

Agente: Todo depende del tipo de alojamiento que elija.

Sara: ¿Sería posible un hotel de tres estrellas cerca de la playa?

Agente: Sí, tenemos varios hoteles de esas características. ¿Cuántos días quiere estar allí?

Sara: Quisiera estar diez días. ¿Cuánto me costaría?

Agente: Si se aloja siete días en Lanzarote y tres días en Fuerteventura, el precio aproximado sería de 1200 €.

Sara: ¿Este precio incluye la comida?

Agente: No, solo el viaje, alojamiento y desayuno.

Sara: Seguramente iré, pero tengo que pensármelo. Volveré la semana que viene. Muchas gracias por la información.

5

Enrique: ¿Sabes qué tal tiempo va a hacer este fin de semana?

Elena: Pues no tengo ni idea, ¿por qué?

Enrique: Porque a lo mejor voy con mis amigos a Santander.

Elena: Seguramente esté nublado. Ya sabes que en el norte suele llover en esta época del año.

Enrique: Tenemos que consultarlo, y, si vemos que va a llover, quizás cambiemos de planes y nos vayamos al sur. ¿Podrías recomendarme alguna página web para enterarme de qué tal tiempo va a hacer?

Elena: Claro que sí. Ahora mismo te apunto un par de ellas que son fiables.

Enrique: ¿Y tú qué vas a hacer?

Elena: Probablemente me vaya con mi novio a Salamanca. Nunca ha estado allí y tiene muchas ganas de ir. Pero no estoy segura, porque si va a hacer mucho frío, me quedaré en casa. Ya veremos.

UNIDAD 11 Tiempo de compras

4

A.

Pepa: Mira, Juani, ¡qué jarrón tan bonito! ¿Te gusta?

Juani: Sí, sí, es precioso.

Pepa: ¿Me lo deja ver, por favor?

Vendedor: Sí, señora, ¡cómo no! Es de cerámica de Talavera.

Pepa: ¿Cuánto cuesta?

Vendedor: 30 €.

Juani: Es un poco caro. Nos lo dejará usted un poco más barato.

Vendedor: Venga, se lo dejo en 18 €. ¿De acuerdo?

Pepa: Vale, nos lo llevamos. ¿Nos lo podría envolver para regalo?

Vendedor: No hay problema. Ahora mismo.

B.

Pepa: El domingo me voy a la playa y no tengo zapatillas.

Juani: Pues mira esas de ese puesto, qué bonitas son.

Pepa: ¿Las tendrán en mi número? Se lo voy a preguntar. "¡Oiga, por favor! ¿Tiene usted esas zapatillas de color naranja en el número 38?".

Vendedor: Un momento, señora, que lo miro. Ha habido suerte. Aquí tenemos un par. Pruébeselas, si quiere.

Pepa: Déjemelas, por favor. ¿Te gusta cómo me quedan, Juani?

Juani: Sí, son preciosas. Además tiene ese bolso haciendo juego.

Pepa: ¿Cuánto vale el bolso?

Vendedor: Si se lleva las dos cosas, se las dejo en 50 €.

Pepa: ¿50 €? Hágame una rebaja o, si no, no me las llevo.

Vendedor: 40 € y no se hable más.

Pepa: Venga, vale, póngamelas.

C

Paco: Hola, buenos días. Mire, que me compré estos pantalones la semana pasada y me están un poco pequeños. Venía a ver si tiene una talla más.

Vendedor: Déjeme ver. Esta es la 38 y usted necesitaría la 40. Vamos a ver. Pues sí que la hay. Debería probárselos. Pase por aquí, que tenemos un probador.

Paco: Esta es mi talla. Me los llevo. ¿Tengo que pagarle algo?

Vendedor: No, no. Cuestan lo mismo. Lo que hace falta es que le queden bien.

Paco: Bueno, pues nada. Muchas gracias. ¡Hasta otro día!

Vendedor: Adiós, buenos días.

1

1 Pablito clavó un clavito.
¿Qué clavito clavó Pablito?

2 Pancha plancha con cinco planchas.
Con cinco planchas Pancha plancha.

3 Perejil comí
perejil cené
y de tanto perejil
me emperejilé.

4 Tres tristes tigres
comen trigo en un trigal.

1

Dependienta: ¡Hola, buenos días! ¿Puedo ayudarla en algo?

Clienta: Sí, buenos días. Mire, mi hijo me regaló estos pendientes por el Día de la Madre y me parecen demasiado largos. ¿Podría cambiarlos por otra cosa?

Dependienta: Sí, señora, por supuesto. Mire usted y busque algo que le guste y se los cambio sin ningún problema.

Clienta: Ya he estado mirando y me gustaría llevarme este pañuelo.

Dependienta: Muy bien. ¿Desea algo más?

Clienta: Sí, he visto una camisa blanca que me gusta, pero la prefiero de color rosa.

Dependienta: Sí, aquí la tiene.

Clienta: ¡Ah, sí! Esta me gusta más. ¿Me la puedo probar?

Dependienta: ¡Cómo no! El probador está al fondo a la izquierda.

(...)

Dependienta: ¿Cómo le queda?

Clienta: Bien, me gusta mucho como me queda. Me la llevo también. ¿Puedo pagar la diferencia con la tarjeta?

Dependienta: No hay ningún problema. Deme, por favor, el *ticket* de los pendientes y así le cobro la diferencia.

Clienta: Muchas gracias. Muy amable.

5

¡Aprovecha las rebajas del mes de agosto en todas nuestras secciones! ¡No te arrepentirás!
- Busca los lavavajillas y los frigoríficos en la sección de electrodomésticos. Los encontrarás con un 50% de descuento.
- En la sección de hogar, todas las toallas y sábanas te costarán un 20% menos.
- Si compras ropa interior de caballero, te la vendemos a mitad de precio.
- Tenemos una oferta de dos por uno en bañadores de señora y caballero en todos los modelos.
- Encontrarás zapatillas de deporte para niños desde 25 euros.
- Adelántate al inicio del curso escolar y compra los uniformes de tus hijos. Te los ofrecemos con un 15% de descuento.

¡No lo dejes para el último día! ¡Ven a nuestras rebajas y ahorrarás mucho dinero!

UNIDAD 12 Fiestas y tradicciones

6

Los componentes principales de la Navidad chilena son el viejito pascuero, el pan de pascua, la bebida llamada *cola de mono* y el calor.

Nuestro viejito pascuero tiene una gran barriga y una barba blanca, viene con un traje rojo y el saco lleno de regalos. Entra en las casas por la chimenea o las ventanas para dejar los regalos.

Las familias cenan ensaladas y pavo y beben *cola de mono*, que es una especie de ponche hecho de pisco o aguardiente, café con leche, azúcar y canela. Tampoco falta el pan de pascua, una masa alta horneada, rellena de frutas confitadas, pasas y frutos secos, que se puede encontrar en cualquier esquina y en todas las confiterías.

Los niños dejan los zapatos debajo del árbol de Navidad, adornado con trozos de algodón, que recuerdan a la nieve, y bolas de colores. Después de la medianoche el viejito pascuero dejará en los zapatos los regalos que cada uno ha pedido.

La calurosa Navidad chilena dura hasta el cinco de enero. A partir de ahí empiezan las vacaciones de verano, el calor y la playa.

3 🔊 66

Locutor: Buenas tardes, hoy vamos a entrevistar a Sonia, la cantante gaditana que se presentó al programa de Operación Triunfo.

Locutor: Sonia, ¿quién es la persona de tu familia que más admiras?
Sonia: Mi madre.
Locutor: ¿En qué parte de la casa te sientes más cómoda?
Sonia: En mi dormitorio.
Locutor: ¿Sabes cocinar?
Sonia: Sí, un poco.
Locutor: ¿Cuál es tu plato preferido?
Sonia: La paella.
Locutor: ¿Te gustan los animales?
Sonia: Sí, tengo dos perros.
Locutor: ¿A qué lugar del mundo te gustaría viajar?
Sonia: A la India.
Locutor: ¿Qué tipo de música escuchas normalmente?
Sonia: Me gusta el pop y a veces escucho música romántica.

Locutor: ¿Quién es tu actor o actriz preferido?
Sonia: Javier Bardem.
Locutor: ¿Cuántos idiomas hablas?
Sonia: Inglés y un poco de francés.
Locutor: ¿Qué haces cuando estás nerviosa?
Sonia: Canto, o llamo por teléfono a alguien.
Locutor: ¿Qué es lo que más te molesta de la gente?
Sonia: Que no sea sincera.
Locutor: ¿A qué tienes miedo?
Sonia: A la muerte.
Locutor: ¿Cuál es tu principal virtud?
Sonia: Soy ambiciosa, consigo lo que quiero.
Locutor: ¿Cuál es tu principal defecto?
Sonia: La ambición se vuelve a veces contra mí.
Locutor: ¿Qué planes tienes para las vacaciones del año próximo?
Sonia: No tengo planes porque tengo una gira en verano.
Locutor: ¿Qué te gustaría hacer cuando te jubiles?
Sonia: No lo he pensado, de momento solo pienso en cantar.

1 🔊 67

1 ¿Ayer nevó en Ávila?
2 ¡Volverá más tarde!
3 Tienes muchas plantas.
4 ¿Ella no lo sabe?
5 ¡Han llegado!
6 ¡Hay mucha gente!
7 ¿No la quieres?
8 ¿Qué pasó?

1 🔊 68

Abel: ¿Qué te parece si organizo una barbacoa en mi casa con los compañeros de clase para celebrar el final de curso?
Gloria: ¿Cuándo?
Abel: El próximo domingo.
Gloria: ¡Genial! ¿Puedo ayudarte en algo?
Abel: Bueno, te lo agradezco mucho. Yo puedo encargar la comida el sábado por la mañana, pero me queda por organizar el tema de las bebidas.
Gloria: ¿Quieres que te ayude? Conozco una tienda cerca de aquí, que además tiene muy buenos precios. Podemos ir el sábado por la tarde.
Abel: ¿De verdad no te importa?
Gloria: Por supuesto que no. Lo haré encantada.
Abel: Además de la bebida, vamos a necesitar unas bolsas de hielo y vasos y platos de plástico.
Gloria: Vale. No hay problema. Espero que haya de todo en esta tienda. ¿Cuándo se lo vamos a decir a los compañeros?
Abel: Se lo decimos esta tarde sin falta. Ahora quería pedirte un último favor: ¿te importaría quedarte para ayudarme a recoger después de la fiesta?
Gloria: No hace falta que me lo pidas. Ya lo había pensado. Y así me invitas a un último refresco cuando se vayan todos.

5 🔊 69

Miguel: ¡Hola, Elisa! Soy Miguel. ¿Sabes que empieza el festival Madrid-Río la semana que viene? Yo voy a ir, ¿quieres que te saque entradas y vamos juntos?
Elisa: Sí, sí, vale. Tengo muchas ganas de ir. ¿Te importa si se lo digo a Pedro y a Ana?
Miguel: Claro que no. Diles que si quieren les puedo sacar las entradas.
Elisa: ¿Y has pensado cómo vamos a ir? ¿Si quieres, llevo el coche?
Miguel: No, no hace falta. Podemos ir en transporte público. Han puesto autobuses especiales desde la plaza de Cibeles.
Elisa: Vale. Mucho mejor. Oye, una cosa: ¿sabes cuánto cuestan las entradas?
Miguel: No, aún no. Voy a llamar ahora para preguntarlo. ¿Quieres que te avise cuando lo sepa?
Elisa: Vale, venga. Y así les doy a Pedro y a Ana la información completa.
Miguel: Bueno, pues te llamo en diez minutos.
Elisa: Muy bien. Gracias. Hasta luego.

Primera edición, 2014
Quinta edición, 2016

Produce: SGEL – Educación
Avda. Valdelaparra, 29
28108 Alcobendas (Madrid)

© Francisca Castro, Ignacio Rodero, Carmen Sardinero
© Sociedad General Española de Librería, S. A., 2014
Avda. Valdelaparra, 29, 28108 Alcobendas (Madrid)

© Joaquín Salvador Lavado (QUINO) Todo Mafalda - Editorial Lumen, 1992 (pág.15).

Coordinación editorial: Jaime Corpas
Edición: Mise García y Daniela Morales
Corrección: Ana Sánchez
Diseño de cubierta e interior: Verónica Sosa
Fotografías de cubierta: Shutterstock
Maquetación: Leticia Delgado

Ilustraciones: Pablo Torrecilla, págs.: 14, 98, 110, 130 y 137. Maravillas Delgado, págs.: 33, 70, 100, 111, 118 y 123.
Cartografía: Joaquín Marín

Fotografías: ARCHIVO SGEL: pág. 22 (Cuernavaca), pág. 26. CORDON PRESS: Unidad 1: pág. 9, pág. 11 (todas, excepto foto de Amy Winehouse). Unidad 2: pág. 20 (foto Cercanías), pág. 21, pág. 25 (foto mercado de frutas). Unidad 4: pág. 44, pág. 47 (todas, excepto la del Real Madrid), pág. 48. Unidad 5: pág. 53 (fotos 2 y 3), pág. 55 (fotos cromoterapia, fitoterapia, hidroterapia, musicoterapia y risoterapia). Unidad 6: pág. 62 (fotos 2 y 3), pág. 63, pág. 66, pág. 68. Unidad 8: pág. 84 (fotos de Marc Márquez y de Teresa Perales), pág. 85, pág. 86 (todas, excepto la C), pág. 88, pág. 89 (todas, excepto la foto de Jaén), pág. 90, pág. 91, pág. 92 (cuadro de Goya), pag. 94. Unidad 9: pág. 101 (todas, excepto la de Raquel), pág. 103 (foto de Juan Luis Arsuaga). Unidad 10: pág. 113 (foto mercado). Unidad 11: pág. 121, pág. 122 (foto de Amancio Ortega), pág. 125. Unidad 12: pág. 129, pág. 135. SHUTTERSTOCK: Resto de fotografías, de las cuales, solo para uso de contenido editorial: Unidad 1: Portadilla (Chad Zuber / Shutterstock.com), pág. 11 Amy Winehouse (Razuan Iosif / Shutterstock.com). Unidad 2: Portadilla (S. Borisov / Shutterstock.com), pág. 18 foto B (Anton_Ivanov / Shutterstock.com), foto C (Tupungato / Shutterstock.com), pág. 20 metro de Madrid (Tupungato / Shutterstock.com), pág. 25 fotos 2 y 3 (Toniflap / Shutterstock.com). Unidad 3: Portadilla (rubiphoto / Shutterstock. com), pág. 37 foto de Aguas Calientes (Jennifer Stone / Shutterstock.com), pág. 38 foto Unicef (Anton_Ivanov / Shutterstock.com), pág. 47 foto Real Madrid (Maxisport / Shutterstock.com), pág. 39 foto de La Habana (Patricia Hofmeester / Shutterstock.com), foto músicos (Kamira / Shutterstock.com). Unidad 6: Portadilla (Pavel L Photo and Video / Shutterstock.com), pág. 64 foto bicicletas (Isa Fernandez Fernandez / Shutterstock.com), Ámsterdam (Aija Lehtonen / Shutterstock.com). Unidad 8: Portadilla (Aija Lehtonen / Shutterstock.com), pág. 84 Mireia Belmonte (Maxisport / Shutterstock.com), Neymar (Celso Pupo / Shutterstock.com), Juan Martín del Potro (Neale Cousland / Shutterstock. com), pág. 86, Circo del Sol (Randy Miramontez / Shutterstock.com). Unidad 9: Portadilla (Migel / Shutterstock.com), pág. 96 foto Puerta del Sol (Dmitro2009 / Shutterstock.com), pág. 99 (pio3 / Shutterstock.com), pág. 103 foto Museo (Roberaten / Shutterstock.com), foto Yacimiento (Natursports / Shutterstock.com). Unidad 10: Portadilla (Bruce Raynor / Shutterstock.com), pág. 113 Plaza Mayor de Guatemala (cleanfotos / Shutterstock.com). Unidad 11: Portadilla (Iornet / Shutterstock.com), pág.119 (claudio zaccherini / Shutterstock.com). Unidad 12: Portadilla (nito / Shutterstock.com), pág.128 foto San Fermín (Migel / Shutterstock.com), carnaval de Río (Celso Pupo / Shutterstock.com), fiesta del Dragón (windmoon / Shutterstock.com). Para cumplir con la función educativa del libro, se han empleado imágenes de: Unidad 1: Cartel de *No sos vos soy Yo*. Unidad 3: Cubierta *Muy Interesante*.

Audio: Crab Ediciones Musicales y Nordqvist Productions España SL

ISBN: 978-84-9778-740-6 (versión internacional)
        978-84-9778-836-6 (versión internacional sin CD)
        978-84-9778-789-5 (versión Brasil)

Depósito legal: M-14840-2014
Printed in Spain – Impreso en España

Impresión: Grupo Gráfico Gómez Aparicio